OSTWALDS KLASSIKER
DER EXAKTEN WISSENSCHAFTEN
Band 69

James Clerk Maxwell
13.6.1831–5.11.1879

OSTWALDS KLASSIKER
DER EXAKTEN WISSENSCHAFTEN
Band 69

Reprint der Bände 69 und 102

Über Faradays Kraftlinien

(1855/1856) · Band 69

Über physikalische Kraftlinien

(1861/1862) · Band 102

von

James Clerk Maxwell

Herausgegeben von
Ludwig Boltzmann

Eingeleitet von
Holger T. Grahn

Verlag Harri Deutsch

Der Autor der Einleitung dieses Bandes:
Prof. Dr. Holger T. Grahn
Paul-Drude-Institut für Festkörperelektronik, Berlin

Bibliografische Information Der Deutschen Nationalbibliothek

Die Deutsche Nationalbibliothek verzeichnet diese Publikation in der Deutschen Nationalbibliografie; detaillierte bibliografische Daten sind im Internet über http://dnb.d-nb.de abrufbar.

ISBN 978-3-8171-3424-3

4., erw. Auflage 2009
Druck: Rosch-Buch Druckerei GmbH, Scheßlitz
Printed in Germany

Inhalt

Ueber Faraday's Kraftlinien.

III. Theil. Beispiele.

Ueber physikalische Kraftlinien.

1. Theil. Anwendung der Theorie der Molekularwirbel auf die Erscheinungen des Magnetismus.

2. Theil. Anwendung der Theorie der Molekularwirbel auf elektrische Ströme.

3. Theil. Anwendung der Theorie der Molekularwirbel auf die statische Elektricität.

4. Theil. Anwendung der Theorie der Molekularwirbel auf die Wirkung des Magnetismus auf polarisirtes Licht.

Einleitung

James Clerk Maxwell: Kraftlinien

von

Holger T. Grahn

James Clerk Maxwells wissenschaftliche Arbeiten zeigen, dass er in der Betrachtung der Wahrheit viel mehr Freude fand als in der Anerkennung, etwas entdeckt zu haben. Sir William Davidson Niven, der Herausgeber von Maxwells wissenschaftlichen Veröffentlichungen, sagte über Maxwells wissenschaftliche Arbeiten „Selten haben sich die geistigen Fähigkeiten in Bezug auf Erfindungen und Erklärungen, die Zuneigung zu den Naturwissenschaften und das Vermögen etwas mathematisch zu entwickeln in einer Person in demselben Umfang vereint. Es braucht aber auch nahezu vergleichbare Leistungen mit denen von Maxwell selbst, um die etwas schwierigeren Bestandteile seiner Arbeiten, die aus diesem Zusammenspiel herrühren, zu beschreiben, da jede mit dem geschickten, aber unverkennbaren Abdruck eines Genies geprägt ist.“ [1] Maxwell hat sich in seiner wissenschaftlichen Laufbahn, neben den hier in Übersetzung von Ludwig Boltzmann vorliegenden Arbeiten *Ueber Faraday's Kraftlinien* und *Ueber physikalische Kraftlinien,* hauptsächlich mit Experimenten zur Farbwahrnehmung, mit optischen Themen, mit Untersuchungen über elastische Körper, mit reiner Geometrie, mit Mechanik, mit den Ringen des Saturns sowie mit der Molekularphysik beschäftigt. Am bekanntesten ist er natürlich durch seine Theorie des elektromagnetischen Feldes einschließlich der elektromagnetischen Theorie des Lichtes geworden.

---

1 Lewis Campbell und William Garnett: The Life of James Clerk Maxwell (MacMillan and Co., London, 1882), S. 465.

James Clerk Maxwell: ein außergewöhnlicher Wissenschaftler

James Clerk Maxwell wurde am 13. Juni 1831 in Edinburgh, Schottland, geboren und verbrachte seine Kindheit auf dem Familiensitz Glenlair der Maxwells in der Nähe des Dorfes Corsock im schottischen Verwaltungsgebiet von Dumfries and Galloway. Im Jahre 1841 wurde Maxwell von seinem Vater auf die Edinburgh Academy, einer unabhängigen, im Jahre 1824 gegründeten Schule, geschickt. In diese Zeit fällt eine seiner ersten wissenschaftlichen Arbeiten. Im Alter von 14 Jahren schrieb er eine Abhandlung über die mechanischen Mittel, mathematische Kurven mit einem Faden zu zeichnen, sowie über die Eigenschaften von Ellipsen und Kurven mit mehr als zwei Brennpunkten. Seine Arbeit unter dem Titel *Über die Beschreibung ovaler Kurven und solche, die eine Vielzahl von Brennpunkten besitzen* wurde im Frühjahr 1846 vor der Königlichen Gesellschaft von Edinburgh von James Forbes, Professor der Naturphilosophie an der Universität Edinburgh, vorgetragen, da Maxwell selbst noch zu jung war. Nach sechs Jahren verließ er die Akademie und begann im Alter von 16 Jahren an der Universität in Edinburgh Vorlesungen zu hören. In dieser Zeit beschäftigte er sich hauptsächlich mit den Eigenschaften von polarisiertem Licht, dem Stereoskop, dem Galvanismus, der Theorie von Rollkurven sowie dem Gleichgewicht elastischer Festkörper. Zu den letzten beiden Themen wurden im Februar 1849 bzw. Frühjahr 1850 zwei Arbeiten der Königlichen Gesellschaft von Edinburgh vorgestellt, aber wiederum nicht von Maxwell selbst, sondern von Philip Kelland, Professor für Mathematik an der Universität Edinburgh, da es für einen Jungen in einer runden Jacke (*boy in a round jacket*)[2] nicht angemessen war, das

---

2 In der Mitte des 19. Jahrhunderts war es Mode, dass Jungen mit einer Art Militärjacke, die als *round jacket* bezeichnet wurde, bekleidet waren.

Podium zu betreten. Seine freie Zeit verbrachte Maxwell zu Hause in Glenlair, wo er auch Experimente durchführen konnte.

Im Oktober 1850 wechselte Maxwell an die Universität Cambridge nach England. Dort studierte er unter anderem bei William Hopkins, dessen Spitzname *senior wrangler-maker* war. Ein *wrangler* ist ein Mathematikstudent der Universität Cambridge, der das dritte Studienjahr in allen drei mathematischen Gebieten mit Auszeichnung besteht. Im Jahre 1854 schloss Maxwell sein Studium der Mathematik am Trinity College der Universität Cambridge mit der zweitbesten Mathematikprüfung (*second wrangler*) seines Jahrgangs ab. Allerdings wurde er dann in der Prüfung für den Smith-Preis mit dem *wrangler* Edward Routh gleichgestellt. Die Veröffentlichung der ersten Arbeit über Kraftlinien mit dem Titel *Ueber Faraday's Kraftlinien* fällt in die letzten beiden Jahre seines ersten Aufenthalts in Cambridge. Diese Arbeit besteht aus drei Teilen. Der erste Teil betrachtet die Anwendung der Faraday'schen Kraftlinien auf statische Zustände und stationäre Strömungen, der zweite Teil den Faraday'schen elektrotonischen Zustand, während der dritte Teil eine Anzahl von Beispielen behandelt.

Im Jahre 1856 wurde Maxwell im Alter von 25 Jahren Professor für Naturphilosophie an dem Marischal College in Aberdeen, der drittgrößten Stadt Schottlands. Er verbrachte die sechs Monate des akademischen Jahres in Aberdeen und die anderen sechs Monate in Glenlair. Im Jahre 1860 wurden das Marischal College und das benachbarte King's College in Aberdeen zur Universität Aberdeen zusammengelegt. Da es an der neu gegründeten Universität Aberdeen keinen Platz für zwei Professoren für Naturphilosophie gab, musste Maxwell Aberdeen verlassen. Er erhielt aber nach kurzer Zeit einen Lehrstuhl für Naturphilosophie am King's College in London. Die Jahre in London gehören zu den produktivsten seiner wissenschaftlichen Karriere. Er erhielt im Jahre 1860 die Rumford-Medaille der britischen Königlichen Gesellschaft für seine Arbeiten über Farben. 1861/1862 wurde die zweite Arbeit über Kraftlinien mit dem Titel *Ueber physikalische Kraftlinien* veröffentlicht, die aus vier Teilen besteht. Der erste Teil behandelt die theoretische Beschreibung der Erscheinungen des Magnetismus, der zweite Teil die der elektrischen Ströme, der dritte Teil die der Elektrostatik und der vierte Teil die der Wirkung des Magnetismus auf polarisiertes Licht, dem Faraday-Effekt. Maxwell hatte mit Sicherheit schon in Aberdeen begonnen, an diesen Themen zu arbeiten. In seiner Londoner Zeit hatte er regelmäßig Kontakt mit Michael Faraday (der fast 40 Jahre älter als Maxwell war und 1867 verstarb), insbesondere bei seinen Besuchen von Vorlesungen an der Königlichen Anstalt von Großbritannien. Eine große Freundschaft bestand nicht zwischen ihnen, aber sie hatten großen Respekt vor den Talenten des anderen.

Im Jahre 1865 legte er seine Professur am King's College in London nieder und kehrte nach Glenlair zurück. Im Jahre 1871 wurde Maxwell als erster Cavendish Professor für Physik an die Universität Cambridge berufen und übernahm dort die Leitung des Aufbaus des Cavendish Laboratoriums. In diesen Jahren schrieb er mehrere Bücher und beschäftigte sich mit dem physikalischen Einheitensystem. Eine seiner letzten großen Beiträge zur Wissenschaft war die Herausgabe der Forschungsarbeiten über Elektrizität von Henry Cavendish. Maxwell starb am 05. November 1879 in Cambridge im Alter von nur 48 Jahren.

Über Faradays Kraftlinien

Nach seinem Abschluss an der Universität Cambridge im Jahre 1854 beschäftigte sich Maxwell eingehend mit den experimentellen Untersuchungen von Faraday. In Faraday fand er einen Geist, der ihm sehr ähnlich war. Maxwell sah den Zusammenhang zwischen Faradays Sichtweise und dem Zugang, den Mathematiker einschlagen würden. Das Faraday'sche Konzept eines Mediums übernahm Maxwell als Leitfaden in seine Arbeiten über Elektrizität und Magnetismus.

Bis zum sechzehnten Jahrhundert wusste man sehr wenig über Elektrizität, im Prinzip nur, dass Bernstein, wenn man es reibt, die Kraft besitzt, leichte Körper anzuziehen. In der zweiten Hälfte des achtzehnten Jahrhunderts zeigte Coulomb dann durch seine Experimente, dass die Abstoßung bzw. Anziehung zwischen zwei kleinen Körpern, die elektrisch geladen sind, von deren Ladungen und Abstand abhängt. Die mathematische Theorie der Elektrizität wurde ungefähr zur selben Zeit von Cavendish begründet, dessen Abhandlungen aber erst ungefähr 100 Jahre später von Maxwell herausgegeben wurden. Ebenso wichtig waren die experimentellen Arbeiten von Cavendish zu dem Gesetz der elektrischen Anziehung bzw. Abstoßung. Cavendish bewies schlüssig, dass die Anziehung bzw. Abstoßung zweier kleiner, geladener Körper sich direkt mit dem Produkt der beiden Ladungen sowie mit dem Inversen des Quadrates des Abstandes zwischen ihnen ändert, so dass das Kraftgesetz für geladene Teilchen dem Gravitationsgesetz von Newton entspricht, mit dem einzigen Unterschied, dass die Kraft zwischen gleichartig geladenen Körpern abstoßend und zwischen entgegengesetzt geladenen Körpern anziehend ist. Außer einigen theoretischen Arbeiten von Siméon-Denis Poisson und George Green wurde in den nächsten Jahren auf dem Gebiet der Elektrostatik wenig Neues hinzugefügt, bis Faraday begann sich diesem Thema zu widmen. Da viele Ergebnisse von Cavendish zu diesem Zeitpunkt nicht veröffentlicht und auch nicht bekannt waren, hat Faraday einige von Cavendishs Ergebnissen unabhängig von ihm und völlig selbstständig gewonnen. Deshalb konnte Faraday einen eigenen, vollkommen eigenständigen Weg bei seinen Arbeiten einschlagen.

Pierre-Simon Marquis de Laplace, Joseph-Louis Lagrange, Poisson und andere hatten die mathematische Theorie der Anziehung von Körpern (elektrostatisch oder gravitativ) weit entwickelt, so dass viele Probleme in der Elektrizität mit deren Methoden gelöst werden konnten. Diese theoretischen Modelle basierten alle auf der so genannten Fernwirkung (*action at a distance*), bei dem sich eine physikalische Wirkung instantan (zum selben Zeitpunkt) über beliebig große Entfernungen bemerkbar macht. Faraday war aber mit der Hypothese der Fernwirkung zwischen geladenen Teilchen nicht zufrieden und suchte deshalb nach einem Mechanismus, wie die elektrische und elektromagnetische Wirkung im Raum von Punkt zu Punkt übertragen werden können. Allerdings ist die resultierende Kraft auf einen elektrisch geladenen Körper und der induzierte Strom in einem beliebigen elektrischen Leiter unabhängig davon, ob man die Hypothese der Fernwirkung verwendet oder die Hypothese der Übertragung der elektrischen Wirkung über Linien, gerade oder gekrümmte, durch ein dazwischen liegendes Medium. Aber jede Sichtweise, ob die Argumente nun schlüssig sind oder nicht, ist für sich gesehen nützlich, sofern sie dazu führt, dass die beobachteten Phänomene weiter untersucht werden. Deshalb waren Faradays Vorstellungen von Kraftlinien, die durch ein Medium durchgehen und dabei Spannungen und Druck ausüben, außerordentlich wichtig für das folgende Verständnis von Elektrizität und Magnetismus.

Maxwell schrieb selbst in dem Vorwort zu seinem Buch *A Treatise on Electricity and Magnetism* über die Faraday'sche Sichtweise: „... bevor ich das Studium der Elektrizität begann, beschloss ich, keine mathematischen Abhandlungen über dieses Thema zu lesen, solange ich nicht Faradays *Experimentelle Erkundungen über Elektrizität* gelesen hatte. Ich war mir bewusst, dass es einen Unterschied zwischen Faradays Betrachtungsweise und der der Mathematiker gab, so dass weder Faraday noch die Mathematiker mit der Sprache des jeweils anderen zufrieden sein würden. Ich war auch davon überzeugt, dass dieser Zwiespalt nicht dadurch verursacht wurde, dass einer von beiden falsch lag. Ich wurde davon zuerst von Sir William Thomson überzeugt, dessen Rat und Unterstützung sowie dessen publizierte Arbeiten ich den größten Teil der Dinge, die ich über dieses Gebiet gelernt habe, verdanke. Während ich meine Studien der Faraday'schen Arbeiten fortsetzte, erkannte ich, dass Faradays Methode die Phänomene zu begreifen, ebenfalls eine mathematische war, allerdings ohne die übliche Form der mathematischen Symbole. Ich fand außerdem heraus, dass diese Methoden sich auch in der gebräuchlichen mathematischen

Form ausdrücken lassen und deshalb mit denen von erklärten Mathematikern vergleichbar sind. Zum Beispiel sah Faraday in seinem geistigen Auge den ganzen Raum durchquerende Kraftlinien, wo die Mathematiker Kraftzentren, die sich aus der Ferne anziehen, sahen. Faraday sah ein Medium, wo die Mathematiker nichts anderes als Ferne sahen. Faraday suchte den Platz der Phänomene in realen Wirkungen innerhalb des Mediums, den Mathematikern genügte es, dass sie ihn in der Macht der Fernwirkung eingeprägt auf die elektrischen Flüssigkeiten gefunden hatten.“ [3]

Angenommen ein kleiner, positiv geladener Körper befindet sich in unmittelbarer Nähe zu einer positiv geladenen Fläche und bewegt sich stets in der Richtung, in der er durch die auf ihn wirkende Kraft getrieben wird. Dieser kleine Körper wird selbstverständlich von dieser Fläche abgestoßen und bewegt sich entlang einer Bahn, gerade oder gekrümmt, und wird seine Bewegung mit einer mit zunehmender Entfernung abnehmenden Kraft unbegrenzt fortsetzen, sofern er nicht auf eine negativ geladene Fläche trifft, die ihn anzieht und in der er dann verschwindet. Die Bahn, die durch einen solchen kleinen, geladenen Körper verfolgt wird, stellt die Faraday'sche Kraftlinie dar, welche deshalb einer Linie entspricht, dessen Richtung in jedem Punkt mit der resultierenden Kraft an diesem Punkt übereinstimmt. Solche Kraftlinien entspringen immer positiv geladenen Flächen und enden auf negativ geladenen Flächen. Anderenfalls erstrecken sie sich bis ins Unendliche. Die Kraftlinien, die einem positiv geladenen Körper entspringen, der sich in einem Raum befindet, der keine anderen negativ geladenen Körper enthält, enden im Allgemeinen an den Wänden, dem Boden und der Decke des Raumes oder an Objekten, die sich in dem Raum befinden und die eine elektrische Verbindung mit diesen besitzen. Faraday stellte sich so die Gesamtheit des Raumes vor, in dem die elektrische Kraft wirkt und der von den Kraftlinien durchdrungen

3 James Clerk Maxwell: A Treatise on Electricity and Magnetism Vol. I (Clarendon Press, Oxford, 1873), S. ix–x.

wird, die an jedem Punkt die Richtung der resultierenden Kraft an diesem Punkt beschreiben. Aber Faraday ging noch einen Schritt weiter. Die Kraftlinien enthalten auch Informationen über die Stärke der Kraft an jedem Punkt im Raum. Wenn die Stärke groß ist, liegen die Linien eng beieinander. Liegen die Linien dagegen weit auseinander, ist die Stärke der Kraft klein. Da die Kraft in unmittelbarer Nähe eines kleinen geladenen Körpers proportional zu dessen Ladung ist, zeichnete Faraday, von jeder möglichen positiv geladenen Fläche ausgehend, eine Anzahl von Kraftlinien, die proportional zur Ladung dieser Fläche ist. Ebenso endet eine ähnliche Anzahl von Kraftlinien in jeder negativ geladenen Fläche.

Maxwell stellte seine Arbeit *Ueber Faraday's Kraftlinien* der Philosophischen Gesellschaft von Cambridge am 10. Dezember 1855 und 11. Februar 1856 vor. In dieser dreiteiligen Arbeit zeigte er, dass, falls man ein System von Linien nach der Methode von Faraday zeichnen könnte, auf Grund des Gesetzes der elektrischen Wirkung, die umgekehrt proportional zum Quadrat der Entfernung ist, die Anzahl der Kraftlinien, die durch eine Einheitsfläche senkrecht zur Kraft hindurchtreten, proportional zur Größe der Kraft in der Umgebung ist. Weiterhin ist die Anzahl der Linien, die durch eine Einheitsfläche irgendeiner anderen Fläche hindurchtreten, proportional zu der Komponente der Kraft, die senkrecht auf dieser Fläche steht. Maxwell stellte sich also die positiv geladenen Flächen, auf denen die Linien beginnen, aufgeteilt in Gebiete vor, jedes von ihnen eine Einheit der Elektrizität enthaltend. Die Kraftlinien sollten durch jeden Punkt des Randes gezeichnet werden. Diese Linien teilen den gesamten Raum in so genannte Einheitsröhren auf, deren Ränder die Kraftlinien darstellen. Gleichzeitig zeigte er, dass auf Grund des Gesetzes des Inversen der Abstandsquadrate die Kraft an jedem Punkt in jeder Richtung umgekehrt proportional zu dem Flächeninhalt des Querschnitts der Einheitsröhre der Kraft ist, die durch eine Ebene senkrecht zu dieser Richtung erzeugt wird.

Maxwell zeigte weiter, dass auf der negativ geladenen Fläche, auf der diese Röhren enden, jede Röhre eine Einheit der negativen Ladung einschließt. Folglich wird, wenn eine metallische Fläche, die die Kraftlinien schneidet und senkrecht zur Röhre steht, betrachtet wird, eine Einheit der negativen Ladung auf jedem Querschnitt der Fläche, die innerhalb einer Spur der Kraftröhre liegt, induziert. In einem isotropen Medium stellen diese Einheitsröhren der Kraft auch Einheitsröhren der Induktion dar. Wenn also ein System von Kraftröhren in Verbindung mit einem geladenen System gezeichnet wird, wird der gesamte Raum, in dem die Kraft wirkt, in Röhren aufgeteilt, wobei jede von diesen Röhren einer Einheit der positiven Ladung entspringt und in einer Einheit der negativen Ladung endet, während die Richtung der Kraft in jedem Punkt durch die Richtung der Röhre gekennzeichnet wird. Die Größe der Kraft ist umgekehrt proportional zu dem Flächeninhalt des Querschnitts der Röhre. Wenn jetzt das Kraftgesetz irgendeine andere Abhängigkeit als vom Inversen des Abstandsquadrates besitzen würde und die Röhren so gezeichnet werden müssen, dass sie von einer geladenen Fläche unter der Voraussetzung ausgehen, dass der Flächeninhalt eines jeden Querschnitts einer Röhre umgekehrt proportional zu der Kraft quer über den Querschnitt ist, dann würde zwischen diesen Röhren entweder Platz bleiben, während sie sich von der Fläche entfernen, oder sie würden sich schneiden. Deshalb kann das eingeführte System der Röhren nur dann eine sinnvolle Beschreibung ergeben, wenn das Kraftgesetz die inverse Abhängigkeit vom Abstandsquadrat besitzt.

Faraday wies darauf hin, dass nicht nur entlang einer jeden Kraftlinie eine Spannung erzeugt wird, sondern dass die verschiedenen Linien sich gegenseitig abstoßen. Maxwell zeigte, dass eine Spannung entlang der Kraftlinien verbunden mit einem gleichen Druck in jede Richtung senkrecht zu diesen Linien im Einklang mit dem Gleichgewicht des Mediums ist. Mit einem Bild des Strömens von Wasser in einem Fluss wies Maxwell darauf hin, dass die Stromlinien oder Bahnen, auf denen sich die Wasserteilchen fortbewegen, den Kraftlinien entsprechen, während die Geschwindigkeit des Wassers der Stärke der Kraft entspricht. Wenn man den Fluss in Röhren, deren Ränder die Flusslinien darstellen, aufteilt und wenn diese Röhren so gezeichnet würden, dass ein Einheitsvolumen des Wassers durch einen bestimmten Querschnitt einer jeden Röhre pro Sekunde hindurchtreten würde, dann träte für einen stationären Strom ein Einheitsvolumen des Wassers durch jeden Querschnitt einer jeden Röhre pro Sekunde hindurch, da kein Wasser durch die Röhre ein- oder austritt außer an deren Enden. Solche Röhren kann man Einheitsröhren des Stromes nennen und, solange der Fluss keine Nebenflüsse besitzt, wird immer dieselbe Anzahl der Einheitsröhren jeden Abschnitt des Flusses kreuzen. Wenn sich das Flussbett erweitert, wächst der Querschnitt einer jeden Röhre, aber immer umgekehrt proportional zu der Geschwindigkeit des Wassers. Folglich ist die Anzahl der Einheitsröhren des Stromes, die irgendeine Flächeneinheit in einem Querschnitt des Flusses schneidet, proportional zur Geschwindigkeit des Wassers in der Umgebung. Solch ein System von Röhren stellt daher sowohl die Richtung der Bewegung als auch die Geschwindigkeit des Wassers in jedem Punkt dar und entspricht deshalb genau einem System von Einheitsröhren der elektrischen Kraft.

Faraday schrieb im März 1857, nachdem er diese erste Arbeit von Maxwell erhalten hatte, folgende Zeilen an Maxwell: „Mein lieber Herr – Ich habe Ihr Manuskript erhalten und danke Ihnen sehr dafür. Ich sage nicht, dass ich mir erlaube, Ihnen für das, was Sie über die ‚Kraftlinien' geschrieben haben, zu danken, da ich genau weiß, dass Sie es aus Interesse an der philosophischen Wahrheit getan haben. Aber glauben Sie mir, es ist eine Arbeit, die mir sehr wohltut, und sie gibt mir sehr viel Ermutigung darüber nachzudenken. Am Anfang war ich fast erschrocken, als ich die mathematische Wucht gesehen habe, die auf dieses Thema angewandt wird. Dann war ich aber verwundert zu sehen, wie das Thema diesem standhielt. ...“ [4]

Besonders wichtig ist die Feststellung, dass die Arbeit von Maxwell über Faradays Kraftlinien im Prinzip *nur* eine Überset-

---

4 Lewis Campbell und William Garnett: The Life of James Clerk Maxwell (MacMillan and Co., London, 1882), S. 519–520.

zung der Faraday'schen Ideen in eine mathematische Sprache mit Illustrationen und Erweiterungen ist. Die Arbeit macht keinen Versuch, die Art der Wirkung im Dielektrikum bzw. die Mechanismen, die zu den beobachteten Effekten führen, zu erklären. Allerdings basiert die gesamte Beschreibung bzw. Mathematisierung der Beschreibung mittels elektro- und magnetostatischen Feldern auf einer Analogie zur Hydrodynamik, allerdings auf der Basis von laminaren Strömungen und dem Strömungsfeld einer idealen, inkompressiblen, viskosen, masselosen Flüssigkeit. Ein weiterer wesentlicher Gesichtspunkt der Maxwell'schen Betrachtungsweise war die Behandlung sowohl der elektrischen als auch der magnetischen Phänomene mit demselben Formalismus.

Über physikalische Kraftlinien

Ungefähr fünf Jahre nach der Vorstellung der ersten Arbeit über Faradays Kraftlinien folgte eine zweite Arbeit, die aus insgesamt fünf Veröffentlichungen in vier Teilen besteht, die im *Philosophical Magazine* in den Jahren 1861 und 1862 erschienen. In der ersten Arbeit von 1855/1856 hatte Maxwell eine klare geometrische Vorstellung von der Beziehung des Verlaufs der Kraftlinien zur Beschaffenheit des magnetischen Feldes gegeben. In dieser zweiten Arbeit wurden die elektrischen und magnetischen Phänomene nun von einem mechanischen Gesichtspunkt aus betrachtet. Die zeitabhängigen Phänomene der Elektrizität und des Magnetismus wurden mit einer Theorie der Molekularwirbel beschrieben, die eine gewisse Analogie zur Hydrodynamik unter Einbeziehung von nicht laminaren Strömungsfeldern, d.h. Turbulenzen bzw. Verwirbelungen, besitzt. Maxwell untersuchte, welche Spannungen oder Bewegungen eines Mediums im Stande sind, die beobachteten mechanischen Phänomene hervorzubringen. Insbesondere interessierten ihn die magnetische Anziehung, die Wirkung elektrischer Ströme aufeinander und auf Magneten, die elektromagnetische Induktion sowie die Drehung von polarisiertem Licht beim Durchgang durch ein Magnetfeld.

Im ersten Teil betrachtet Maxwell die magnetischen Phänomene von einem mechanischen Gesichtspunkt aus. Er untersucht, welche Spannungen oder Bewegungen eines Mediums im Stande sind, die beobachteten mechanischen Phänomene zu erklären. Er schreibt auf Seite 5 der Arbeit *Ueber physikalische Kraftlinien*: „Falls wir durch dieselbc Annahme die Phänomene der magnetischen Anziehung mit den elektromagnetischen Phänomenen und mit denen der induzierten Ströme in Verbindung bringen können, haben wir eine Theorie gefunden, die, falls sie nicht wahr sein sollte, nur durch Experimente als fehlerhaft nachgewiesen werden könnte. Dadurch würde unsere Kenntnis dieses Gebiets der Physik deutlich erweitert.“ (Übersetzung: H. T. Grahn)

Coulomb hatte gezeigt, dass das Gesetz der inversen Abstandsquadrate ebenso für die magnetische Abstoßung wie für die elektrische gilt, so dass die Kraft zwischen zwei magnetischen Polen proportional zu dem Produkt der Polstärken und umgekehrt proportional zu deren Abstandsquadrat ist. Mit Hilfe von Feilspänen, die oberhalb der Pole auf einem Blatt Papier ausgestreut werden und die durch Induktion in Richtung der resultierenden magnetischen Kraft magnetisiert werden, kann man die magnetischen Feldlinien sichtbar machen. Dieses Experiment hatte Faraday zuerst auf die reale Existenz von solchen Linien aufmerksam gemacht. Da Faraday es sich nicht vorstellen konnte, dass diese gekrümmten Linien durch Fernwirkung entstehen können, nahm er an, dass es ein Medium geben muss, das die magnetische und elektrischen Kräfte überträgt. Maxwells größte Beiträge zur Elektrizitätslehre sind: die Untersuchungen der Eigenschaften dieses Mediums, die für die beobachteten elektrischen und magnetischen Wirkungen verantwortlich sind, die Erklärung dieser Wirkungen und die Bestimmung der Geschwindigkeit des Lichts aus rein elektromagnetischen Betrachtungen basierend auf der Annahme der Existenz eines solchen Mediums.

Im zweiten Teil beschäftigt sich Maxwell mit dem physikalischen Zusammenhang zwischen den Molekularwirbeln und den elektrischen Strömen. Hans Christian Œrsted hatte die Wirkung eines elektrischen Stromes auf einen Magneten als Erster beobachtet. Wann immer der Nordpol eines Magneten in die Nähe eines stromdurchflossenen Drahtes gebracht wird, wird sich der Pol in einer bestimmten Richtung um den Draht bewegen, während sich der Südpol in der entgegengesetzten Richtung um den Draht bewegt. Wenn der Magnet sich frei um sein Zentrum drehen kann, wird er unter einem rechten Winkel zum Draht zur Ruhe kommen. Maxwells Regel zur Bewegung des Magneten ist wie folgt: Angenommen eine rechtshändige Schraube bewegt sich in Richtung des Stromes und dreht sich gezwungenermaßen, während sie sich fortbewegt. Dann wird sich der Nordpol des Magneten immer um den stromduchflossenen Leiter in der Richtung bewegen, in der sich eine solche Schraube dreht. Der Südpol bewegt sich in entgegengesetzter Richtung.

Zwei parallele stromdurchflossene Drähte ziehen sich an, wenn die Ströme in den beiden Drähten in derselben Richtung fließen. Sie stoßen sich ab, wenn die Ströme entgegengesetzt gerichtet sind. Maxwells Regel zur Bestimmung der Art, wie ein stromdurchflossener Draht sich in Gegenwart anderer Ströme oder von Magneten verhält, ist ein ganz einfacher Ausdruck von Faradays Resultaten. Wir definieren die positive Richtung durch einen Stromkreis als diejenige, in der sich eine rechtshändige Schraube fortbewegen würde, wenn sie sich mit dem Strom drehen würde. Maxwell beschrieb die Regel wie folgt: Wenn sich ein stromdurchflossener Draht frei in einem Magnetfeld bewegen kann, wird er sich so einrichten, dass die größtmögliche Zahl von magnetischen Kraftlinien durch den Stromkreis in positiver Richtung hindurchtreten möge. Da das magnetische Feld entweder durch Magnete oder durch elektrische Ströme erzeugt werden kann, wird diese Regel in Verbindung mit dem Prinzip, dass Wirkung und Gegenwirkung gleich und entgegengesetzt sind, dazu dienen, das Wesen der Wirkung entweder auf stromdurchflossene Kreise oder Magneten zu bestimmen. Genau genommen verkörpert diese Regel die herausragenden Resultate von André-Marie Ampère auf diesem Gebiet.

Ein weiterer wichtiger Effekt des Elektromagnetismus ist die Induktion. Vor den Experimenten von Faraday war die Induktion elektrischer Ströme unbekannt. Wenn ein Stromleiter sich im Magnetfeld bewegt, wird eine elektromotorische Kraft in dem Stromleiter induziert, die einen Strom in einer solchen Richtung produziert, dass die mechanische Kraft auf den Stromleiter seiner Bewegung entgegenwirkt. Maxwell beschrieb es wie folgt: Wann immer die Anzahl der magnetischen Kraftlinien, die durch einen geschlossenen Kreis hindurchtreten, sich ändert, wird eine elektromotorische Kraft in dem Kreis erzeugt, die durch die Rate der Verringerung der Anzahl der Kraftlinien, die durch den Kreis in positiver Richtung hindurchtreten, bestimmt ist.

Faraday hatte angenommen, dass ein Stromleiter, der sich im Magnetfeld bewegt, sich in einem seltsamen Zustand befindet, den er den *elektrotonischen* Zustand genannt hatte. Maxwell zeigte, dass dieser elektrotonische Zustand der Anzahl der magnetischen Kraftlinien entspricht, die durch die Stromschleife hindurchtreten. Da jede Änderung dieser Größe die Wirkung der elektromotorischen Kraft einbezieht, hat Maxwell diese Größe als elektromotorischen Impuls bezeichnet.

Im dritten Teil dieser Arbeit wendet Maxwell die Theorie der Molekularwirbel auf die statische Elektrizität an, um eine Verbindung zwischen allen grundlegenden Erscheinungen der Elektrizitätslehre herzustellen. Er beschreibt das Verhalten eines Körpers in Bezug auf das umgebende Medium für den Fall, dass dieser elektrostatisch geladen ist, und untersucht die Kräfte, die zwischen derartig geladenen Körpern wirksam sind. Aus Experimenten war bekannt, dass die elektrische Spannung dieselbe Erscheinung ist, unabhängig davon ob sie an statischer oder strömender Elektrizität beobachtet wird. Maxwell bemerkte aber auch, dass das von Ampère formulierte Durchflutungsgesetz beim Aufladen eines Kondensators nicht zutrifft. Hier nun führt Maxwell etwas vollkommen Neues ein, die Verschiebungsstromdichte, die er als die zeitliche Änderung des elektrischen Verschiebungsvektors definierte. Die Verschiebungsstromdichte besitzt die Einheit der elektrischen Stromdichte. Zusammen mit der Leitungsstromdichte in einem elektrischen Leiter bilden diese die Gesamtstromdichte. Maxwell fügte die Verschiebungsstromdichte zu dem schon bekannten Ampère'schen Gesetz hinzu. Damit gelang ihm der entscheidende Schritt zu einer vollständigen Formulierung der Gleichungen, die die Erscheinungen des Elektromagnetismus erklärt.

Im letzten Teil dieser Arbeit beschäftigt sich Maxwell mit dem Faraday-Effekt bzw. der Faraday-Rotation, ein magneto-optischer Effekt. Faraday hatte beobachtet, dass sich die Polarisationsebene von polarisiertem Licht beim Durchgang durch ein transparentes Medium, an das ein Magnetfeld parallel zur Ausbreitungsrichtung der Lichtwelle angelegt wird, dreht. Dieser Effekt tritt in den meisten dielektrischen Materialien (einschließlich Flüssigkeiten) auf, wenn sie einem starken Magnetfeld ausgesetzt werden. Die Drehung der Polarisationsebene wird umso größer, je stärker das angelegte Feld ist. Indem Maxwell die Hypothese der molekularen Wirbel auf die Wirkung eines Magnetfeldes auf polarisiertes Licht anwendete, fand er heraus, dass der einzige Effekt, den die Drehung der Wirbel auf das Licht besitzt, eine Drehung der Polarisationsebene in dieselbe Richtung wie die Drehung der Wirbel ist. Dabei ist der Drehwinkel proportional zur Dicke des Materials, zur Komponente der magnetischen Kraft parallel zum Lichtstrahl, zum Brechungsindex des Lichtstrahls, zum mittleren Radius der Wirbel, zur Kapazität der magnetischen Induktion und umgekehrt proportional zum Quadrat der Lichtwellenlänge in Luft. Insbesondere die Abhängigkeit von der Größe der Wirbel zeigt, dass sich verschiedene Materialien in Bezug auf ihr Drehvermögen unterschiedlich verhalten können, unabhängig von jedem anderen Unterschied. Maxwell schreibt weiter, dass man nichts über die absolute Größe der Wirbel weiß. Aus den optischen Phänomenen lassen sich wahrscheinlich die einzigen Daten gewinnen, um die relative Größe der Wirbel für verschiedene Materialien zu bestimmen.

Diese zweite Arbeit enthält im Wesentlichen auch die Gleichungen, die uns heute als die vier Maxwell'schen Gleichungen bekannt sind, auf der die aktuelle Formulierung des Elektromagnetismus beruht. Auf Seite 63 der Arbeit *Ueber physikalische Kraftlinien* entspricht die Gleichung (115) der ersten Maxwell'schen Gleichung, dem Gauß'schen Satz für den Vektor der elektrischen Fluss- bzw. Verschiebungsdichte **D**,

(1) $$\nabla \cdot \mathbf{D} = \rho,$$

wobei $\nabla = \left(\frac{\partial}{\partial x}, \frac{\partial}{\partial y}, \frac{\partial}{\partial z}\right)$ und ρ die Ladungsträgerdichte bezeichnen. In Materialien gilt $\mathbf{D} = \varepsilon_r \varepsilon_0 \mathbf{E}$, wobei ε_r die Permittivitätszahl (Dielektrizitätskonstante) des Materials, ε_0 die elektrische Feldkonstante bzw. Permittivität (Dielektrizitätskonstante) des Vakuums und **E** die elektrische Feldstärke bedeuten. Im Vakuum ist $\varepsilon_r = 1$.

Auf Seite 36 der Arbeit *Ueber physikalische Kraftlinien* entspricht die Gleichung (56) der zweiten Maxwell'schen Gleichung, dem Gauß'schen Satz für den Vektor der magnetischen Flussdichte bzw. Induktion **B**,

(2) $$\nabla \cdot \mathbf{B} = 0,$$

In Materialien gilt $\mathbf{B} = \mu_r \mu_0 \mathbf{H}$, wobei μ_r die Permeabilitätszahl des Materials, μ_0 die magnetische Feldkonstante bzw. Permeabilität des Vakuums und **H** die magnetische Feldstärke bezeichnen. Im Vakuum ist $\mu_r = 1$.

Auf Seite 35 der Arbeit *Ueber physikalische Kraftlinien* entsprechen die Gleichungen (53) und (54) im Prinzip der dritten Maxwell'schen Gleichung, dem Faraday'schen Induktionsgesetz,

(3) $$\nabla \times \mathbf{E} = -\frac{\partial \mathbf{B}}{\partial t}.$$

Auf Seite 63 der Arbeit *Ueber physikalische Kraftlinien* entspricht die Gleichung (112) der vierten Maxwell'schen Gleichung, dem Ampère'schen Gesetz einschließlich des von Maxwell hinzugefügten Verschiebungsstromes (der zweite Term auf der rechten Seite),

$$\nabla \times \mathbf{H} = \mathbf{j} + \frac{\partial \mathbf{D}}{\partial t}, \tag{4}$$

wobei **j** die Leitungsstromdichte bezeichnet.

Weiterhin gibt Maxwell auf Seite 44 der Arbeit *Ueber physikalische Kraftlinien* mit der Gleichung (77) die so genannte Lorentzkraft **F** an

$$\mathbf{F} = q\left(\mathbf{E} + \frac{\mathbf{v}}{c} \times \mathbf{B}\right), \tag{5}$$

wobei q die Ladung und **v** die Geschwindigkeit des Teilchens bezeichnen. c ist die Geschwindigkeit des Lichtes im Vakuum. Hendrik Antoon Lorentz, nach dem diese Kraft benannt wurde, wurde 1853 geboren und war zu dem Zeitpunkt der Veröffentlichung dieser Arbeit gerade mal 8 Jahre alt.

Die Kontinuitätsgleichung, die implizit in den vier Maxwell'schen Gleichungen enthalten ist, wird auf Seite 63 der Arbeit *Ueber physikalische Kraftlinien* explizit als Gleichung (113) angegeben

$$\frac{\partial \rho}{\partial t} + \nabla \cdot \mathbf{j} = 0\,. \tag{6}$$

Im Jahre 1864 gab Maxwell in der Arbeit *A Dynamical Theory of the Electromagnetic Field* insgesamt acht Gleichungen an, die damals als Maxwell'sche Gleichungen bezeichnet wurden. In seinem Compendium über den Elektromagnetismus mit dem Titel *A Treatise on Electricity and Magnetism* findet man zwei Gruppen von jeweils zwei Gleichungen. Die erste Gruppe umfasst die Definition der elektrischen Feldstärke und des magnetischen Flusses mit Hilfe eines skalaren und eines Vektorpotentials. Die zweite Gruppe entspricht den Gleichungen (1) und (4). Allerdings hat erst Albert Einstein im Jahre 1940 die vier Feldgleichungen des Elektromagnetismus, die als Gleichungen (1) bis (4) aufgelistet sind, als die *Maxwell'schen* Gleichungen bezeichnet.[5]

Literatur

1. Lewis Campbell und William Garnett: The Life of James Clerk Maxwell (MacMillan and Co., London, 1882).

2. James Clerk Maxwell: On Faraday's Lines of Force, *Transactions of the Cambridge Physical Society*, Vol. X, Part I, p. 27, read Dec. 10, 1855 and Feb. 11, 1856.

3. James Clerk Maxwell: On Physical Lines of Force, *Philosophical Magazine*, Fourth Series, Vol. 21, S.161–175, 281–291, und 338–348 (1861); ebd. Vol. 23, S. 12–24 und 85–95 (1862).

4. James Clerk Maxwell: A Treatise on Electricity and Magnetism (Clarendon Press, Oxford, 1873).

5 Albert Einstein: Considerations concerning the fundaments of theoretical physics, Science **91**, 487–492 (1940).

Über Faradays Kraftlinien

(1855/1856) · Band 69

1. Febr. Transact. of t. Cambr. Phil. Soc. Vol.10, p. 27,
gelesen am 10. Dec. 1855
und 11.Febr. 1856, Maxw. Scient. Pap. Vol. 1, p. 155.

Ueber Faraday's Kraftlinien.

von

James Clerk Maxwell.

I. Theil.

Anwendung auf statische Zustände und stationäre Strömung.

A. Einleitung.

Der gegenwärtige Stand der Elektricitätslehre scheint besonders ungünstig für die Speculation. Die Gesetze der Vertheilung der Elektricität auf der Oberfläche von Leitern sind durch Rechnung aus Experimenten abgeleitet worden. In einigen Theilen der mathematischen Theorie des Magnetismus ist man ziemlich weit gekommen, während in anderen die experimentellen Daten mangeln. Die Gesetze der Leitung des galvanischen Stroms und der Wechselwirkung der Stromleiter sind durch mathematische Formeln dargestellt worden, aber sie stehen noch ausser aller Beziehung zu den andern Theilen der Wissenschaft. Will man daher gegenwärtig eine Theorie der Elektricität und des Magnetismus aufstellen, so muss dieselbe, wenn sie erschöpfend sein soll, in die Beziehungen zwischen statischer und strömender Elektricität, sowie auch zwischen den Anziehungen und den Inductionswirkungen in beiden Zuständen Einsicht gewähren. Ferner muss sie diejenigen Gesetze, deren mathematische Form bekannt ist, in Uebereinstimmung mit den bisherigen Theorien liefern und zudem die Berechnung jener Uebergangsfälle ermöglichen, in denen die bekannten Formeln nicht anwendbar sind.[1])

Um den Anforderungen der bisherigen Theorien gerecht zu werden, muss man sich mit einem bedeutenden Apparate so verwickelter mathematischer Formeln vertraut machen, dass die Schwierigkeit, diese im Gedächtnisse festzuhalten, allein schon den weiteren Fortschritt wesentlich beeinträchtigt. Wollen wir daher die Theorie erfolgreich weiter entwickeln, so müssen wir vor allem die Ergebnisse der früheren Untersuchungen vereinfachen und auf eine dem Verstande möglichst leicht zugängliche Form bringen.[2] Die Resultate dieser Vereinfachung können entweder die Gestalt einer rein mathematischen Formel oder die einer physikalischen Hypothese annehmen. Im ersten Falle verlieren wir die zu erklärenden Erscheinungen ganz aus dem Auge und können niemals eine umfassendere Uebersicht über die inneren Beziehungen des Gegenstandes gewinnen, wenn wir auch die Folgerungen aus gegebenen Gesetzen zu berechnen vermögen.[3] Wenn wir anderseits eine physikalische Hypothese wählen, so sehen wir die Erscheinungen wie durch eine gefärbte Brille und sind zu jener Blindheit[4] gegen Thatsachen und Voreiligkeit in den Annahmen geneigt, welche eine auf einem einseitigen Standpunkte stehende Erklärung begünstigt. Wir müssen daher eine Untersuchungsmethode ausfindig machen, welche uns bei jedem Schritte zu einer klaren physikalischen Anschauung befähigt, ohne uns an eine specielle Theorie zu binden, von welcher diese Anschauung entlehnt ist, damit wir weder durch die Verfolgung analytischer Subtilitäten vom Gegenstande abgezogen, noch durch eine Lieblingshypothese von der Wahrheit entfernt werden.

Um physikalische Vorstellungen zu erhalten, ohne eine specielle physikalische Theorie aufzustellen, müssen wir uns mit der Existenz physikalischer Analogien[5] vertraut machen. Unter einer physikalischen Analogie verstehe ich jene theilweise Aehnlichkeit zwischen den Gesetzen eines Erscheinungsgebietes mit denen eines andern, welche bewirkt, dass jedes das andere illustrirt. Auf diese Art sind alle Anwendungen der Mathematik in der Wissenschaft auf Beziehungen zwischen den Gesetzen der physikalischen Grössen zu denen der ganzen Zahlen gegründet,[6] so dass das Streben der exacten Wissenschaft darauf gerichtet ist, die Probleme der Natur auf die Bestimmung von Grössen durch Operationen mit Zahlen zurückzuführen. Gehen wir von der allgemeinsten Analogie zu einer sehr speciellen über, so finden wir formal die vollste Uebereinstimmung zwischen den Gesetzen zweier verschiedener Erscheinungsgebiete, von denen ein jedes Ausgangspunkt einer physikalischen Theorie des Lichtes wurde.

Die Richtungsänderungen, welche die Lichtstrahlen beim Uebergange von einem Medium in ein anderes erfahren, sind identisch mit den Abweichungen eines Massentheilchens von der geradlinigen Bahn, wenn sich dasselbe durch eine dünne Schicht bewegt, in der intensive Kräfte wirken. Auf diese Analogie, welche sich nur auf die Richtung, nicht aber auf die Geschwindigkeit der Bewegung erstreckt, beruht eine Erklärung der Brechung des Lichts, welche lange für die richtige gehalten wurde und noch heute, wo wir nicht mehr Gefahr laufen, sie ausserhalb ihres Gültigkeitsbereiches anzuwenden, bei der Lösung verschiedener Probleme als mathematischer Kunstgriff von Nutzen ist. Die zweite Analogie zwischen dem Lichte und den Schwingungen eines elastischen Mediums erstreckt sich viel weiter, aber obwohl ihre Wichtigkeit und Fruchtbarkeit nicht genug geschätzt werden kann, so müssen wir doch dessen eingedenk bleiben, dass sie nur auf einer formalen Aehnlichkeit zwischen den Gesetzen der Lichterscheinungen und denen der elastischen Schwingungen beruht. Wenn wir sie ihres physikalischen Gewandes entkleiden,[7]) so reducirt sie sich auf eine Theorie transversaler Zustandsänderungen und es bleibt ein System von Wahrheiten übrig, welches zwar den beobachteten Thatsachen nichts Hypothetisches hinzufügt, aber dafür wahrscheinlich sowohl an Anschaulichkeit als auch an Fruchtbarkeit in der Anwendung zurücksteht. Was ich über die schon so oft kritisirten Fragen der Optik gesagt habe, soll nur als Vorbereitung zur Discussion der fast allgemein ohne weitere Kritik angenommenen Theorie der Fernwirkung dienen.

Wir haben uns alle an den mathematischen Begriff dieser Fernwirkung gewöhnt. Wir können daraus Schlüsse ziehen und die betreffenden Gesetze in Formeln fassen, welche eine bestimmte mathematische Bedeutung haben und in voller Uebereinstimmung mit den Naturerscheinungen stehen. Ja, es giebt in der angewandten Mathematik keine Formel, die mit der Natur besser stimmen würde, als das *Newton*'sche Gravitationsgesetz, und keine Theorie hat im menschlichen Geiste fester Wurzel gefasst als die der Fernwirkung der Körper. Die Gesetze der Wärmeleitung in homogenen Medien erscheinen auf den ersten Anblick in physikalischer Hinsicht denkbarst verschieden von denen der Anziehungen. Die Grössen, welche bei dem 2. Probleme vorkommen, sind: Temperatur, Wärmefluss, Leitungsfähigkeit. Das Wort Kraft ist dem Gegenstande fremd; trotzdem finden wir, dass die mathematischen Gesetze der stationären Bewegung der Wärme in homogenen Mitteln der Form nach identisch sind mit denen einer Anziehung, welche dem Quadrate der Entfernung verkehrt proportional ist. Wenn wir Wärmequelle statt Anziehungscentrum, Wärmefluss statt beschleunigende Kraft der Anziehung und Temperatur statt Potential setzen, so verwandeln wir die Lösung eines jeden Problems der Anziehungslehre in die eines Problems der Lehre der Wärmeleitung.

Diese Analogie zwischen den Formeln der Wärme und Anziehungslehre wurde, wie ich glaube, zuerst vom Professor *William Thomson* (Cambr. Math. Journal, Band 3, Febr. 1842. pap. on electrostat. a. magn. S. 1) betont.

Obwohl, wie man allgemein voraussetzt, die Wärmeleitung durch eine Wirkung zwischen den unmittelbar benachbarten Theilen der Körper zu Stande kommt, während die Anziehungskraft eine Beziehung zwischen entfernten Körpern ist, so sind doch die mathematischen Formeln, durch welche die Gesetze des einen und des andern Erscheinungsgebietes ausgedrückt werden, vollständig dieselben. Freilich gewinnen, wenn wir weitere Thatsachen in den Kreis unserer Betrachtung ziehen, beide Gegenstände ein sehr verschiedenes Ansehen, aber die mathematische Verwandtschaft bleibt bei einer ganzen Reihe ihrer Gesetze bestehen und kann mit Vortheil verwendet werden, um aus bekannten Lösungen von Aufgaben des einen Gebietes die des andern abzuleiten.[8]) Durch den Gebrauch von Analogien dieser Art habe ich versucht, in einer bequemen und handlichen Form jene mathematischen Formeln darzustellen, welche zum Studium der elektrischen Erscheinungen nothwendig sind. Meine Methode ist durchweg die von *Faraday* *) in seinen Untersuchungen befolgte, welche man, obwohl sie von Professor *Thomson* und andern mathematisch interpretirt worden ist, doch noch sehr häufig für unbestimmter und unmathematischer hält als die der Mathematiker von Fach. Es wird, wie ich hoffe, aus meiner Darstellung ersichtlich sein, dass ich nicht eine physikalische Theorie einer Wissenschaft aufzustellen suche, in welcher ich kaum ein einziges Experiment gemacht habe, sondern dass sich mein Vorhaben darauf beschränkt, zu zeigen, wie gerade durch Verwendung der Begriffe und Methoden *Faraday's* die Wechselbeziehung der verschiedenen Classen der von ihm entdeckten Erscheinungen am besten klar gemacht werden kann. Ich werde

---

*) Siehe besonders Serie 38 der Experimentaluntersuchungen und Phil. Mag. (4), 3, S. 401. 1852.

daher so viel als möglich alles vermeiden, was nicht zur directen Illustration der Methoden *Faraday's* oder der mathematischen Schlussfolgerungen, welche sich daran knüpfen, dient. Bei der Behandlung der einfacheren Partien des Gegenstandes werde ich mich nicht nur der Begriffe, sondern auch der mathematischen Methoden *Faraday's* bedienen. Wo es die Complication des Gegenstandes erfordert, werde ich mich der Bezeichnungsweise der höhern Mathematik bedienen, aber mich noch immer darauf beschränken, dieselbe möglichst getreu dem Gedankengang dieses Forschers anzupassen.

Ich habe an erster Stelle den Begriff der Kraftlinien zu erklären und zu erläutern. Wenn ein Körper in gegebener Weise elektrisirt ist, so wird ein kleiner, mit positiver Elektricität geladener Körper in jeder gegebenen Lage in der Nähe des ersten Körpers eine Kraft erfahren, die ihn nach einer bestimmten Richtung treibt. Wenn der kleine Körper gleich stark negativ elektrisirt ist, wird er durch eine gleiche Kraft gerade nach der entgegengesetzten Richtung getrieben. Genau in derselben Beziehung steht ein magnetischer Körper zum Nord- oder Südpol eines kleinen Magnets. Wenn der Nordpol nach der einen, so wird der Südpol gerade nach der entgegengesetzten Richtung getrieben.

Wir können daher durch jeden Punkt des Raumes eine Linie so ziehen, dass sie die Richtung der elektrischen oder magnetischen Kraft, d. h. der Kraft, welche daselbst auf ein positiv elektrisirtes Theilchen oder auf einen punktförmigen Nordpol wirkt, darstellt, oder auch die umgekehrte Richtung der Kraft auf ein negativ elektrisirtes Theilchen oder einen Südpol. Da dies für jeden Punkt des Raumes gilt, so können wir, von irgend einem Punkte ausgehend, eine Linie so ziehen, dass ihre Richtung in jedem ihrer Punkte mit der elektrischen oder magnetischen Kraft in diesem Punkte zusammenfällt. Diese Curve wird für jeden ihrer Punkte die Richtung dieser Kraft anzeigen und sie mag deshalb Kraftlinie heissen. Wir können in derselben Weise andere Kraftlinien ziehen, bis wir den ganzen Raum mit Curven angefüllt haben, welche durch ihre Richtung die der Kraft in jedem beliebigen Punkte anzeigen.

Wir erhalten so ein geometrisches Modell der physikalischen Kräfte, welches uns allenthalben die Richtung der Kraft angiebt; aber es ist noch eine Methode nothwendig, um auch die Intensität derselben in irgend einem Punkte auszudrücken. Letzteres gelingt, wenn wir diese Curven nicht als blosse Linien, sondern als Röhren von veränderlichem Querschnitte betrachten, in denen eine unzusammendrückbare Flüssigkeit fliesst. Da die Geschwindigkeit einer solchen Flüssigkeit dem Querschnitte verkehrt proportional ist, so können wir bewirken, dass sie sich nach einem beliebigen gegebenen Gesetze ändert, indem wir den Querschnitt der Röhre entsprechend reguliren. Wir können also erzielen, dass die Flüssigkeitsströmung in diesen Röhren durch ihre Geschwindigkeit die Intensität der Kraft, durch ihre Richtung aber deren Richtung darstellt. Diese Methode der Darstellung der Intensität der Kraft durch die Geschwindigkeit einer in einer Röhre strömend gedachten Flüssigkeit ist auf jedes denkbare System von Kräften anwendbar; doch sie vereinfacht sich ausserordentlich in dem speciellen bei den elektrischen und magnetischen Erscheinungen vorkommenden Falle, dass die Kräfte dem Quadrate der Entfernung verkehrt proportional sind. Wenn die Intensität der Kräfte vollkommen willkürlich ist, so werden im Allgemeinen Zwischenräume zwischen den Röhren vorhanden sein; dagegen ist es in dem bei den elektrischen und magnetischen Kräften vorkommenden Falle möglich, die Röhren so anzuordnen, dass sie keine Zwischenräume freilassen. Die Röhrenwände reduciren sich dann auf mathematische Flächen, welche die Richtung der Bewegung einer den ganzen Raum erfüllenden Flüssigkeit bestimmen. Es war bisher üblich, die Untersuchung der Gesetze der elektrischen und magnetischen Kräfte von vorne herein mit der Annahme zu beginnen, dass die Phänomene durch anziehende und abstossende Kräfte zwischen gewissen Punkten verursacht werden. Im Gegensatze hierzu wollen wir hier den Gegenstand von einem andern für unsere schwierigen Untersuchungen passenderen Gesichtspunkte aus betrachten, indem wir die Grösse und Richtung der Kraft, von der wir sprechen, durch die Geschwindigkeit und Bewegungsrichtung einer unzusammendrückbaren Flüssigkeit definiren.

Ich will daher zuerst eine Methode beschreiben, durch welche die Bewegung einer derartigen Flüssigkeit geometrisch veranschaulicht werden kann, dann die Consequenzen gewisser mechanischer Annahmen ziehen, diese auf einige minder complicirte Erscheinungsgebiete der Elektricität, des Magnetismus und des Galvanismus anwenden und endlich zeigen, wie durch die Erweiterung dieser Methode und durch die Einführung einer andern Idee, die man ebenfalls *Faraday* verdankt, die Gesetze der Anziehungen und Inductionswirkungen von Magneten und Strömen übersichtlich dargestellt werden können, ohne irgend welche Annahmen über die physikalische Natur der Elektricität zu machen oder irgend eine Hypothese aufzustellen, welche über die durch das Experiment bewiesenen Thatsachen hinausgeht.[9])

Indem ich alles auf die rein geometrische Idee der Bewegung einer imaginären Flüssigkeit zurückführe, hoffe ich Allgemeinheit und Präcision zu erreichen und die Gefahren zu vermeiden, die eine Theorie mit sich bringt, welche in voreiligen Hypothesen die wahren Ursachen der Erscheinungen gefunden zu haben beansprucht. Die rein geometrischen Betrachtungen, welche ich vorzubringen gedenke, haben ihren Zweck erfüllt, wenn sie den Experimentalphysikern zur übersichtlichen Anordnung und Deutung ihrer Resultate nützlich sind. Die Aufstellung einer definitiven Theorie, welche die physikalischen Thatsachen durch bestimmte Annahmen über das Wesen der Dinge erklärt, wäre nur jemandem möglich, der durch eigene Experimente neue Fragen an die Natur stellte und hierdurch vollen Einblick in den wahren Zusammenhang aller Gebiete der mathematischen Theorie gewänne.

B. Theorie der Bewegung einer unzusammendrückbaren Flüssigkeit.

(1) Der Substanz, um welche es sich hier handelt, soll keine von den Eigenschaften der gewöhnlichen Flüssigkeiten zugeschrieben werden, mit Ausnahme der Fähigkeit der Bewegung und des Widerstandes gegen Zusammendrückung. Diese Substanz ist nicht einmal eine hypothetische Flüssigkeit in dem Sinne, wie solche von den älteren Theorien zur Erklärung der Erscheinungen angenommen wurden. Sie ist lediglich ein Inbegriff imaginärer Eigenschaften, welcher den Zweck hat, gewisse Theoreme der reinen Mathematik in einer anschaulicheren und auf physikalische Probleme leichter anwendbaren Form darzustellen, als es durch Anwendung rein algebraischer Symbole geschehen kann. Der Gebrauch des Wortes Flüssigkeit wird uns nicht irre führen, wenn wir eingedenk bleiben, dass es eine rein imaginäre Substanz von folgender Eigenschaft bezeichnet:

Jeder Theil der Flüssigkeit, welcher zu irgend einer Zeit ein gegebenes Volumen einnimmt, nimmt zu jeder folgenden Zeit ein gleiches Volumen ein. Dieses Gesetz drückt die Unzusammendrückbarkeit der Flüssigkeit aus und liefert uns ein bequemes Maass ihrer Menge, nämlich ihr Volumen. Die Einheit der Menge der Flüssigkeit wird daher die Einheit des Volumens sein.

(2) Die Richtung der Bewegung der Flüssigkeit wird im Allgemeinen in den verschiedenen Punkten des von ihr eingenommenen Raumes verschieden sein, aber da diese Richtung für jeden Punkt eine bestimmte ist, so können wir uns vorstellen, dass eine Linie in irgend einem Punkt beginnt und so fortgesetzt wird, dass jedes Element der Linie durch seine Richtung die Richtung der Bewegung in dem Punkte des Raumes angiebt, durch den es hindurchgeht. Diese Linien, welche also so zu ziehen sind, dass ihre Richtung immer die Richtung der Flüssigkeitsbewegung angiebt, nennt man Stromlinien.

Wenn die Bewegung der Flüssigkeit stationär ist, d. h. wenn die Richtung und Geschwindigkeit der Bewegung in jedem festen Punkte des Raumes unabhängig von der Zeit ist, werden diese Curven die Bahnen der einzelnen Flüssigkeitstheilchen darstellen; wenn dagegen die Bewegung nicht stationär ist, wird dies nicht mehr allgemein der Fall sein.[10]) Wir werden im Folgenden nur solche Fälle betrachten, wo die Flüssigkeitsbewegung stationär ist.

(3) Wenn wir auf irgend einer Fläche, welche die Stromlinien schneidet, eine geschlossene Curve zeichnen und die von jedem Punkte dieser Curve ausgehende Stromlinie ziehen, so werden alle diese Stromlinien eine röhrenförmige Fläche bilden, welche wir eine Stromröhre nennen wollen. Weil die letztere Fläche von Linien gebildet ist, die alle die Richtung der Flüssigkeitsbewegung haben, so kann kein Flüssigkeitstheilchen durch sie hindurchströmen, so dass diese gedachte Fläche für die Flüssigkeit ebenso undurchdringlich ist, wie eine wirkliche Röhre.

(4) Die Menge der Flüssigkeit, welche in der Zeiteinheit irgend einen Querschnitt der Röhre durchfliesst, ist dieselbe, wo und wie immer der Querschnitt durch die Röhre gelegt wird. Da die Flüssigkeit unzusammendrückbar ist und kein Antheil derselben durch die Seitenwand der Röhre fliesst, so sieht man sofort ein, dass die Menge, welche durch einen

folgenden Querschnitt austritt, gleich der sein muss, die durch einen beliebigen früheren eintritt.

Wenn die Röhre so beschaffen ist, dass die Volumeneinheit der Flüssigkeit durch jeden Querschnitt in der Zeiteinheit hindurchgeht, so nennen wir sie eine Einheitsröhre der Flüssigkeitsströmung.

(5) Wenn wir irgend welche von den verschiedenen endlichen Einheiten, die wir im Folgenden kennen lernen werden, zu Grunde legen, so erhalten wir auch eine endliche Anzahl von Einheitsröhren, welche von einer endlichen Zahl von Flächen begrenzt sind. Um aber die Bewegung an jedem Punkt in der Flüssigkeit zu bestimmen, müsste eine unendliche Zahl von Linien in unendlich kleinen Abständen gezogen werden. Da nun die Beschreibung eines solchen Systems von Linien eine fortwährende Bezugnahme auf die Limitentheorie mit sich bringen würde, habe ich es vorgezogen, die Zwischenräume zuerst so zu wählen, dass durch jede Röhre in der Zeiteinheit die Flüssigkeitsmenge eins fliesst, und erst hinterher die Einheit selbst beliebig klein anzunehmen, indem ich sie gleich einem kleinen Bruchtheil irgend einer in der Praxis üblichen Einheit setze.

(6) **Bestimmung der Bewegung der gesammten Flüssigkeit mittelst eines Systems von Einheitsröhren.** Wir wollen nun irgend eine feste Fläche annehmen, welche alle Stromlinien schneidet; darauf ziehen wir ein System von Curven, welche sich unter einander nicht schneiden, und ein zweites System von Curven, welche das erste System schneiden. Die Curven sollen so angeordnet sein, dass jedes durch die Durchschneidung der beiden Curvensysteme gebildete vierseitige Flächenstück in der Zeiteinheit von der Einheit der Flüssigkeit durchströmt wird. Durch jeden Punkt einer Curve des ersten Systems soll eine Stromlinie gezogen werden; diese Stromlinien werden eine Fläche bilden, durch welche keine Flüssigkeit hindurchgeht. Aehnliche undurchlässige Flächen können durch alle übrigen Curven des ersten Systems gelegt werden. In gleicher Weise kann durch die Curven des zweiten Systems ein zweites System undurchlässiger Flächen gelegt werden, welche durch ihren Durchschnitt mit dem ersten Systeme vierseitige Röhren bilden; letztere werden nach der obigen Definition Stromröhren sein. Da durch jedes vierseitige Flächenstück der die Röhren schneidenden Fläche, von der wir ausgingen, in der Einheit der Zeit die Flüssigkeitsmenge eins hindurchgeht, so wird durch

jeden Querschnitt jeder Röhre ebenfalls in der Zeiteinheit die Flüssigkeitsmenge eins strömen. Die Bewegung der Flüssigkeit in jedem Theile des von ihr erfüllten Raumes ist durch dieses System von Einheitsröhren bestimmt; denn die Richtung der Bewegung ist die der Einheitsröhre, welche durch den fraglichen Punkt geht, in diesem Punkte, und die Geschwindigkeit ist der reciproke Werth des Flächeninhalts des Querschnitts dieser Einheitsröhre in diesem Punkte.

(7) Wir haben nun eine geometrische Construction erhalten, welche die Bewegung der Flüssigkeit vollständig bestimmt, indem wir den von ihr erfüllten Raum in ein System von Einheitsröhren eingetheilt haben, und es ist zu zeigen, welchen Nutzen dieselbe beim Studium der verschiedenen möglichen Bewegungsarten der Flüssigkeit gewährt.

Eine Einheitsröhre kann entweder a) in sich selbst zurückkehren oder es kann b) Anfangspunkt und Endpunkt derselben verschieden sein. Diese Punkte können im letzteren Falle entweder in der Begrenzungsfläche oder im Innern des Raumes liegen, in welchem die untersuchte Bewegung vor sich geht. Im Falle a) findet in der Röhre eine continuirliche Circulation der Flüssigkeit statt, im Falle b) aber tritt die Flüssigkeit am einen Ende in die Röhre ein und fliesst am anderen aus. Wenn die Enden der Röhre in der Begrenzungsfläche liegen, kann vorausgesetzt werden, dass die Flüssigkeit immer von aussen aus einer unbekannten Quelle ersetzt wird und auf der anderen Seite in ein unbekanntes Reservoir abfliesst; wenn dagegen der Anfang oder das Ende der Röhre im Innern des betrachteten Raumes liegt, müssen wir uns vorstellen, dass im ersten Falle die Flüssigkeit durch eine Quelle im Innern des Raumes fortwährend wieder ersetzt wird, welche im Stande ist, in der Einheit der Zeit die Einheit der Flüssigkeit hervorzubringen und auszusenden, im zweiten Falle aber durch einen Abzug verschluckt wird, welcher fortwährend im Stande ist, dieselbe Menge aufzunehmen und zu zerstören.

Es liegt kein Widerspruch in der Vorstellung solcher Stellen, wo die Flüssigkeit erschaffen oder vernichtet wird. Die Eigenschaften der Flüssigkeit liegen ja ganz in unserem Belieben. Gerade so, wie es uns freistand, sie absolut unzusammendrückbar vorzustellen, können wir jetzt voraussetzen, dass sie an gewissen Stellen aus nichts hervorgebracht und an anderen wieder in nichts aufgelöst wird[11]). Die Stellen, wo Flüssigkeit hervorgebracht wird, wollen wir Entstehungsstellen nennen und ihre Intensität soll gegeben sein durch die Anzahl der Einheiten der Flüssigkeitsmenge, welche sie in der Zeiteinheit entwickeln. Die Stellen, wo Flüssigkeit vernichtet wird, wollen wir Vernichtungsstellen nennen und ihre Intensität durch die Anzahl der Einheiten der Flüssigkeitsmenge messen, welche daselbst in der Zeiteinheit absorbirt wird. Beide Gattungen von Stellen werden wir als Quellen bezeichnen, so dass unter einer positiven Quelle eine Entstehungsstelle, unter einer negativen eine Vernichtungsstelle zu verstehen ist.

(8) Es ist evident, dass die Menge der Flüssigkeit, welche durch irgend eine feste Fläche hindurchgeht, durch die Anzahl der diese Fläche schneidenden Einheitsröhren gemessen wird, und die Richtung, in welcher die Flüssigkeit hindurchgeht, durch die Durchgangsrichtung der Röhren bestimmt ist. Wenn die Fläche eine geschlossene ist, so muss jede Röhre, deren beide Enden auf derselben Seite der Fläche liegen, die Fläche ebenso oft in der einen als in der anderen Richtung durchschneiden und daher ebenso viel Flüssigkeit aus dem von der Fläche umschlossenen Raum hinaus- als in denselben hineinführen. Eine Röhre, welche innerhalb der Fläche beginnt und ausserhalb endigt, wird in der Zeiteinheit die Flüssigkeitsmenge eins hinausführen; wenn sie dagegen in die Fläche eintritt und darin endigt, wird sie dieselbe Menge hineinführen. Um daher die Menge der Flüssigkeit, welche in der Zeiteinheit aus dem von der Fläche umschlossenen Raum austritt, zu berechnen, müssen wir die Anzahl der Röhren, welche innerhalb der Fläche enden, von der Anzahl derjenigen abziehen, welche darin beginnen. Sobald das Resultat negativ ist, wird im Ganzen Flüssigkeit hineinströmen. Wenn wir den Anfang einer Einheitsröhre als eine Entstehungsstelle eins, ihr Ende als eine Vernichtungsstelle eins bezeichnen, so ist die Menge der Flüssigkeit, welche im Innern der Fläche mehr entsteht als vernichtet wird, durch die Differenz zwischen der Anzahl der Entstehungsstellen eins und der Vernichtungsstellen eins innerhalb der Fläche gegeben. Diese Menge muss vermöge der Unzusammendrückbarkeit der Flüssigkeit aus dem von der Fläche umschlossenen Raume austreten. Wenn wir von Einheitsröhren, Entstehungsstellen und Vernichtungsstellen eins reden, müssen wir bedenken, was in (5) über die Grösse der Einheit festgesetzt worden ist und wie wir durch Verkleinerung ihrer Grösse und Vermehrung der Zahl der Röhren

letztere beliebig dicht drängen und eine continuirliche Geschwindigkeitsvertheilung in beliebiger Annäherung darstellen können.

(9) Fassen wir zwei verschiedene Fälle ins Auge. In jedem derselben sei die Richtung und Geschwindigkeit der Flüssigkeit für jeden Punkt gegeben. Wir stellen uns nun einen dritten Fall vor, wo für jeden Punkt die Richtung und Geschwindigkeit der Flüssigkeit durch die Resultirende der Geschwindigkeiten für denselben Punkt in den beiden früheren Fällen gegeben ist; dann wird die Flüssigkeitsmenge, welche eine gegebene feste Fläche in dem dritten Falle durchströmt, die algebraische Summe der beiden Mengen sein, welche dieselbe Fläche in den beiden früheren Fällen durchströmen. Denn die Flüssigkeitsmenge, welche irgend ein Flächenelement durchströmt, ist proportional der Projection der Geschwindigkeit auf die Normale zum Flächenelement und die Projection der Resultirenden ist gleich der Summe der Projectionen der Componenten.

Daher muss die Zahl der Einheitsröhren, welche die Fläche in dem dritten Falle auswärts gerichtet durchsetzen, die algebraische Summe der Zahl der Röhren sein, welche sie in den beiden früheren Fällen durchsetzten, wobei jede austretende Röhre positiv, jede eintretende negativ zählt; ebenso ist auch die Zahl der Quellen in irgend einem geschlossenen Raume im dritten Falle die Summe der Zahlen derselben in den beiden früheren Fällen. Da der geschlossene Raum so klein angenommen werden kann, als man will, so ist es klar, dass die Vertheilung der Einströmungs- und Ausströmungsstellen in dem dritten Falle durch die einfache Superposition der Vertheilungen in den beiden früheren Fällen entsteht.

C. Theorie der gleichförmigen Bewegung einer unwägbaren [massenlosen] unzusammendrückbaren Flüssigkeit durch ein widerstehendes Mittel.

(10) Nun soll vorausgesetzt werden, dass die Flüssigkeit keine Trägheit besitzt und dass ihrer Bewegung eine Kraft entgegenwirkt [12]). Diese soll so beschaffen sein, dass wir uns vorstellen können, sie rühre von dem Widerstand eines Mediums her, durch welches wir uns die Flüssigkeit strömend denken. Dieser Widerstand kann erstens von der Natur des Mediums, zweitens von der Geschwindigkeit und drittens im allgemeinen

auch von der Richtung der Bewegung der Flüssigkeit abhängen.[13]) Zunächst jedoch wollen wir uns auf den Fall eines isotropen Mediums beschränken, dessen Widerstand in allen Richtungen derselbe ist. In diesem Falle nehmen wir folgendes Gesetz an:

Jeder Theil der Flüssigkeit, welcher sich durch das widerstehende Mittel bewegt, erfährt eine seiner Geschwindigkeit proportionale verzögernde [der Bewegungsrichtung entgegengesetzte] Kraft.

Wenn die Geschwindigkeit mit v bezeichnet wird, so ist der Widerstand eine Kraft von der Intensität kv, welche auf die Volumeinheit der Flüssigkeit in einer Richtung wirkt, die der Bewegungsrichtung gerade entgegengesetzt ist; k soll der Widerstandscoefficient des betreffenden Mediums heissen. Um daher die Geschwindigkeit constant zu erhalten, muss der Druck hinter jedem Theile der Flüssigkeit grösser als vor demselben sein, so dass die Differenz der Drucke die Wirkung des Widerstandes aufhebt. Denken wir uns einen Flüssigkeitswürfel vom Volumen eins (welcher die Mengeneinheit der Flüssigkeit enthält und welchen wir nach 5 so klein annehmen können, als wir wollen) in einer Richtung senkrecht zu zwei seiner Flächen bewegt. Derselbe erfährt den Widerstand kv und daher ist auch die Differenz der auf jene beiden Flächen wirkenden Drucke kv, so dass der Druck längs jeder Stromlinie in der Richtung der Bewegung pro Längeneinheit um kv abnimmt[14]). An den beiden Enden eines Stückes einer Stromlinie von der Länge h wird daher der Druckunterschied gleich kvh sein.

(11) Da wir voraussetzen, dass sich der Druck continuirlich in der Flüssigkeit ändert, so werden alle Punkte, in denen er einen gegebenen Werth p hat, auf einer bestimmten Fläche liegen, welche wir die Fläche (p) gleichen Drucks nennen. Wenn wir eine Reihe solcher Flächen in der Flüssigkeit construiren, die den Drucken 0, 1, 2, 3 u. s. w. entsprechen, so wird die Nummer der Fläche den Druck angeben, welcher ihr zugehört, und die Flächen selbst mögen bezeichnet werden als die Flächen 0, 1, 2, 3 u. s. w. Als Einheit des Drucks wählen wir denjenigen, welcher von der Einheit der Kraft auf die Einheit der Fläche ausgeübt wird. Um daher, wie in (5), die Einheit des Druckes zu vermindern, müssen wir die Einheit der Kraft entsprechend verkleinern.

(12) Es ist leicht einzusehen, dass diese Flächen gleichen Druckes auf den Stromlinien senkrecht stehen müssen; denn

wenn die Flüssigkeit sich schief gegen die Richtung des stärksten Druckgefälles bewegen würde, so würde sie einen Widerstand erfahren, dem durch keine Druckdifferenz das Gleichgewicht gehalten werden könnte [15]). Wir müssen uns erinnern, dass die hier betrachtete Flüssigkeit keine Trägheit oder Masse besitzt und dass sie nur diejenigen Eigenschaften hat, welche wir ihr ausdrücklich beigelegt haben, so dass Widerstände und Drucke ihre einzigen mechanischen Eigenschaften sind. Wir haben also außer den beiden Systemen von Flächen, welche durch ihren Durchschnitt das System der Einheitsröhren bilden, noch das System der Flächen gleichen Drucks, welches die beiden anderen Flächensysteme rechtwinklig durchschneidet. Sei h die Entfernung zwischen zwei sich folgenden Flächen gleichen Drucks, gemessen längs einer Stromlinie, dann ist, da die Differenz der Drucke $= 1$ ist:

$$k v h = 1 ,$$

was eine Beziehung zwischen v und h liefert, so dass die eine dieser Grössen gefunden werden kann, wenn die andere bekannt ist. Sei s der Flächeninhalt eines Querschnitts einer Einheitsröhre, gemessen auf einer Fläche gleichen Drucks, dann haben wir nach der Definition der Einheitsröhre

$$v s = 1 ,$$

und finden aus den letzten beiden Gleichungen

$$s = k h .$$

(13) Die Flächen gleichen Druckes schneiden aus den Einheitsröhren Volumelemente von der Länge h und dem Querschnitt s heraus. Alle diese Volumelemente der Einheitsröhren wollen wir »Einheitszellen« nennen. In jeder derselben geht in der Zeiteinheit die Einheit des Flüssigkeitsvolumens vom Drucke p zum Druck $p-1$ über und überwindet daher in dieser Zeit die Einheit des Widerstandes. Die hierauf von der Flüssigkeit aufgewendete Arbeit ist also in jeder Einheitszelle in der Zeiteinheit ebenfalls gleich eins.

(14) Wenn die Flächen gleichen Druckes gegeben sind, kann man daraus die Richtung und Grösse der Geschwindigkeit der Flüssigkeit in jedem Punkte berechnen und daher das System der Stromröhren vollständig construiren, Anfang und Ende derselben ermitteln und die Entstehungs- und Vernichtungsstellen angeben. Um aber auch das Umgekehrte hiervon zu beweisen, d. h. um zu zeigen, dass der Druck in

jedem Punkte bestimmt ist, wenn die Lage und Intensität aller Quellen gegeben ist, müssen wir einige Hülfssätze vorausschicken.

(15) Es sei in zwei verschiedenen Fällen der Druck der Flüssigkeit in jedem Punkte gegeben und in einem dritten Falle sei der Druck in jedem Punkte gleich der Summe der Drucke, welche in den beiden früheren Fällen in demselben Punkte geherrscht haben; dann ist auch die Geschwindigkeit der Flüssigkeit im dritten Falle in jedem Punkte die Resultirende der Geschwindigkeiten, die in den beiden früheren Fällen herrschten, und die Vertheilung der Quellen ist im dritten Falle einfach die Superposition der Vertheilungen in den beiden früheren Fällen.

Denn die Geschwindigkeitscomponente nach irgend einer Richtung ist proportional der auf die Längeneinheit entfallenden Druckabnahme in dieser Richtung. Wenn wir daher zwei Systeme von Drucken addiren, so wird auch die Druckabnahme nach jeder beliebigen Richtung und daher auch die Geschwindigkeitscomponente der Flüssigkeit nach jeder Richtung einfach addirt. Daher ist auch die gesammte Geschwindigkeit der Flüssigkeit im dritten Falle in jedem Punkte die resultirende der beiden Geschwindigkeiten, die im ersten, resp. zweiten Falle im selben Punkte herrschten.

Hieraus folgt nach (9), dass in dem dritten System die Menge der Flüssigkeit, welche irgend eine fixe Fläche durchströmt, gleich der Summe der Flüssigkeitsmengen ist, welche in den beiden früheren Fällen dieselbe Fläche durchströmten, und dass die Quellen der beiden ersten Systeme durch einfache Addition die des dritten geben.

Es ist selbstverständlich, dass, wenn in dem dritten Systeme der Druck die Differenz der für die beiden ersteren geltenden Drucke ist, die Vertheilung der Quellen des dritten Systems gefunden wird, indem man alle Quellen des zweiten Systems mit verkehrten Zeichen zu denen des ersten Systems addirt.

(16) Wenn in jedem Punkte einer geschlossenen Fläche der Druck gleich einer und derselben Grösse p ist und wenn in dem von der Fläche umschlossenen Raum keine Entstehungs- oder Vernichtungsstellen sind, so ist innerhalb derselben die Flüssigkeit in Ruhe und der Druck ist daselbst überall constant gleich p.

Denn wenn in dem von der Fläche umschlossenen Raume irgend eine Flüssigkeitsbewegung stattfände, so müssten daselbst auch Stromröhren sein, welche entweder in sich selbst zurücklaufen oder im Innern des von der Fläche umschlossenen

Raumes oder in dieser selbst enden müssten. Da nun die Flüssigkeit immer von Stellen grösseren zu Stellen kleineren Druckes fliesst, so kann sie nicht in einer in sich zurückkehrenden Bahn strömen; da im Innern des von der Fläche umschlossenen Raumes keine Entstehungs- oder Vernichtungsstellen sind, so können daselbst auch Stromlinien weder beginnen noch enden; da endlich der Druck in allen Punkten der Fläche derselbe ist, so kann die Flüssigkeit in keiner Stromröhre fliessen, deren beide Enden auf der Fläche liegen. Weil nun im ganzen von der Fläche umschlossenen Raume keine Flüssigkeitsbewegung stattfindet, so kann auch nirgends eine Druckdifferenz vorhanden sein, da diese sofort Flüssigkeitsströmung erzeugen würde; es muss also der Druck überall gleich dem in der geschlossenen Fläche herrschenden Drucke p sein.

(17) Wenn der Druck in jedem Punkte einer gegebenen geschlossenen Fläche und die Intensität und Lage aller Quellen in dem von der Fläche umschlossenen Raume gegeben sind, so kann in diesem Raume nur eine einzige Druckvertheilung existiren.

Denn wenn zwei verschiedene Druckvertheilungen möglich wären, welche obigen Bedingungen genügen, so könnten wir daraus eine dritte ableiten, bei welcher der Druck an jedem Punkt gleich der Differenz der in den beiden früheren Fällen daselbst herrschenden Drucke wäre. In diesem dritten Falle wäre dann nach (15) der Druck auf der ganzen geschlossenen Fläche gleich Null und es wären innerhalb des von ihr umschlossenen Raumes auch keine Quellen.

Daher müsste nach (16) im dritten Falle der Druck in jedem Punkte dieses Raumes Null sein. Derselbe ist aber die Differenz der Drucke in den beiden ersteren Fällen, und da diese Differenz allgemein gleich Null ist, so können überhaupt zwei verschiedene Druckvertheilungen nicht existiren.[16)]

(18) Wir betrachten nun eine unendliche Flüssigkeitsmasse, in deren Mitte sich nur eine einzige Quelle (und zwar eine Entstehungsstelle eins) befindet. In unendlicher Entfernung von dieser Quelle soll der Druck überall Null sein. Wir wollen den Druck an einer beliebigen Stelle aufsuchen.

Die Flüssigkeit wird von der Quelle symmetrisch nach allen Richtungen ausströmen, und da durch jede Kugelfläche, welche die Quelle zum Mittelpunkt hat, in der Zeiteinheit die Flüssigkeitsmenge eins strömt, so ist die Geschwindigkeit in der Entfernung r von der Quelle

$$v = \frac{1}{4\pi r^2}.$$

Die Abnahme des Druckes pro Längeneinheit in der Richtung der Geraden r, d. h. der negative Differentialquotient des Druckes nach r, ist, wie wir sahen

$$k v = \frac{k}{4\pi r^2},$$

und da für $r = \infty$, $p = 0$ ist, so folgt

$$p = \frac{k}{4\pi r}$$

für den Werth des Druckes in irgend einem Punkte.

Der Druck ist daher der Entfernung von der Quelle verkehrt proportional.

Es versteht sich von selbst, dass eine Vernichtungsstelle eins einen gleichen, nur entgegengesetzt bezeichneten Druck zur Folge haben wird.

Durch eine Quelle, welche durch das gleichzeitige Vorhandensein von S Entstehungsstellen eins gebildet wird und welche wir in (7) eine Quelle von der Intensität S nannten, wird der Druck

$$p = \frac{kS}{4\pi r}$$

bedingt, so dass der Druck in einer gegebenen Entfernung dem Product aus dem Widerstandscoefficienten k und der Intensität S der Quelle proportional ist.

(19) Wenn eine Anzahl von Entstehungs- und Vernichtungsstellen gleichzeitig in der Flüssigkeit vorhanden ist, so brauchen wir nur, um den resultirenden Druck zu finden, sämmtliche Drucke zu addiren, welche durch die einzelnen Entstehungs- und Vernichtungsstellen erzeugt werden. Denn dies ist nach (15) eine Lösung der Aufgabe und nach (17) die einzig mögliche. Auf diese Weise können wir den Druck finden, wenn die Vertheilung der Quellen gegeben ist, gerade so wie wir durch die in (14) angegebene Methode die Vertheilung der Quellen bestimmen können, wenn umgekehrt die Druckvertheilung gegeben ist. [17])

(20) Wir wollen uns nun irgend eine unbewegliche Fläche im Raume denken, welche die Stromlinien schneidet, und beweisen, dass wir die Flüssigkeit, welche sich auf der einen Seite dieser Fläche befindet, jedesmal durch eine Anordnung von Quellen auf der Fläche selbst ersetzen können, ohne die Bewegung der Flüssigkeit auf der anderen Seite irgendwie zu verändern.

In der That, wenn wir das System der Einheitsröhren construiren, welches die betreffende Bewegung darstellt, und überall, wo eine Einheitsröhre durch die Fläche eintritt, eine Entstehungsstelle eins, wo eine solche austritt, eine Vernichtungsstelle eins anbringen und gleichzeitig die Fläche für die Flüssigkeit undurchdringlich machen, so wird die Bewegung der Flüssigkeit in den Röhren wie früher vor sich gehen.

(21) Wenn in einem Medium, dessen Widerstandscoefficient k ist, die Vertheilung der Quellen bekannt ist, welche ein gegebenes System von Drucken erzeugt, so braucht man nur die Flüssigkeitsmenge, welche jede Quelle erzeugt, also die Intensität jeder Quelle mit k zu multipliciren, um die Quellen zu finden, welche in einem Medium, dessen Widerstandscoefficient eins ist, dasselbe System von Drucken zu erzeugen. Denn da der Druck, welcher durch irgend eine Quelle erzeugt wird, dem Product aus dem Widerstandscoefficienten und der Intensität der Quelle proportional ist, so muss die Intensität der Quellen in demselben Verhältniss vergrössert werden, in dem der Widerstandscoefficient abnimmt, wenn der Druck unverändert bleiben soll.

(22) Ueber die Bedingungen, welche an der Trennungsfläche zweier Medien von verschiedenem Widerstandscoefficienten (k und k') erfüllt sein müssen.

Diese ergeben sich aus der Ueberlegung, dass die Flüssigkeitsmenge, welche in irgend einer Zeit durch ein Flächenelement der Trennungsfläche aus dem einen Medium ausfliesst, während derselben Zeit durch dasselbe Flächenelement in das andere Medium einströmen muss, und dass der Druck an der Trennungsfläche keinen Sprung machen darf. Aus der ersteren Bedingung folgt, dass an jeder Stelle der Trennungsfläche die Geschwindigkeitscomponente der Flüssigkeit normal zur Trennungsfläche in beiden Medien dieselbe ist und daher die Differentialquotienten des Druckes [in der Richtung der Normalen zur Trennungsfläche an beiden Seiten] sich wie die Widerstandscoefficienten verhalten. [Da ferner der Werth des Drucks selbst nirgends einen Sprung machen darf, so muss auch der Differentialquotient des Druckes in irgend einer der Trennungsfläche parallelen Richtung zu beiden Seiten derselben den gleichen Werth haben.] Die Richtung der Stromröhren und der Flächen gleichen Drucks erfährt also an der Trennungsfläche eine plötzliche Aenderung, welche durch folgende Gesetze bestimmt ist: die Richtung der Stromröhre bleibt in der

Ebene, welche die Einfallsrichtung und die Normale zur Trennungsfläche enthält, und die Tangente des Einfallswinkels verhält sich zu der des Brechungswinkels wie k' zu k.[18])

(23) Es sei der Raum innerhalb einer gegebenen geschlossenen Fläche mit einem Medium erfüllt, welches verschieden von dem umgebenden ist, und der Druck in jedem Punkte dieses zusammengesetzten Systems gegeben, welcher durch eine gegebene Vertheilung von Quellen innerhalb und ausserhalb der Fläche erzeugt wird. Es wird die Vertheilung der Quellen gesucht, welche in einem homogenen Medium vom Widerstandscoefficienten eins an jedem Punkte denselben Druck erzeugen würde.

Man construire die Stromröhren, und wo immer eine Einheitsröhre in das eine oder andere Medium eintritt, bringe man eine Entstehungsstelle eins, wo aber eine Einheitsröhre austritt, eine Vernichtungsstelle eins [in dem betreffenden Medium] an. Macht man hierauf die Trennungsfläche für die Flüssigkeit undurchdringlich, so geht alles genau wie früher vor sich.

Sei der Widerstandscoefficient des äusseren Mediums k, der des inneren k', so braucht man nur die Intensität aller im äusseren Medium liegenden Quellen (mit Einschluss der an der Trennungsfläche in diesem Medium liegenden) mit k zu multipliciren, den Widerstandscoefficienten aber auf die Einheit zu reduciren, so bleibt im äusseren Medium die Druckvertheilung unverändert und dasselbe gilt für das innere Medium, wenn wir dessen Widerstandscoefficienten ebenfalls gleich eins machen und die Intensitäten aller Quellen darin mit Einschluss der an der Trennungsfläche liegenden mit k' multipliciren.[19])

Da nun [in jedem Punkte der Trennungsfläche] der Druck zu beiden Seiten derselben gleich ist, so können wir diese wieder für die Flüssigkeit durchdringlich machen, ohne die Strömung und Druckvertheilung dadurch zu ändern.

Wir haben nun die Druckvertheilung, die ursprünglich im zusammengesetzten Medium herrschte, in einem homogenen Medium durch die Combination von drei Systemen von Quellen erzeugt. Das erste ist identisch mit dem Systeme der Quellen, die ursprünglich ausserhalb lagen, das zweite mit dem Systeme von Quellen, die ursprünglich innerhalb lagen, nur dass die Intensität jeder der erstern Quellen mit k, jeder der letztern mit k' multiplicirt erscheint, das dritte System von Quellen ist das an der Oberfläche selbst liegende. In dem ursprünglich gegebenen Falle entsprach jeder Entstehungsstelle eins an der Aussenseite der Trennungsfläche eine Vernichtungsstelle eins an der Innenseite. Da aber nun die Intensität jener Entstehungsstelle mit k, die der Vernichtungsstelle aber mit k' multiplicirt wurde, so muss jeder Entstehungsstelle eins an der Aussenfläche noch eine Entstehungsstelle von der Intensität $(k - k')$ an der Trennungsfläche entsprechen. Mittelst dieser drei Systeme von Quellen wird die ursprünglich gegebene Druckvertheilung in dem homogenen Medium mit dem Widerstandscoefficienten eins erzeugt.

(24) Wenn innerhalb einer geschlossenen Fläche das Medium ohne Widerstand, also $k' = 0$ ist, so ist der Druck innerhalb derselben daher auch auf der Fläche selbst constant; er sei gleich p. Wenn wir in dem Falle, dass innerhalb der geschlossenen Fläche der Widerstandscoefficient derselbe wie ausserhalb ist, durch Hinzufügung beliebiger Quellen innerhalb der geschlossenen Fläche erzielen können, dass ausserhalb alles wie im ersten Falle bleibt und der Druck auf der ganzen geschlossenen Fläche constant wird, so ist die hiebei sich ergebende Druckvertheilung im äussern Medium im Vereine mit der Gleichförmigkeit des Drucks innerhalb der Fläche die wahre und einzig mögliche Druckvertheilung [in dem zu Anfang dieses Absatzes angenommenen Falle].[20])

Denn, wenn zwei verschiedene derartige Druckvertheilungen durch Fingirung verschiedener Quellen im innern Medium gefunden werden könnten, so würden wir durch Bildung der Differenz derselben eine dritte Druckvertheilung erhalten, bei welcher der Druck auf der geschlossenen Fläche constant wäre und innerhalb derselben eben so viel Entstehungs- als Vernichtungsstellen eins wären, so dass für jede Flüssigkeitsmenge, die an einer Stelle einströmt, an einer andern eine gleiche ausströmen müsste.

Nun zerstören sich aber alle Quellen in dem umgebenden Medium; wir haben daher ein unendliches Medium ohne Quellen, welches das innere Medium umgiebt. Der Druck im Unendlichen ist Null, der auf der Trennungsfläche constant. Wenn derselbe positiv ist, so muss die Flüssigkeitsbewegung von jedem Punkte der Trennungsfläche auswärts gerichtet sein; ist er dagegen negativ, so muss die Flüssigkeit überall in die geschlossene Fläche einströmen. Nun haben wir aber bewiesen, dass keiner dieser beiden Fälle möglich ist, dass vielmehr eben so viel Flüssigkeit aus der geschlossenen Fläche aus-, als in sie eintreten muss. Daher muss bei der dritten Druckvertheilung der Druck in der geschlossenen Fläche Null sein.

Der Druck in allen Punkten der Begrenzungsfläche des äussern Mediums ist also im dritten Falle gleich Null, und da in demselben keine Quellen sind, so ist der Druck nach (16) daselbst überall Null.

Der Druck auf der Begrenzungsfläche des innern Mediums ist aber ebenfalls Null, und da daselbst kein Widerstand ist, so ist er auch im innern Medium überall Null; aber im dritten Falle ist der Druck gleich der Differenz der Drucke in den beiden gegebenen Fällen; daher sind diese gleich und es ist nur eine einzige Druckvertheilung möglich, nämlich die durch die hinzugedachten Entstehungs- und Vernichtungsstellen bedingte.

(25) Wenn in dem innern Medium der Widerstand unendlich ist, so kann durch dasselbe weder Flüssigkeit ein- noch austreten. Die Begrenzungsfläche kann daher als für die Flüssigkeit undurchdringlich betrachtet werden, und die Stromröhren werden längs derselben fortlaufen, ohne sie zu schneiden.

Die Druckvertheilung im äussern Medium finden wir dann in folgender Weise: Wir setzen den Widerstandscoefficienten des innern Mediums gleich dem des äussern und fügen (was immer möglich ist) zu den gegebenen Quellen im äussern Medium andere Quellen im innern so hinzu, dass durch die Trennungsfläche nirgends Flüssigkeit hindurchströmt. Denn vermöge dieses letztern Umstands sind die Stromröhren im Innern vollkommen unabhängig von den äussern und können ganz hinweggedacht werden, ohne dass die äussere Bewegung gestört wird.

(26) Wenn der Raum, den das innere Medium einnimmt, klein und die Verschiedenheit des Widerstandscoefficienten in beiden Medien ebenfalls klein ist*), so ist die Lage der Einheitsröhren nur wenig verschieden von derjenigen, welche eintreten würde, wenn das äussere Medium den ganzen Raum erfüllen würde.

Unter dieser Voraussetzung können wir leicht die Veränderung berechnen, welche die kleine Verschiedenheit des innern Medium von dem äussern hervorbringt. [Wir berechnen zuerst die Strömung, welche die gegebenen Quellen erzeugen würden, wenn der Widerstandscoefficient überall gleich k wäre]. Wo dann eine Einheitsröhre in das innere Medium eintritt, bringen wir noch eine Entstehungsstelle von der Intensität $\frac{(k'-k)}{k}$ an,

---

*) [Die letztere Bedingung allein genügt wohl schon.]

und wo eine solche Röhre austritt, denken wir uns noch eine Vernichtungsstelle von gleicher Intensität. Wenn wir dann die Druckvertheilung so berechnen, als ob der Widerstandscoefficient in beiden Medien denselben Werth k hätte, erhalten wir sehr nahe die wahre Druckvertheilung. Wenn wir auf die neu hinzugekommene Strömung dieselbe Rechnungsoperation nochmals anwenden, so erhalten wir einen zweiten Grad von Annäherung u. s. f.

(27) In dem Falle, dass an Stelle eines plötzlichen Sprunges des Werthes des Widerstandscoefficienten dieser sich continuirlich von Punkt zu Punkt ändert, können wir das Medium so behandeln, als ob es aus dünnen Schichten bestünde, von denen jede constanten Widerstandscoefficienten hat. Indem wir auf den Trennungsflächen der Schichten Quellen in passender Weise vertheilen, können wir das Problem wie in (23) auf dasjenige reduciren, wo der Widerstandscoefficient überall gleich eins ist. Die Quellen werden dann continuirlich im ganzen Medium vertheilt sein und werden Entstehungsstellen sein, wo die Flüssigkeit von Stellen kleineren zu Stellen grösseren Widerstandscoefficienten strömt, dagegen Vernichtungsstellen an den Orten entgegengesetzter Stromrichtung.

(28) Wir haben bisher vorausgesetzt, dass der Widerstandscoefficient an einer gegebenen Stelle des Medium unabhängig von der Strömungsrichtung ist; wir können uns jedoch auch den Fall denken, dass der Widerstandscoefficient in verschiedenen Richtungen verschieden ist. In solchen Fällen werden die Stromlinien im allgemeinen nicht senkrecht auf den Flächen gleichen Druckes sein. Seien a, b, c die Componenten der Stromgeschwindigkeit in irgend einem Punkte, α, β, γ die des Widerstands in demselben Punkte, dann wird zwischen diesen sechs Grössen folgendes System dreier linearer Gleichungen bestehen, welchen wir, um uns immer rasch auf sie berufen zu können, den besondern Namen der Leitungsgleichungen beilegen wollen:

$$a = P_1\alpha + Q_3\beta + R_2\gamma$$
$$b = P_2\beta + Q_1\gamma + R_3\alpha$$
$$c = P_3\gamma + Q_2\alpha + R_1\beta.$$

In diesen Gleichungen kommen neun unabhängige Coefficienten vor, welche die Leitungsfähigkeit bestimmen. Um die Gleichungen zu vereinfachen, wollen wir setzen:

$$Q_1 + R_1 = 2S_1,\ Q_1 - R_1 = 2lT\ldots$$

wo

$$4T^2 = (Q_1 - R_1)^2 + (Q_2 - R_2)^2 + (Q_3 - R_3)^2.$$

l, m, n sind die Richtungscosinus einer fixen Richtung im Raum. Dann gehen die Leitungsgleichungen über in

$$\begin{aligned} a &= P_1 \alpha + S_3 \beta + S_2 \gamma + (n\beta - m\gamma) T \\ b &= P_2 \beta + S_1 \gamma + S_3 \alpha + (l\gamma - n\alpha) T \\ c &= P_3 \gamma + S_2 \alpha + S_1 \beta + (m\alpha - l\beta) T. \end{aligned}$$

Durch eine bekannte Coordinatentransformation können wir die Coefficienten S hinwegschaffen und erhalten (für eine specielle Lage des Coordinatensystems] [21])

$$\begin{aligned} a &= P'_1 \alpha + (n'\beta - m'\gamma) T \\ b &= P'_2 \beta + (l'\gamma - n'\alpha) T \\ c &= P'_3 \gamma + (m'\alpha - l'\beta) T, \end{aligned}$$

wo l', m', n' die Richtungscosinus der fixen Richtung bezüglich der neuen Coordinatenaxen sind. Wenn wir setzen:

$$\alpha = \frac{dp}{dx}, \quad \beta = \frac{dp}{dy}, \quad \gamma = \frac{dp}{dz}, \text{ [22])}$$

so geht die Continuitätsgleichung

$$\frac{da}{dx} + \frac{db}{dy} + \frac{dc}{dz} = 0$$

über in

$$P'_1 \frac{d^2p}{dx^2} + P'_2 \frac{d^2p}{dy^2} + P'_3 \frac{d^2p}{dz^2} = 0,$$

und wenn wir setzen

$$x = \xi \sqrt{P'_1}, \quad y = \eta \sqrt{P'_2}, \quad z = \zeta \sqrt{P'_3},$$

so erhalten wir die gewöhnliche Bedingungsgleichung

$$\frac{d^2p}{d\xi^2} + \frac{d^2p}{d\eta^2} + \frac{d^2p}{d\zeta^2} = 0.$$

Hieraus ist ersichtlich, dass die Druckvertheilung durch das Auftreten des Coefficienten T nicht verändert wird.[23]) Prof. *Thomson* hat gezeigt, wie man sich eine Substanz vorzustellen hat, worin der Coefficient T von Null verschieden ist. Derselbe drückt eine Eigenschaft aus, welche sich auf eine Axe bezieht, die im Gegensatze zu den Axen von P'_1, P'_2, P'_3

dipolar ist [d. h. ihre negative Richtung verhält sich nicht gleich ihrer positiven].

Nähere Ausführungen über diese Leitungsgleichungen findet man in Prof. *Stokes'* Abhandlung über die Wärmeleitung in Krystallen (Cambr. and Dublin math. journ. nov. 1851. math. a. ph. pap. II) und Prof. *Thomson's* Schrift über die dynamische Theorie der Wärme, part V [vielmehr VI], (trans. of the royal soc. of Edinburgh, vol. 21, part 1. math. a. phys. pap. I. S. 274).

Alles was in (14), (15), (16), (17) bezüglich der Superposition verschiedener Druckvertheilungen, sowie der eindeutigen Bestimmtheit der Druckvertheilung durch die Vertheilung der Quellen bewiesen wurde, gilt offenbar auch in dem Falle, dass der Widerstand continuirlich veränderlich und in verschiedenen Richtungen verschieden ist. Denn eine nähere Prüfung des Beweises zeigt, dass seine Beweiskraft durch diese Verallgemeinerungen durchaus nicht alterirt wird.

(29) Wir können nun zum Beweise gewisser Sätze schreiten, welche in dem allgemeinsten Falle gelten, dass der Widerstandscoefficient des Mediums in verschiedenen Richtungen verschieden und von Punkt zu Punkt veränderlich ist.

Wenn die Druckvertheilung bekannt ist, so können wir nach der in (28) angegebenen Methode die Flächen gleichen Druckes, die Stromröhren und die Entstehungs- und Vernichtungsstellen construiren. Da in jeder von den Zellen, in welche die Einheitsröhren durch die Flächen gleichen Druckes getheilt werden, in der Zeiteinheit die Flüssigkeitsmenge eins vom Drucke p zum Drucke $p-1$ übergeht, so wird offenbar in jeder Zelle in der Zeiteinheit die Arbeit eins auf Ueberwindung des Widerstandes verwendet.

Die Anzahl der Zellen in jeder Einheitsröhre ist bestimmt durch die Anzahl der Flächen gleichen Drucks, welche sie durchschneidet. Wenn der Druck am Anfange einer Einheitsröhre p am Ende p' ist, so ist die Anzahl der Zellen in derselben $p-p'$. Wenn sich daher die Röhre von der Entstehungsstelle bis zu einer Stelle erstrecken würde, wo der Druck Null ist, so wäre die Anzahl der Zellen p; würde sie sich dagegen von der Vernichtungsstelle [wo der Druck $-p'$ ist] bis zur Stelle, wo der Druck Null ist, erstrecken, so wäre die Anzahl der Zellen p', und die wahre Anzahl der Zellen ist der Unterschied $p-p'$.

Ist daher p der Druck an einer Entstehungsstelle von der Intensität S, von welcher also S Einheitsröhren ausgehen, so ist Sp die Anzahl der Zellen, welche durch diese Entstehungsstelle bedingt sind. Wenn aber S' von diesen Einheitsröhren an einer Vernichtungsstelle enden, an welcher der Druck p' herrscht, so müssen wir von der früher erhaltenen Zahl jetzt $S'p'$ abziehen. Nun wollen wir, da Vernichtungsstellen immer als negative Entstehungszellen betrachtet werden können, eine Entstehungsstelle von S Einheitsröhren einfach durch die Zahl S, eine Vernichtungsstelle von S' Einheitsröhren aber durch die Zahl $-S'$ charakterisiren; dann ist die Anzahl der Zellen des Systems allgemein ausgedrückt durch $\Sigma\,(Sp)$ [wobei die Summe über alle Zahlen zu erstrecken ist, welche alle Quellen charakterisiren]. [24])

(30) Zu derselben Schlussfolgerung gelangt man, wenn man beachtet, dass in jeder Zelle in der Zeiteinheit die Einheit der Arbeit geleistet wird. Nun wird an jeder Entstehungsstelle von der Intensität S in der Zeiteinheit das Flüssigkeitsvolumen S unter Ueberwindung des Druckes p in den mit der Flüssigkeit erfüllten Raum hineingetrieben, wobei die Arbeit Sp der Flüssigkeit mitgetheilt wird. An jeder Vernichtungsstelle, wo S' Einheitsröhren enden, verschwindet in der Zeiteinheit das Flüssigkeitsvolumen S' unter dem Drucke p'; die Flüssigkeit leistet daher die Arbeit $S'p'$. Die ganze Arbeit, welche die Flüssigkeit in der Zeiteinheit empfängt, ist daher gegeben durch

$$W = \Sigma\, Sp - \Sigma\, S'p',$$

oder besser, da wir die Vernichtungsstellen als negative Entstehungsstellen betrachten,

$$W = \Sigma(Sp).$$ [25])

(31) Sei S die Intensität einer in irgend einem Medium befindlichen Quelle und p der durch diese Quelle in irgend einem Punkte erzeugte Druck. Wenn wir dann dieser Quelle eine zweite gleiche superponiren, so wird der Druck überall verdoppelt, und so finden wir durch successive Superposition, dass eine Quelle nS den Druck np hervorbringt, oder allgemeiner: die Grösse des Druckes, welcher an irgend einer Stelle durch irgend eine Quelle erzeugt wird, ist der Intensität dieser Quelle proportional. Dies wollen wir durch die Gleichung

$$p = RS$$

ausdrücken, wo R ein Coefficient ist, welcher von der Natur des Mediums und von der Lage sowohl der Quelle als auch des Punktes abhängt, in dem der Druck gesucht wird. In einem [unendlichen] homogenen, isotropen Medium, dessen Widerstandscoefficient k ist, hatten wir

$$p = \frac{kS}{4\pi r}.$$

Daher ist daselbst

$$R = \frac{k}{4\pi r}.$$

R mag der Total-Widerstandscoefficient zwischen der Quelle und dem gegebenen Punkte heissen. Wenn eine beliebige Anzahl von Quellen vorhanden ist, haben wir allgemein

$$p = \Sigma(RS).$$

(32) In einem homogenen, isotropen Medium ist der in irgend einem Punkt P durch eine Quelle S erzeugte Druck

$$p = \frac{kS}{4\pi r}.$$

Wenn sich in jenem Punkt P eine zweite Quelle S' befindet, so folgt

$$S'p = \frac{kSS'}{4\pi r} = Sp',$$

wobei p' der Druck ist, welcher durch die Quelle S' an jener Stelle des Raumes erzeugt wird, wo sich S befindet. Wenn daher zwei Systeme von Quellen ΣS und $\Sigma S'$ vorhanden sind, und wenn durch das erste System der Druck p, durch das zweite der Druck p' erzeugt wird, so ist

$$\Sigma(S'p) = \Sigma(Sp'),$$

da jedem Gliede $S'p$ der ersten Summe ein gleiches Glied Sp' in der zweiten entspricht.

(33) Wenn in einem homogenen isotropen Medium die Flüssigkeitsströmung überall einer fixen Ebene parallel ist, so werden die Flächen gleichen Druckes auf derselben senkrecht stehen. Wenn wir zwei parallele Ebenen in der Distanz k von einander annehmen, so können wir den Raum zwischen denselben durch auf ihnen senkrechte Cylinderflächen in Einheitsröhren eintheilen, und diese werden im Verein mit den Flächen gleichen Druckes den Raum in Einheitszellen theilen, welche ebenso lang als breit sind. Denn wenn h die Entfernung zweier sich folgender Flächen gleichen Druckes (also die Länge der Einheitszellen) und s der Querschnitt einer Einheitsröhre ist, so haben wir nach (13) $s = kh$. Nun

ist aber s das Product der Breite und Tiefe; letztere ist k, daher erstere gleich h, also gleich der Länge.

Wenn zwei Systeme ebener Curven einander so rechtwinklig schneiden, dass sie die Ebene in lauter kleine Quadrate eintheilen, dann wird, sobald wir eine zweite Ebene in der Distanz k von der ersten annehmen und [darauf senkrechte] Cylinderflächen construiren, welche jene ebenen Curven zu Leitlinien haben, ein System von Zellen gebildet, welches den Bedingungen unserer Aufgabe genügt, sowohl wenn wir annehmen, dass die Flüssigkeit längs des ersten Systems der sich schneidenden ebenen Curven, als auch dass sie längs des zweiten Systems strömt.*)

D. Anwendung der Vorstellung der Kraftlinien [besser Inductionslinien].

Ich habe nun zu zeigen, wie die oben beschriebene Vorstellung der Stromlinien zu modificiren ist, um auf die Theorie der statischen Elektricität, des permanenten Magnetismus, der magnetischen Induction und der stationären elektrischen Strömung Anwendung zu finden, während ich die Gesetze des Elektromagnetismus einer besonderen Betrachtung vorbehalte.

Ich setze voraus, dass die gebräuchliche Annahme über die Wechselwirkung zweier entgegengesetzter elektrischer Fluida eine richtige Beschreibung der Erscheinungen der statischen Elektricität ist. Wenn wir eines derselben als die positive, das andere als die negative »Elektricität« bezeichnen, so stossen irgend zwei Theilchen der Elektricität einander mit einer Kraft ab, welche gemessen wird durch das Produkt der Massen dieser Theilchen, dividirt durch das Quadrat ihres Abstandes.

Nun fanden wir in (18), dass die durch eine Quelle S in der Entfernung r hervorgebrachte Geschwindigkeit unserer fingirten Flüssigkeit verkehrt proportional der Grösse r^2 ist. Wir wollen sehen, mit welchem Erfolge wir an Stelle eines jeden Theilchens positiver Elektricität eine derartige Quelle substituiren können. Die durch jede Quelle hervorgerufene Geschwindigkeit wäre dann der durch das betreffende elektrische Theilchen erzeugten Anziehung proportional, und die durch alle Quellen an irgend einer Stelle hervorgerufene resultirende Strömungsgeschwindigkeit wäre proportional der resultirenden Anziehung aller elektrischen Theilchen [auf eine an dieser

*) Siehe *W. Thomson*, Cambr. math. journ. vol. III, p. 286. may 1843, math. a. ph. pap. I. S. 22.

Stelle befindliche Elektricitätsmenge $+1$]. Nun finden wir den resultirenden Druck, indem wir die von den gegebenen Quellen erzeugten Drucke addiren, und daher ist die Componente der Gesammtströmung in einer gegebenen Richtung dem negativen Differentialquotienten des Druckes nach dieser Richtung, diese Componente aber wieder der Componente der Gesammtkraft der elektrischen Theilchen [auf eine Elektricitätsmenge eins] nach dieser Richtung proportional.

Da die Kraftcomponente nach irgend einer Richtung in dem elektrischen Probleme dem Differentialquotienten des Drucks in dieser Richtung in dem fingirten Probleme proportional ist, und da wir die Werthe der Constanten für das fingirte Problem beliebig wählen können, so können wir bewirken, dass die Kraftcomponente nach irgend einer Richtung numerisch gleich ist dem negativen Differentialquotienten des Drucks in dieser Richtung oder

$$X = -\frac{dp}{dx}.$$

Hieraus folgt, wenn V das elektrische Potential ist,

$$dV = X dx + Y dy + Z dz = -dp,$$

und da in unendlicher Entfernung $V = p = 0$, so folgt $V = -p$.

Bei dem Probleme der Elektrostatik haben wir [wenn wir mit dm irgend eine der wirkenden Elektricitätsmengen bezeichnen]:

$$V = -\Sigma\left(\frac{dm}{r}\right),$$

in der Flüssigkeit ist

$$p = \Sigma\left(\frac{kS}{4\pi r}\right),$$

daher folgt

$$S = \frac{4\pi}{k} dm.$$

Wenn man voraussetzt, dass k sehr gross ist, so ist die Flüssigkeitsmenge, welche durch jede Quelle geliefert werden muss, um den Druck zu unterhalten, sehr klein.

Das Potential irgend eines Systems elektrischer Massen auf sich selbst ist

$$\Sigma(p\,dm) = \frac{k}{4\pi}\Sigma(pS) = \frac{k}{4\pi} W.$$

Wenn $\Sigma\,(dm)$ und $\Sigma\,(dm')$ zwei Systeme elektrischer Massen p und p' ihre entsprechenden Potentiale sind, so ist nach (32)

$$\Sigma(p\,dm') = \frac{k}{4\pi}\Sigma(pS') = \frac{k}{4\pi}\Sigma\,(p'S) = \Sigma(p'dm),$$

d. h. das Potential des ersten Systems auf das zweite ist gleich dem des zweiten auf das erste.

Die Analogie zwischen dem Probleme der Elektrostatik und dem der Flüssigkeitsströmung kann also durch folgende Gleichungen ausgedrückt werden:

$$V = -p$$

$$X = -\frac{dp}{dx} = ku$$

$$dm = \frac{k}{4\pi}S\,.$$

Das ganze elektrische Potential ist $-\Sigma\,V dm = kW / 4\pi$, wo W die von der Flüssigkeit bei Ueberwindung des Widerstandes geleistete Arbeit ist.

Die Kraftlinien [besser Inductionslinien] sind die Einheitsröhren der Flüssigkeitsströmung und sie können durch diese Röhren numerisch ausgedrückt werden. [26])

E. Theorie der Dielektrica.

Die elektrische Influenz, welche auf einen Leiter in die Ferne ausgeübt wird, hängt nicht allein von der Vertheilung der Elektricität auf den influenzirenden Körpern und von der Form und Lage des influenzirten Leiters ab, sondern auch von der Natur des Zwischenmediums oder Dielektricums. In der elften Serie seiner Experimentaluntersuchungen trägt *Faraday* diesem Umstande dadurch Rechnung, dass er sagt, die verschiedenen Substanzen haben verschiedene inductive Capacität oder leiten die Linien der Influenzwirkung in verschiedener Weise. In der von uns angenommenen Analogie einer Flüssigkeit, die sich in einem Mittel bewegt, welches dieser Bewegung in verschiedenen Körpern verschiedenen Widerstand entgegensetzt, erhalten wir ein Dielektricum, welches die *Faraday*'schen Kraftlinien [Inductionslinien] besser leitet, also grössere Dielektricitätsconstante hat, wenn wir diesen Widerstand kleiner annehmen.

Es ist aus (23) klar, dass in diesem Falle auf der Oberfläche des Dielektricums immer eine scheinbare Vertheilung von Elektricität vorhanden sein wird und zwar von negativer, wo die Kraftlinien eintreten, von positiver, wo sie austreten. In dem Falle der Flüssigkeitsbewegung sind keine wirklichen Quellen auf der Oberfläche, sondern wir haben dieselben lediglich als Rechnungshilfsmittel eingeführt. Die Oberfläche eines Dielektricums ist vielleicht auch nicht wirklich mit freier Elektricität geladen, sondern es wird der Schein dieser Ladung durch die Wirkung der daselbst auftretenden Discontinuität der Beschaffenheit des Mediums erzeugt. Wenn das Dielektricum die Kraftlinien schlechter leiten würde, als das umgebende Medium, hätten wir gerade den entgegengesetzten Effect, nämlich positive Elektricität, wo die Kraftlinien eintreten, negative, wo sie austreten.

Wenn die Leitung des Dielektricums eine vollkommene, oder für die kleinen Elektricitätsmengen, mit welchen wir es zu thun haben, eine nahezu vollkommene ist, so haben wir den in (24) behandelten Fall. Das Dielektricum kann dann wie ein [nicht zur Erde abgeleiteter] Leiter betrachtet werden, seine Oberfläche ist eine Aequipotentialfläche und die resultirende elektrische Kraft ist unmittelbar an dieser Oberfläche senkrecht zu derselben.[27])

F. Theorie der permanenten Magnete.

Man kann sich vorstellen, dass ein Magnet aus einer unendlichen Anzahl magnetisirter Theilchen besteht, von denen jedes seinen eigenen Nord- und Südpol hat. Die Wechselwirkung zweier Magnetpole muss dann nach denselben Gesetzen wie die zweier elektrischer Theilchen erfolgen. Daher kann die Vorstellung der Kraftlinien auch auf den Magnetismus angewendet werden und die Theorie desselben kann genau so, wie die Elektrostatik durch die von uns angenommene bewegte Flüssigkeit versinnlicht werden. Es wird sich aber hier empfehlen, zu untersuchen, in welcher Weise die Polarität der Elementarmagnete durch die Einheitszellen der Flüssigkeitsbewegung dargestellt werden kann. Die Einheit der Flüssigkeitsmenge tritt an einer Seitenfläche jeder Einheitszelle ein und an der entgegengesetzten Seitenfläche aus, so dass in Bezug auf die ganze übrige Flüssigkeitsmasse die erstere Seitenfläche eine Vernichtungsstelle eins, die letztere eine

Entstehungsstelle eins ist. Jede Zelle entspricht daher einem Elementarmagnete, dessen Seitenflächen mit gleichen Mengen von Nord- resp. Südmagnetismus bedeckt sind. Wenn nun jene Zelle ein Theil eines continuirlichen Zellensystemes ist, so wird die Flüssigkeit, welche aus einer Zelle ausfliesst, in die nächstfolgende einströmen u. s. f., so dass man die Quellen von dem Ende der Zellen an die Enden der Einheitsröhren verlegen kann.

Wenn alle Einheitsröhren an der Oberfläche des Zellensystems beginnen und enden, so werden die Quellen lediglich auf dieser Oberfläche liegen, daher liegt bei einem Magnete, in dem die Vertheilung des Magnetismus eine sogenannte solenoidale oder tubulare ist, der gesammte freie Magnetismus auf der Oberfläche.*) [28])

G. Theorie der paramagnetischen und diamagnetischen Induction.

Faraday **) hat gezeigt, dass die Wirkungen paramagnetischer und diamagnetischer Körper im magnetischen Felde erklärt werden können, wenn man annimmt, dass paramagnetische Körper die Kraftlinien [Inductionslinien] besser, diamagnetische schlechter leiten als das umgebende Medium. Wir wollen bei Anwendung des in 23 und 26 Gesagten voraussetzen, dass Entstehungsstellen Nordmagnetismus, Vernichtungsstellen aber Südmagnetismus darstellen. Wenn sich dann ein paramagnetischer Körper in der Nachbarschaft eines Nordpols befindet, wird der Eintritt der Kraftlinien in denselben eine scheinbare Anhäufung von Südmagnetismus, der Austritt eine gleiche Anhäufung von Nordmagnetismus bewirken. Da die Mengen der entgegengesetzten Magnetismen gleich sind, aber der Südmagnetismus dem Nordpole näher liegt als der Nordmagnetismus, so wird die resultirende Kraft eine Anziehung sein. Wenn dagegen der Körper diamagnetisch ist, d. h. die Kraftlinien schlechter leitet als die Umgebung, so wird der Nordmagnetismus dort anzunehmen sein, wo die Kraftlinien in den schlechteren Leiter eintreten, der Südmagnetismus aber wo sie austreten, so dass im Ganzen Abstossung erfolgt.

*) Siehe Professor *Thomson* über die mathematische Theorie des Magnetismus, Cap. III und V, Phil. Trans. 1851. R. Soc. proc. 20 june 1850. pap. o. electrostat. a. magn. I. S. 378.

**) Experimentaluntersuchungen 3292.

Wir können ein allgemeineres Gesetz erhalten, wenn wir bedenken, dass das Potential des ganzen Systems der Arbeit proportional ist, welche die Flüssigkeit in Ueberwindung von Widerstand leistet. Die Einführung eines zweiten Mediums vermehrt oder vermindert die geleistete Arbeit, je nachdem dessen Widerstand grösser oder kleiner als der des ersten Mediums ist. Der Betrag dieser Vermehrung oder Verminderung ist dem Quadrate der Strömungsgeschwindigkeit der Flüssigkeit proportional. Nun ist aber nach der Potentialtheorie die in irgend einer Richtung wirkende bewegende Kraft dem negativen Differentialquotienten des Potentials des Systems nach jener Richtung proportional.

Wenn daher der Widerstand k' im zweiten Medium grösser als der Widerstand k im umgebenden Medium ist, so tritt eine Kraft auf, welche von den Stellen, wo die resultirende Kraft [Feldintensität] v grösser ist, nach jenen hingerichtet ist, wo sie kleiner ist, so dass diamagnetische Körper sich von den Stellen grösserer zu denen kleinerer magnetischer Kraft bewegen.*)

In paramagnetischen Körpern ist $k' < k$, so dass die Kraft von Punkten kleinerer zu Punkten grösserer Feldintensität hingerichtet ist. Da diese Resultate nur von dem Verhältnisse der Werthe k und k' abhängen, so ist es klar, dass durch Veränderung des umgebenden Mediums ein paramagnetischer Körper nach Belieben in einen diamagnetischen verwandelt werden kann.

Es ist klar, dass wir zu denselben Resultaten durch Rechnung gelangt wären, wenn wir vorausgesetzt hätten, dass die magnetische Kraft die Fähigkeit hat, in den Körpern magnetische Polarisation zu erregen, deren Richtung in paramagnetischen Körpern die der magnetischen Kraft, in diamagnetischen die entgegengesetzte ist.**)

Wir sind in der That bis jetzt noch nirgends auf Thatsachen gestossen, welche für eine dieser drei Theorien entscheidend wären, nämlich die der Kraftlinien, die der magnetischen Fluida und die der inducirten Polarität. Da

---

*) Experimentaluntersuchungen 2797, 2798; vgl. auch *Thomson*, Cambridge and Dublin mathem. Journal, vol. II, S. 230, Mai 1847. pap. I, S. 80.

) Experimentaluntersuchungen 2429, 3320; vgl. *Weber*, Poggendorff's Annalen **87, S. 145, 1852. *Tyndall*, Phil. Trans. 1856, S. 237. Phil. mag. (4) 12, S. 161, 1856.

die Theorie der Kraftlinien die präciseste ist und mit der geringsten Zahl willkürlicher Annahmen auskommt, so wollen wir uns im Folgenden an dieselbe halten.

H. Theorie der magnekrystallischen Induction.

Wir wollen nun *Faraday's* Theorie*) des Verhaltens von Krystallen im Magnetfelde entwickeln. In gewissen Krystallen und andern Substanzen werden die Kraftlinien in verschiedenen Richtungen verschieden gut geleitet. Wenn daher ein derartiger Körper in ein constantes magnetisches Feld gebracht wird, so dreht er sich oder sucht sich in eine solche Lage zu drehen, dass die Kraftlinien durch ihn mit dem geringsten Widerstand hindurchgehen. Es ist nicht schwer, mittelst der in (28) auseinander gesetzten Principien die Gesetze dieser Art von Wirkung anzugeben und in gewissen Fällen sogar durch Formeln numerisch zu bestimmen. Die Principe der inducirten Polarität und der magnetischen Fluida führen hier nicht so leicht zum Ziele, dagegen gestattet die Theorie der Kraftlinien eine ausserordentlich leichte Anwendung auf diese Classe von Phänomenen.

I. Theorie der Leitung der galvanischen Elektricität.

In der Berechnung der Gesetze stationärer elektrischer Ströme findet die von uns entwickelte Theorie einer Flüssigkeitsbewegung die directeste Anwendung. Ausser den Untersuchungen von *Ohm* beziehen sich die von *Kirchhoff***) und *Quincke****) über die Leitung der Elektricität in Platten auf diesen Gegenstand. Wir haben hier auch gemäss der üblichen Ansicht Flüssigkeitsströme, welche stationär in leitenden Bahnen fliessen, die ihnen einen gewissen Widerstand entgegensetzen, welcher durch Anbringung einer elektromotorischen Kraft an bestimmten Stellen der Bahn überwunden wird. Vermöge dieses Widerstands ist der Druck in verschiedenen Stellen der Bahn ein verschiedener. Dieser Druck, welcher gewöhnlich als die elektrische Spannung bezeichnet wird, erwies sich als physikalisch identisch mit dem Potentiale

---

*) Experimentaluntersuchungen 2836.

**) Pogg. Ann. Bd. 64 S. 497, 67 S. 344. 1845 46, Ges.-Abh. S. 1, 17.

***) Pogg. Ann. Bd. 97 S. 382, 1856.

der statischen Elektricität, wodurch das Verbindungsglied zwischen diesen beiden Erscheinungsgebieten hergestellt wird. Wenn eine genaue elektrostatische Messung der Menge der Elektricität, welche in jenem Strome fliesst, den wir als unsern [elektromagnetischen oder chemisch gemessenen] Einheitsstrom annehmen, gelungen wäre, so wäre die Verbindung der statischen und galvanischen Elektricität vollendet.*) Diese Messung gelang bisher nur näherungsweise, aber wir wissen genug, um sicher zu sein, dass die Leitungsfähigkeiten verschiedener Substanzen nur quantitativ verschieden sind und dass sich Glas und Metall der Elektricität gegenüber qualitativ gleich verhalten und sich nur durch die enorme Verschiedenheit der Grösse ihrer Leitungsfähigkeit unterscheiden. In dieser Weise tritt die Analogie zwischen statischer Elektricität und Flüssigkeitsbewegung noch klarer hervor, da die Influenz in einem Dielektricum gerade so, wie in einem Leiter mit elektrischer Strömung verbunden ist, nur dass diese im ersteren wegen des enormen Widerstandes des Dielektricums unmerkbar ist.**)

K. Ueber die elektromotorischen Kräfte.

Wenn ein stationärer Strom in einem geschlossenen Stromkreise fliesst, so ist klar, dass ausser dem Drucke noch irgend welche andere Kräfte wirken müssen; denn wenn der Strom durch Druckdifferenz erzeugt wäre, müsste er von dem Punkte grössten Druckes nach beiden Richtungen zum Punkte kleinsten Druckes strömen, während er in der That constant in derselben Richtung fliesst. Wir müssen daher das Vorhandensein gewisser Kräfte annehmen, welche fähig sind, einen constanten Strom in einem geschlossenen Stromkreise zu erhalten. Die wichtigste von diesen ist die durch chemische Wirkung hervorgerufene. Ein voltaisches Element oder besser die Trennungsfläche der Flüssigkeit und des Zinks ist der Sitz einer elektromotorischen Kraft, welche im Stande ist, den Strom trotz des Widerstandes des Stromkreises zu unterhalten. Wenn wir in der Sprache der gewöhnlichen Elektricitätstheorie sprechen, so fliesst der positive Strom aus der Flüssigkeit der Zelle der Reihe nach durch das Platin, den Schliessungskreis des Elements, und das Zink wieder zur Flüssigkeit

---

*) Experimentaluntersuchungen 371.
**) Experimentaluntersuchungen Bd. 3, p. 513.

zurück. Wenn die elektromotorische Kraft nur an der Trennungsfläche zwischen Flüssigkeit und Zink wirkt, so muss die Spannung der Elektricität in der Flüssigkeit die im Zink um eine Grösse übertreffen, welche von der Natur und Länge des Stromkreises und von der Stromintensität im Leiter abhängt. Um diese Druckdifferenz zu unterhalten, muss eine elektromotorische Kraft thätig sein, deren Intensität durch die Druckdifferenz gemessen wird. Wenn F die elektromotorische Kraft, I die Quantität [Intensität] des Stroms oder die in der Zeiteinheit gelieferte Menge elektrischer Einheiten, und K eine Grösse ist, welche von der Länge und dem specifischen Widerstande des Stromkreises abhängt, so hat man:

$$F = IK = p - p'.$$

Hierbei ist p die elektrische Spannung in der Flüssigkeit, p' die im Zink [beide unmittelbar an der Berührungsfläche]. [29])

Wenn der Stromkreis an irgend einer Stelle unterbrochen wird, so behält der Theil, welcher mit dem Platin in Berührung steht, die Spannung p, der übrige die Spannung p', da nun kein Strom mehr vorhanden ist. $p - p'$ oder F bietet daher ein Maass für die Intensität [elektromotorische Kraft] des Stromes. Dieser Unterschied zwischen Quantität und Intensität ist sehr nützlich*), aber wenn er richtig aufgefasst wird, so ist darunter nichts anderes zu verstehen als Folgendes: Die Quantität [Intensität] des elektrischen Stroms ist die Elektricitätsmenge, welche in der Zeiteinheit durch jeden Querschnitt geht; sie ist gemessen durch die Anzahl I der Einheitsstromröhren, welche er enthält. Die Intensität [elektromotorische Kraft im gesammten Stromkreise] des Stromes ist sein Vermögen, Widerstand zu überwinden; sie ist gemessen durch F oder IK, wo K der Widerstand des gesammten Stromkreises ist.

Derselbe Gedanke von Quantität und Intensität kann auf den Fall des Magnetismus angewendet werden.**) Die Quantität der Magnetisirung in irgend einem Querschnitt des magnetischen Körpers [Summe der Producte aller Flächenelemente des Querschnitts in die darauf senkrechte magnetische Induction] ist gemessen durch die Anzahl der Kraftlinien, welche

---

*) Experimentaluntersuchungen Bd. 3, S. 519.
**) Experimentaluntersuchungen 2870, 3293.

durch denselben hindurchgeht. Die Intensität der Magnetisirung aber in diesem Querschnitte hängt von der Widerstandskraft in dem Querschnitte eben so gut, als von der Anzahl der hindurchgehenden Kraftlinien ab. Wenn k der Widerstand des Materials, S der Flächeninhalt des Querschnittes und I die Anzahl der hindurchgehenden Kraftlinien ist, so ist die gesammte Intensität der durch den Querschnitt hindurchgehenden Magnetisirung

$$= F = I \frac{k}{S}.$$

Wenn die Magnetisirung bloss durch die Influenz anderer Magnete hervorgebracht wird, so können wir mit p die magnetische Spannung in irgend einem Punkte [das magnetische Potential] bezeichnen, und wir erhalten für das ganze magnetische Solenoid [30])

$$F = I \int \frac{k}{S} dx = IK = p - p'.$$

Wenn ein solenoidal magnetisirter Kreis in sich selbst zurückkehrt, so kann die Magnetisirung nicht allein von der Differenz der magnetischen Spannungen herrühren, sondern es muss noch eine andere magnetisirende Kraft existiren, deren Intensität F sei.

Wenn i die Quantität der Magnetisirung in irgend einem Punkte [magnetisches Moment der Volumeinheit, magnetische Induction], d. h. die Anzahl der Kraftlinien ist, welche durch die Flächeneinheit eines durch diesen Punkt gehenden Querschnitts des Solenoids gehen, so ist die gesammte Quantität der Magnetisirung des magnetischen Kreises, also die Anzahl der Kraftlinien, welche durch irgend einen Querschnitt gehen,

$$I = \Sigma i\, dy\, dz,$$

wobei $dy\,dz$ ein Element jenes Querschnitts und die Summirung über alle Elemente des Querschnittes zu erstrecken ist.

Die Intensität der Magnetisirung in irgend einem Punkte oder die zur Unterhaltung der Magnetisirung erforderliche Kraft [Kraft auf die Magnetismusmenge eins] ist gemessen durch $ki = f$, und die gesammte Intensität der Magnetisirung des magnetischen Kreises ist gemessen durch die Summe der Intensitäten aller Längenelemente rund um den Kreis herum; sie ist also gleich

$$F = \Sigma\, (f\, dx),$$

wobei dx ein Längenelement des Kreises und die Summirung um den ganzen Kreis herum zu erstrecken ist.

In demselben Kreise haben wir stets $F = IK$, wo K der gesammte Widerstand des Kreises ist, der sowohl von der Gestalt als auch von dem Materiale desselben abhängt. [Dabei ist entweder von der Streuung abgesehen oder es ist de umgebende Luft in den magnetischen Kreis mit einzubeziehen.] [31])

L. Ueber die Fernwirkung geschlossener Ströme.

Die mathematischen Gesetze der Anziehung und Abstossung von Stromleitern wurden von *Ampère* mittelst äusserst geschickter Kunstgriffe entwickelt und seine Resultate haben die Probe aller spätern Experimente bestanden.

Unter der einzigen Annahme, dass die Wirkung eines Elements des einen Stroms auf ein Element des andern in der Richtung der Verbindungslinie derselben fällt und dass Wirkung gleich Gegenwirkung ist, leitete derselbe aus den einfachsten Experimenten den mathematischen Ausdruck für das Wirkungsgesetz ab, mit welchem er verschiedene äusserst elegante und nützliche Umformungen vornahm. Trotzdem müssen wir eingedenk bleiben, dass niemals Experimente mit einzelnen Stromelementen, sondern immer nur solche mit geschlossenen Strömen, sei es in festen oder flüssigen Stromleitern, vorgenommen werden konnten, aus denen folgerichtig nur die Gesetze für die Wirkung geschlossener Ströme abgeleitet werden können. Dadurch, dass *Ampère*'s Formel, auf geschlossene Ströme angewandt, richtige Resultate giebt, ist aber ihre Gültigkeit für Stromelemente nur dann erwiesen, wenn wir annehmen, dass die Wirkung zweier solcher Elemente in ihre Verbindungslinie fällt. Obwohl diese Annahme nach dem gegenwärtigen Stande der Wissenschaft gerechtfertigt und philosophisch begründet ist, so wird doch die Freiheit der Untersuchung besser gewahrt, wenn wir ohne sie auszukommen suchen und von den Gesetzen der Wirkung geschlossener Ströme als der ursprünglich gegebenen Erfahrungsthatsache ausgehen.

Ampère hat gezeigt, dass, wenn Stromelemente nach dem Gesetz des Kräfteparallelogramms zusammengesetzt werden, die vom resultirenden Stromelemente ausgehende Kraft die Resultirende der Kräfte ist, welche von den Componenten desselben ausgehen, und dass gleiche und entgegengesetzte Ströme gleiche und entgegengesetzte Kräfte erzeugen, so dass zwei gleiche und entgegengesetzte Ströme sich aufheben.

Er zeigte ferner, dass ein geschlossener Strom von irgend welcher Gestalt kein Bestreben hat, einen beweglichen Stromleiter, welcher die Gestalt eines Kreisbogens hat, um eine Axe zu drehen, die durch das Centrum jenes Kreises geht und senkrecht auf seiner Ebene steht, und dass daher für die von einem geschlossnen Stromkreise ausgehenden Kräfte der Ausdruck $Xdx + Ydy + Zdz$ ein vollständiges Differential ist.

Endlich zeigte *Ampère*, dass in ähnlichen und ähnlich gelegenen von gleich starken elektrischen Strömen durchflossenen Stromsystemen die resultirende Kraft von den absoluten Dimensionen des Systems unabhängig ist. Dies beweist, dass unter sonst gleichen Umständen die Kräfte dem Quadrate der Entfernung verkehrt proportional sind.

Aus allen diesen Resultaten folgt, dass die Wechselwirkung zweier geschlossener Ströme, von denen jeder eine sehr kleine Fläche umkreist, dieselbe ist wie die zweier Elementarmagnete, welche senkrecht zur Ebene jener Ströme magnetisirt sind.

Die Magnetisirungsrichtung dieser äquivalenten Magnete kann durch die Regel bestimmt werden, dass ein Strom, um der thatsächlichen Magnetisirung der Erde äquivalent zu sein, von Ost nach West in derselben Richtung, in welcher sich die Sonne zu bewegen scheint, fliessen müsste, in der entgegengesetzten aber um einer auf der Erde frei beweglichen Declinationsnadel äquivalent zu sein [von der Westseite oben herum nach Ost].

Wenn eine Anzahl geschlossener Einheitsströme so neben einander auf einer Fläche liegen, dass kein Flächenelement derselben übrig bleibt, das nicht von einem der Einheitsströme umflossen würde, so werden im Innern der Fläche je zwei gleiche und entgegengesetzte Stromelemente sich aufheben, die an der Grenze der Fläche liegenden Stromelemente aber werden sich zu einem einzigen, die ganze Fläche umfliessenden Strome zusammensetzen. Das Resultat wird daher dasselbe sein, als ob ein einziger Strom von der Intensität eins den Umfang der mit den kleinen Stromkreisen bedeckten Fläche umflösse. Hieraus ergiebt sich, dass die Wirkung einer senkrecht zu ihrer Fläche gleichförmig magnetisirten Schale nach aussen dieselbe ist, wie die eines Stromes, der ihren Umfang umfliesst, da jeder der Elementarströme des früher betrachteten Falles dieselbe Wirkung ausübt, wie das von ihm begrenzte Element der magnetischen Schale.

Wenn wir die durch einen geschlossenen Strom erzeugten Kraftlinien [Inductionslinien] untersuchen, so finden wir, dass sie die Form geschlossener Curven haben, welche den Strom umfassen [wie ein Glied einer Kette das andere], und dass die Totalintensität der magnetisirenden Kraft längs jeder geschlossenen Kraftlinie [vergl. Anmerk. 30.] nur von der Quantität des elektrischen Stroms [der gesammten Stärke des die Kraftlinie durchfliessenden Stromes] abhängt. Die Zahl der Einheitslinien*) der magnetischen Kraft, welche durch einen geschlossenen Strom erzeugt werden, hängt sowohl von der Form als auch von der Quantität des Stroms ab, aber die Anzahl der Einheitszellen (vgl. Artikel 13) in jeder in sich geschlossenen Kraftlinie ist einfach durch die Anzahl der Einheitsströme gegeben, welche sie umfasst. Die Einheitszellen sind in diesem Falle Partien des Raums, in denen die Einheit der magnetischen Quantität [gesammtes magnetisches Moment] durch die Einheit der magnetisirenden Kraft erzeugt wird. Die Länge einer Zelle ist also der Intensität der magnetisirenden Kraft verkehrt, ihr Querschnitt der Quantität der magnetischen Induction in diesem Punkte [magnetisches Moment der Volumeinheit] verkehrt proportional.[32])

Die Gesammtzahl der durch einen gegebenen Strom erzeugten Zellen ist daher proportional dem Producte der Stromintensität und der Anzahl der hindurchgehenden Kraftlinien. Wenn durch irgend eine Veränderung der Form des Leiters die Anzahl der Zellen vermehrt werden kann, so wird eine Kraft auftreten, welche diese Formänderungen zu bewirken sucht. Daher ist fortwährend eine Kraft thätig, welche den Leiter senkrecht zu den Kraftlinien forttreibt, so dass mehr Kraftlinien durch den geschlossenen Stromkreis hindurchgehen, von welchem jener Leiter ein Theil ist.

Die Zahl von Zellen, welche durch zwei gegebene Ströme erzeugt werden, erhält man, indem man die Zahl der Linien magnetischer Induction [33]), welche durch jeden hindurchgehen, mit der Quantität des betreffenden Stroms [gesammte Stromstärke] multiplicirt. Nun ist aber nach 9 die Anzahl der Linien, welche durch den ersten Strom hindurchgehen, die

*) Experimentaluntersuchungen 3122; vergl. auch Artikel 6 dieser Abhandlung.

Summe der von ihm selbst erzeugten Linien und derjenigen, welche vermöge des zweiten Stroms durch die geometrische Figur des ersten hindurchgehen würden, wenn der zweite allein in Wirksamkeit wäre. Daher nimmt die Gesammtzahl der Zellen durch jede Bewegung zu, welche bewirkt, dass mehr Kraftlinien durch einen der Ströme gehen, und jede solche Bewegung wird durch die elektrodynamischen Kräfte angestrebt. Die Arbeit [dieser elektrodynamischen Kräfte] während dieser Bewegung ist gemessen durch die Anzahl der neu entstandenen Zellen. Alle Wirkungen geschlossener Ströme auf einander können aus diesem Principe abgeleitet werden.[34])

M. Ueber die durch Inductionswirkung hervorgerufenen elektrischen Ströme.

Faraday hat gezeigt*), dass, wenn sich ein Leiter senkrecht zu den magnetischen Kraftlinien bewegt, in demselben eine elektromotorische Kraft thätig wird, welche einen elektrischen Strom hervorzurufen strebt. Je nachdem der Leiter geschlossen oder offen ist, entsteht ein dauernder Strom oder blosse Spannung. Wenn ein geschlossener Strom sich senkrecht zu den Linien der magnetischen Induction bewegt, so halten sich, sobald die Zahl der durch den Leitungskreis hindurchgehenden Kraftlinien sich während der Bewegung nicht ändert, die elektromotorischen Kräfte das Gleichgewicht und es entsteht kein Strom. Die elektromotorischen Kräfte hängen daher von der Anzahl der Kraftlinien ab, welche von dem Leiter während seiner Bewegung durchschnitten werden. Wenn sich in Folge der Bewegung die Anzahl der durch den Stromkreis hindurchgehenden Kraftlinien vermehrt, so ist die elektromotorische Kraft diesem Zuwachse proportional und erzeugt einen Strom, welcher demjenigen entgegengesetzt gerichtet ist, der die hinzugekommenen Kraftlinien erzeugen würde. Wenn die Zahl der magnetischen Inductionslinien[33]), die durch den Stromkreis hindurchgehen, durch die Bewegung vermehrt wird, so wird sie durch den inducirten Strom wieder vermindert. Wird sie aber durch die Bewegung vermindert, so wirkt der Inductionsstrom vermehrend.

Dass diese Regel die Gesetze der elektrodynamischen und elektromagnetischen Induction erschöpfend und richtig aus-

---

*) Experimentaluntersuchungen 3077.

drückt, folgt aus dem Umstande, dass der elektromotorische Effect derselbe bleibt, in was immer für einer Weise die Zahl der durch den Stromkreis hindurchgehenden magnetischen Inductionslinien vermehrt worden sein mag, sei es durch Bewegung des Leiters selbst oder anderer Ströme oder irgend welcher Magnete oder durch Intensitätsänderung anderer Ströme oder durch Magnetisirung oder Entmagnetisirung in der Nähe befindlicher magnetisirbarer Körper oder endlich durch Aenderung der Intensität des Stromes selbst.

In allen diesen Fällen hängt die elektromotorische Kraft nur von der Veränderung der Zahl der Inductionslinien ab, welche durch den Stromkreis hindurchgehen. *) Es liegt die Annahme nahe, dass eine Kraft von dieser Art, welche von

---

*) Die elektromagnetischen Kräfte, welche eine Bewegung des materiellen Leiters bewirken, müssen sorgfältig unterschieden werden von den elektromotorischen Kräften, welche elektrische Ströme zu erzeugen suchen.

Es werde ein elektrischer Strom durch eine irgendwie gestaltete Metallmasse geleitet, die Vertheilung der Stromdichte im Innern des Metalles ist dann durch die Gesetze der Elektricitätsleitung bestimmt. Nun werde ein constanter elektrischer Strom durch einen zweiten in der Nähe befindlichen Leiter geschickt. Wenn beide Ströme gleichgerichtet sind, ziehen die beiden Leiter sich an und nähern sich, wenn dies nicht durch äussere Kräfte verhindert wird. Aber obwohl die Materie der Leiter angezogen wird, so neigen sich die Ströme selbst, welche ja im Innern des Metalls jeden Lauf nehmen können, nicht gegen einander, ihre Vertheilung in der Metallmasse bleibt vielmehr unverändert, und keiner der Leiter bringt in dem andern elektromotorische Kräfte hervor, welche die Vertheilung der Ströme daselbst ändern würden.

In diesem Falle haben wir elektromagnetische Kräfte, welche auf die Masse der Leiter wirken, ohne elektromotorische Kräfte, welche die Ströme in denselben verändern würden.

Betrachten wir als zweites Beispiel einen linearen Leiter [von verschwindender elektrostatischer Capacität], welcher keinen geschlossenen Stromkreis bildet, und bewirken wir, dass er magnetische Kraftlinien durchschneidet, sei es in Folge seiner eigenen Bewegung, sei es durch Veränderung des magnetischen Feldes. In diesem Falle wird eine elektromotorische Kraft in der Richtung des Leiters wirken, da aber der Stromkreis nicht geschlossen ist, wird sie bloss eine Spannung an den Enden desselben, aber keinen elektrischen Strom erzeugen. Daher wird keine elektromagnetische Wirkung auf die Masse des Leiters stattfinden, da diese ohne das Vorhandensein eines Stromes in demselben unmöglich ist, die Bildung eines Stromes aber dadurch verhindert wird, dass der Stromkreis nicht geschlossen ist. Hier haben wir den entgegengesetzten Fall einer elektromotorischen Kraft, welche auf die Elektricität in einem Leiter wirkt und welche von keiner Kraft auf die Masse desselben begleitet ist.[35])

der Veränderung der Zahl der Kraftlinien abhängig ist, durch die Veränderung eines Zustandes bedingt wird, welcher durch die Anzahl jener Linien gemessen wird. Man kann annehmen, dass ein in einem magnetischen Felde befindlicher geschlossener Leiter sich in einem gewissen von der Einwirkung der magnetischen Kräfte herrührenden Zustande befindet. So lange dieser Zustand unverändert bleibt, findet keine Inductionswirkung statt. Sobald sich aber der Zustand verändert, entsteht eine elektromotorische Kraft, deren Grösse und Richtung nur von der Veränderung jenes Zustandes abhängt. Ich kann nichts besseres thun, als hier eine Stelle der ersten Reihe von *Faraday*'s Experimentaluntersuchungen Art. 60 wörtlich zu citiren. Sie lautet:

»So lange ein Draht volta-elektrischer oder magneto-elektrischer Induction unterworfen ist, scheint er sich in einem besondern Zustande zu befinden, denn er widersteht [wenn ungeschlossen] der Bildung eines elektrischen Stroms in seinem Innern, während hingegen ein solcher Strom [zum Ausgleich der an seinen Enden durch die Induction angehäuften freien Elektricitäten] einträte, wenn sich der Leiter in seinem gewöhnlichen Zustande befände; sobald er aber uninfluencirt [ohne Elektricität an den Enden] ist, hat er die Fähigkeit, einen Strom zu erzeugen, welche er unter gewöhnlichen Umständen nicht besitzt. Dieser elektrische Zustand der Materie wurde bisher nicht erkannt, aber er hat wahrscheinlich einen sehr wichtigen Einfluss auf viele, um nicht zu sagen auf die meisten der durch elektrische Ströme hervorgerufenen Erscheinungen. Aus Gründen, welche sich sofort (71) ergeben werden, habe ich mir nach Berathung mit verschiedenen gelehrten Freunden erlaubt, diesen Zustand als den elektrotonischen Zustand zu bezeichnen.«

Faraday hat denselben in der zweiten Folge seiner Experimentaluntersuchungen als unnöthig wieder verworfen, da er fand, dass alle Erscheinungen ohne seine Beiziehung auf andere Weise erklärt werden können; aber in seinen letzten Untersuchungen (3172, 3269) scheint er noch immer der Ansicht zu sein, dass seine Vermuthung bezüglich dieses neuen Zustandes der Körper irgend eine physikalische Wahrheit berge.

Eine Vermuthung eines mit der Natur so vertrauten Gelehrten mag unter Umständen bedeutungsvoller sein, als das durch Experimentaluntersuchungen bestbegründete empirische Gesetz, und obwohl wir die Existenz dieses Zustandes nicht als eine feststehende physikalische Wahrheit betrachten können, wollen wir doch die Bedeutung dieser neuen Idee *Faraday*'s, durch welche unsere mathematischen Begriffe klarer gemacht werden, nicht gering schätzen.

In diesem Abriss, in welchem ich die *Faraday*'sche Elektricitätstheorie vom mathematischen Gesichtspunkte aus darzustellen beabsichtige, beschränkt sich meine Aufgabe auf die Entwicklung der Rechnungsmethoden, von denen ich glaube, dass mit ihrer Hülfe die elektrischen Erscheinungen am besten begriffen und dem Calcül zugänglich gemacht werden können. Es war daher mein Bestreben, die mathematischen Ideen in einer greifbaren Form darzustellen, als Systeme von Linien oder Flächen nicht durch blosse Symbole, welch letztere weder zum Ausdrucke der *Faraday*'schen Ideen sehr geeignet sind, noch sich der Natur der zu erklärenden Phänomene leicht anpassen. Dagegen gelang es mir noch nicht, die Idee des elektrotonischen Zustandes in meinem Geiste so auszugestalten, dass ich dessen Natur und Eigenschaften ohne Benutzung reiner Symbole klar darstellen könnte; daher will ich im folgenden von den algebraischen Symbolen freien Gebrauch machen und die allgemein üblichen mathematischen Operationen in Anwendung bringen. Ich hoffe aber durch sorgfältiges Studium der Elektricitätslehre und der Lehre von der Bewegung zäher Flüssigkeiten eine Methode zu entdecken, welche auch vom elektrotonischen Zustande ein mechanisches, zu allgemeinen Schlussfolgerungen geeignetes Bild zu entwerfen gestattet.*)[36])

---

*) Vergl. Prof. William *Thomson* über eine mechanische Darstellung der elektrischen, magnetischen und galvanischen Kräfte. Cambridge and Dublin math. Journ. II S. 61, Januar 1847. Math. a. phys. pap. I. S. 76.

II. Theil.

Ueber Faraday's elektrotonischen Zustand.

A. Einleitung.

Wenn sich ein Leiter in der Nachbarschaft eines elektrischen Stromes oder Magnetes bewegt, oder wenn ein elektrischer Strom oder Magnet in der Nähe des Leiters sich entweder bewegt oder seine Intensität verändert, so wirkt eine elektromotorische Kraft auf den Leiter, welche eine elektrische Spannung oder einen Strom erzeugt, je nachdem der Leiter offen oder geschlossen ist. Ein derartiger Strom wird nur durch Veränderung der elektrischen oder magnetischen Erscheinungen in der Nähe des Leiters erzeugt und wird niemals beobachtet, so lange diese vollständig constant sind. Trotzdem muss der Leiter in verschiedenen Zuständen sein, je nachdem er sich in der Nähe eines elektrischen Stromes oder Magnetes oder außerhalb deren Wirkungsbereiches befindet, weil die Entfernung oder Vernichtung des Stromes oder Magnetes einen Inductionsstrom erzeugt, welcher nicht eingetreten wäre, wenn der Magnet oder Strom sich nicht vorher in der Nachbarschaft befunden hätte.

Betrachtungen dieser Art veranlassten Professor *Faraday* bei der Entdeckung der Inductionsströme zur Annahme eines Zustandes, in welchen alle Körper durch das Vorhandensein von Magneten oder elektrischen Strömen versetzt werden. Es ist noch kein Phänomen bekannt, durch welches sich dieser Zustand äussern würde, so lange er sich unverändert gleich bleibt; aber jede Veränderung desselben zeigt sich durch einen elektrischen Strom oder eine Tendenz zu einem solchen. Diesem Zustande gab er den Namen des elektrotonischen Zustands, und obwohl es ihm später gelang, die betreffenden Phänomene durch minder hypothetische Vorstellungen zu erklären, so wies er doch bei verschiedenen Gelegenheiten auf die Wahrscheinlichkeit hin, dass Phänomene entdeckt werden könnten, welche die Annahme eines elektrotonischen Zustandes rechtfertigen würden. Diese Vermuthungen, zu denen *Faraday* durch das Studium der von ihm selbst entdeckten Gesetze geführt wurde und welche er nur in Ermangelung directer experimenteller Beweise der Existenz dieses unbekannten Zustandes wieder verliess, wurden bisher, wie ich glaube, noch niemals zum Gegenstande mathematischer Untersuchungen gemacht. Vielleicht glaubte man, dass die quantitative Bestimmung der hieher gehörigen Phänomene noch nicht genau genug sei, um einer mathematischen Theorie als Grundlage zu dienen, obwohl sich *Faraday* nicht bloss mit der qualitativen Beobachtung derselben begnügt, sondern ihre Gesetze durch seine Experimente auch genau quantitativ festgestellt hatte. Wo er ein Gesetz bemerkte, drückte er es sogleich in einer ebenso unzweideutigen und klaren Form aus, als es durch die Mittel der reinen Mathematik geschehen kann; und wenn der Mathematiker dasselbe als eine physikalische Wahrheit erkennt und daraus andere Gesetze, welche der experimentellen Prüfung fähig sind, ableitet, so war er nur dem Physiker behülflich, seine eigenen Ideen zu ordnen, was anerkannter Weise ein nothwendiger Schritt in der wissenschaftlichen Forschung ist.

In der folgenden Untersuchung sollen also die von *Faraday* aufgestellten Gesetze als wahr angenommen werden, und es soll gezeigt werden, dass durch weitere Verfolgung seiner Speculationen neue und noch allgemeinere Gesetze daraus abgeleitet werden können. Wenn es sich dann herausstellt, dass diese Gesetze, welche ursprünglich für eine gewisse Reihe von Erscheinungen gefunden worden sind, sich so verallgemeinern lassen, dass sie auch eine neue Classe von Erscheinungen umfassen, so bieten diese mathematischen Beziehungen den Physikern die Mittel zur Entdeckung physikalischer Beziehungen. In dieser Weise gelangt reine Speculation zu Bedeutung für die Experimentalwissenschaft.

B. Ueber die Quantität und Intensität des elektrischen Stromes.

Man weiss, dass gewisse Wirkungen des elektrischen Stroms an allen Stellen des Stromkreises vollkommen gleich sind. Die Menge Wasser oder irgend eines andern Elektrolyten, welche zwischen zwei Querschnitten desselben Stromes zersetzt wird, ist immer dieselbe oder eine äquivalente, wie verschieden das

Material und die Gestalt der beiden Querschnitte des Stromkreises sein mag. Die magnetische Wirkung eines stromführenden Drahtes ist ebenfalls unabhängig von der Gestalt [des Querschnitts] und dem Materiale desselben, so lange es sich um ein und denselben Stromkreis handelt. Es giebt also eine elektrische Wirkung, welche an jedem Querschnitte des Stromkreises dieselbe ist. Wenn wir den Leiter [selbstverständlich nur figürlich] als einen Canal auffassen, durch welchen eine Flüssigkeit zu strömen gezwungen ist, so ist die Menge der Flüssigkeit, welche in einer bestimmten Zeit jeden Querschnitt durchfliesst, dieselbe, und wir können die Quantität des elektrischen Stroms [totale Stromintensität] als die Menge der Elektricität definiren, welche in der Zeiteinheit durch einen vollständigen Querschnitt des Stromkreises hindurchgeht. Wir wollen vorläufig die Menge der Elektricität durch die Wassermenge messen, welche sie zu zersetzen im Stande ist.

Um die elektrische Strömung in irgend einem [körperlichen] Leiter genau mathematisch definiren zu können, brauchen wir eine Definition nicht nur des gesammten elektrischen Stromes durch einen vollständigen Querschnitt, sondern auch des Stromes in einem gegebenen Punkte in einer gegebenen Richtung.

Definition. Bei gleichförmiger Stromvertheilung ist die Quantität des Stromes in einem gegebenen Punkte und in einer gegebenen Richtung [Componente der Stromdichte in der betreffenden Richtung] durch die Menge der Elektricität gemessen, welche in der Zeiteinheit durch eine ebene Fläche vom Flächeninhalte eins fliesst, die man im gegebenen Punkte senkrecht zu jener Richtung construirt; ist dagegen die Stromvertheilung ungleichförmig durch jene Menge, welche durch diese Fläche fliessen würde, wenn die Stromvertheilung gleichförmig und zwar überall genau so, wie in dem betreffenden Punkte wäre. Im Folgenden wollen wir die Quantität des elektrischen Stromes in dem Punkte (x, y, z), geschätzt nach den drei Coordinatenrichtungen [die Componenten der Stromdichte], mit a_2, b_2, c_2 bezeichnen.

Die Quantität der Elektricität, welche in der Zeiteinheit durch ein Flächenelement dS strömt, ist

$$= dS\,(la_2 + mb_2 + nc_2)\,,$$

wobei l, m, n die Richtungscosinus der Normalen zu dS sind.

Dieser elektrische Strom rührt von den elektromotorischen Kräften her, welche in diesem Punkte wirken. Dieselben können sowohl äusserliche als auch innerliche sein.

Aeussere elektromotorische Kräfte stammen entweder von der relativen Bewegung von Magneten oder andern Strömen oder von Aenderungen der Intensität derselben oder von andern [scheinbar] fernwirkenden Ursachen.

Innere elektromotorische Kräfte stammen hauptsächlich von dem Unterschiede der elektrischen Spannung in den dem fraglichen Punkte unmittelbar benachbarten Stellen des Leiters. Sie können ausserdem von einer Verschiedenheit der Temperatur oder chemischen Zusammensetzung in der unmittelbaren Nachbarschaft des fraglichen Punktes herrühren.

Sei p_2 die elektrische Spannung in irgend einem Punkte und X_2, Y_2, Z_2 die Summe der Componenten aller von andern Ursachen herrührenden elektromotorischen Kräfte [sie werden später die mitgetheilten genannt] nach den Coordinatenrichtungen, dann sind die gesammten wirksamen elektromotorischen Kräfte:

$$\alpha_2 = X_2 - \frac{dp_2}{dx}, \ \beta_2 = Y_2 - \frac{dp_2}{dx}, \ \gamma_2 = Z_2 - \frac{dp_2}{dx}. \quad \text{A)}$$

Nun hängt aber die Quantität des Stromes [Stromdichte mit den Componenten a_2, b_2, c_2] von der elektromotorischen Kraft und dem Widerstande des Mediums ab. Wenn der [specifische] Widerstand des Mediums in allen Richtungen derselbe und gleich k_2 ist, so hat man

$$\alpha_2 = k_2 a_2, \ \beta_2 = k_2 b_2, \ \gamma_2 = k_2 c_2, \quad \text{B)}$$

ist dagegen der Widerstand in verschiedenen Richtungen verschieden, so wird das Gesetz ein complicirteres sein.

Diese 3 Grössen α_2, β_2, γ_2 können als die Repräsentanten der Intensität der elektrischen Wirkung in den Coordinatenrichtungen betrachtet werden.

Die Intensität gemessen in der Richtung des Elementes $d\sigma$ einer Curve ist

$$\varepsilon = l\alpha + m\beta + n\gamma, \text{[37)]}$$

wo l, m, n die Richtungscosinus der Tangente der Curve im Elemente $d\sigma$ sind. Durch das Integral $\int \varepsilon\, d\sigma$, erstreckt über einen endlichen Theil einer Curve, definiren wir die Totalintensität längs dieser Strecke [Linienintegral der elektromotorischen Kraft]. Wenn die Curve geschlossen ist, drückt es die Gesammtintensität der elektromotorischen Kraft in dieser geschlossenen Curve aus.

Substituiren wir die Werthe von α, β, γ aus den Gleichungen A), so folgt

$$\int \varepsilon \, d\sigma = \int (X dx + Y dy + Z dz) - p + c.$$

Wenn daher $X dx + Y dy + Z dz$ ein vollständiges Differential ist, so verschwindet $\int \varepsilon \, d\sigma$ für eine geschlossene Curve. In allen andern Fällen ist für eine geschlossene Curve

$$\int \varepsilon \, d\sigma = \int (X dx + Y dy + Z dz),$$

wobei die Integration über die geschlossene Curve zu erstrecken ist; die Gesammtintensität [Linienintegral] der wirksamen elektromotorischen Kraft ist also für jede geschlossene Curve gleich der Gesammtintensität [dem Linienintegral] der mitgetheilten elektromotorischen Kraft.

Die gesammte Quantität der Leitung durch eine Fläche [gesammte Elektricitätsmenge, die in der Zeiteinheit durch die Fläche geht] soll definirt werden durch das Integral

$$\int e \, dS.$$

Hierbei ist

$$e = la + mb + nc.$$

dS ist ein Element der Oberfläche, l, m, n die Richtungscosinus seiner Normalen. Es ist daher

$$\int e \, dS = \int a \, dy \, dz + \int b \, dx \, dz + \int c \, dx \, dy,$$

wobei die Integrationen über die gegebene Fläche zu erstrecken sind. Ist diese eine geschlossene, so erhalten wir durch partielle Integration

$$\int e \, dS = \iiint \left(\frac{da}{dx} + \frac{db}{dy} + \frac{dc}{dz} \right) dx \, dy \, dz,$$

oder, wenn wir setzen

$$\frac{da}{dx} + \frac{db}{dy} + \frac{dc}{dz} = -4\pi\varrho \qquad \text{C)}$$

$$\int e \, dS = -4\pi \iiint \varrho \, dx \, dy \, dz,$$

wo die Integration auf der rechten Seite über den ganzen Raum zu erstrecken ist, der von der Fläche umschlossen wird. Für eine umfassende Classe von Erscheinungen, wozu alle Fälle stationärer Strömung gehören, verschwindet ϱ.

C. Magnetische Quantität und Intensität.

Durch seine Studien über die magnetischen Kraftlinien [besser Inductionslinien] gelangte *Faraday* zum Schlusse, dass in den röhrenförmigen Flächen *), welche durch ein System dieser Linien gebildet werden, die Quantität der magnetischen Induction durch irgend einen Querschnitt einer solchen Röhre [Product aus Querschnitt und magnetischem Momente der Volumeneinheit] constant ist und dass die Veränderung, welche der Charakter dieser Linien beim Uebergange von einer Substanz zu einer andern erfährt, durch eine Verschiedenheit einer besondern Eigenschaft, der inductiven Capacität beider Substanzen erklärt werden kann, welche genau dieselbe Rolle spielt, wie das Leitungsvermögen in der Theorie der stationären elektrischen Strömung. [38)]

In den spätern Untersuchungen werden wir magnetische Quantität und Intensität gleichzeitig mit elektrischer zu behandeln haben. In solchen Fällen werden wir die auf den Magnetismus bezüglichen Grössen durch den Index 1, die auf die Elektricität bezüglichen durch den Index 2 markiren. Die Gleichungen zwischen a, b, c, k, α, β, γ, p und ϱ sind beim Magnetismus der Form nach dieselben, wie die soeben abgeleiteten. a, b, c sind die Componenten der Quantität der magnetischen Induction [magn. Moment der Volumeneinheit]; k ist der Widerstand des Mediums gegen magnetische Induction, welcher ebenfalls nach verschiedenen Richtungen verschieden sein kann. α, β, γ sind die wirksamen magnetisirenden Kräfte, welche mit a, b, c durch die Gleichungen B) verknüpft sind; p ist die magnetische Spannung oder das magnetische Potential, wovon später die Rede sein wird, ϱ ist die Dichte des wahren Magnetismus und gemäss der Gleichung C) durch a, b und c ausgedrückt. Da alle Details der Berechnung der den Magnetismus bestimmenden Grössen nach der Erörterung des Zusammenhangs zwischen Magnetismus und Elektricität verständlicher sein werden, so mag hier die Bemerkung genügen, dass alle Definitionen der gesammten Quantität bezogen auf eine Fläche und der gesammten Intensität bezogen auf eine Curve, im Falle des Magnetismus ebenso ihre Geltung behalten, wie in dem der Elektricität.

---

*) Exp. res. 3271, Definition des Sphondyloids.

D. Elektromagnetismus.

Ampère bewies folgende Gesetze der Anziehung und Abstossung elektrischer Ströme:

I. Gleiche und entgegengesetzte Ströme erzeugen gleiche und entgegengesetzte Kräfte.

II. Ein zickzackförmiger Strom ist einem geraden äquivalent, vorausgesetzt, dass beide Ströme auf ihrer ganzen Länge immer nahezu zusammenfallen.

III. Gleiche Ströme, welche ähnliche und ähnlich gelegene geschlossene Curven durchströmen, üben gleiche Kräfte auf einander aus unabhängig von der absoluten Grösse der Curven.

IV. Ein geschlossener Strom erzeugt niemals eine Kraft, welche einen Strom, der die Gestalt eines Kreisbogens hat, um sein Centrum zu drehen strebt.

Es ist zu bemerken, dass die Ströme, mit welchen *Ampère* experimentirte, constant und daher in sich zurücklaufend waren. Alle seine Resultate wurden daher aus Experimenten mit geschlossenen Strömen abgeleitet und seine Formel für die Wechselwirkung von Stromelementen kann nur unter der Annahme bewiesen werden, dass diese Wirkung in die Richtung der Verbindungslinie der Elemente fällt. Alle Forscher stimmen überein, dass diese Annahme unzweifelhaft gerechtfertigt ist, sobald es sich um die directe Fernwirkung zweier materieller Punkte handelt; aber hier gehen wir von einer andern Grundlage aus, indem wir den Erklärungsgrund der Erscheinungen nicht bloss in den Stromleitern, sondern auch im umgebenden Medium suchen.

Die ersten beiden Gesetze zeigen, dass Ströme wie Geschwindigkeiten und Kräfte zusammengesetzt und in Componenten zerlegt werden können.

Das dritte Gesetz ist der Ausdruck einer Eigenschaft aller Anziehungen, welche als Functionen des reciproken Quadrates der Entfernung von einem festen Punktsystem aufgefasst werden können, und das vierte zeigt, dass die elektromagnetische Kraft immer zurückgeführt werden kann auf Anziehungen und Abstossungen einer passend vertheilt gedachten Materie. [Vgl. den Abschn. über die Fernwirkung geschlossener Ströme S. 39.] In der That ist die Wirkung eines sehr kleinen elektrischen Stromes auf seine Umgebung identisch mit der eines Elementarmagnetes auf einen Punkt ausserhalb desselben. Wenn wir irgend einen gegebenen Theil einer Fläche in

Flächenelemente theilen und um all diese Flächenelemente gleiche Ströme in gleicher Richtung herumfliessen lassen, so wird die Wirkung auf jeden nicht in der Fläche selbst gelegenen Punkt dieselbe sein, wie die einer mit der Fläche zusammenfallenden Schicht, welche normal gleichförmig magnetisirt ist. Aber nach dem ersten Gesetze zerstören sich alle die kleinen Ströme im Innern der Fläche und es bleibt nur ein einziger die Fläche umfliessender Strom übrig, so dass die magnetische Kraft einer gleichförmig magnetisirten Schicht gleich ist der eines dieselbe umfliessenden Stromes. Wenn die Richtung des Stromes zusammenfällt mit der der scheinbaren Bewegung der Sonne, dann muss die Richtung der gedachten Magnetisirung der Schicht dieselbe sein, wie die der wirklichen Magnetisirung der Erde.*)

Die gesammte Intensität der magnetischen Kraft [das Linienintegral der magnetischen Kraft, d. h. das Integral $\int f_x dx$ der Anmerkung 30] längs einer geschlossenen Curve, welche den Strom umschlingt, wie ein Ring einer Kette den andern, ist [für alle Gestalten der Strombahn bei constanter Stromstärke] constant und kann daher als Maass der Quantität des Stromes benutzt werden. Da diese Intensität von der Form der Strombahn unabhängig ist und nur von der Quantität des Stromes [totalen Stromintensität] abhängt, welcher durch dieselbe strömt, so wollen wir zunächst den einfachsten Fall eines Stromes betrachten, welcher ein Flächenelement $dy\,dz$ der yz-Ebene durchfliesst.

Die x-Axe mag nach Westen, die z-Axe nach Süden, die y-Axe aufwärts gerichtet sein[39]), x, y, z seien die Coordinaten des Mittelpunktes des Flächenelementes $dy\,dz$. Dann ist die totale magnetische Intensität [Linienintegral der magnetischen Kraft], gemessen längs der vier Seiten des Flächenelementes,

$$+\left(\beta_1 + \frac{d\beta_1}{dz}\frac{dz}{2}\right) dy\,,$$

$$-\left(\gamma_1 + \frac{d\gamma_1}{dy}\frac{dy}{2}\right) dz\,,$$

*) Siehe Exp. res. (3265) über die Beziehungen der elektrischen und magnetischen Ströme, betrachtet als sich gegenseitig umschlingende Curven.

$$-\left(\beta_1 - \frac{d\beta_1}{dz}\frac{dz}{2}\right) dy,$$

$$+\left(\gamma_1 - \frac{d\gamma_1}{dy}\frac{dy}{2}\right) dz,$$

$$\text{in Summa} = \left(\frac{d\beta_1}{dz} - \frac{d\gamma_1}{dy}\right) dy\, dz.$$

Die gesammte Quantität der Elektricität aber, welche in der Zeiteinheit durch $dy\,dz$ hindurchströmt, ist $a_2\,dy\,dz$. Wenn wir daher den elektrischen Strom in solchem Maasse messen, dass er gleich der totalen Intensität der magnetischen Kraft, erstreckt über eine ihn umschliessende Curve ist,[40]) so erhalten wir:

$$a_2 = \frac{d\beta_1}{dz} - \frac{d\gamma_1}{dy},\ b_2 = \frac{d\gamma_1}{dx} - \frac{d\alpha_1}{dz},\ c_2 = \frac{d\alpha_1}{dy} - \frac{d\beta_1}{dx}.$$

Vermöge dieser Gleichungen sind wir im Stande, die Vertheilung der elektrischen Ströme zu finden, sobald uns die Werthe der Intensitäten α_1, β_1, γ_1 der magnetischen Kräfte gegeben sind. Wenn α_1, β_1, γ_1 die partiellen Differentialquotienten einer und derselben Grösse nach x, resp. y und z sind, so verschwinden a_2, b_2 und c_2, woraus wir ersehen, dass der Magnetismus nicht durch elektrische Ströme erzeugt ist, welche denjenigen Theil des Feldes, den wir untersuchen, durchströmen. Er stammt entweder von in dem Felde befindlichen permanenten Magnetismen oder von ausserhalb des Feldes befindlichen Ursachen.

Es mag bemerkt werden, dass die Differentiation der obigen Gleichungen liefert

$$\frac{da_2}{dx} + \frac{db_2}{dy} + \frac{dc_2}{dz} = 0,$$

was die Continuitätsgleichung für geschlossene Ströme ist. Unsere Untersuchung ist daher vorläufig auf geschlossene Ströme beschränkt, und wir wissen in der That wenig über die magnetisirende Wirkung ungeschlossener Ströme.

Bevor wir uns auf die Berechnung des elektrischen und magnetischen Zustandes im letztern Falle einlassen, wird es von Vortheil sein, gewisse allgemeine Theoreme festzustellen, deren Richtigkeit wir analytisch beweisen wollen.

Theorem I.

Die Gleichung

$$\frac{d^2V}{dx^2} + \frac{d^2V}{dy^2} + \frac{d^2V}{dz^2} + 4\pi\varrho = 0,$$

wo V und ϱ Functionen von x, y, z sind, die nirgends unendlich werden und im Unendlichen überall verschwinden, kann immer durch eine und nur durch eine Function V erfüllt werden. (Siehe Art. 17, S. 18.)

Theorem II.

Der Werth von V, welcher die obigen Bedingungen erfüllt, ist durch das Integral

$$\iiint \frac{\varrho\, dx\, dy\, dz}{\sqrt{(x-x')^2 + (y-y')^2 + (z-z')^2}}$$

gegeben, wobei die Integration über alle Punkte des Raumes zu erstrecken ist, wo ϱ von Null verschieden ist.

Die analytischen Beweise dieser Theoreme finden sich in allen Werken über Potentialtheorie oder Elektrostatik, so in *Green*'s »Essay on the application of mathematical analysis to the theories of electricity and magnetism« Art. 18 und 19*), oder in *Gauss*' Abhandlung**) über die Kräfte, die dem Quadrate der Entfernung verkehrt proportional sind (vgl. Anm. 17).

Theorem III.

Seien U und V zwei Functionen von x, y, z, dann ist

$$\iiint U\left(\frac{d^2V}{dx^2} + \frac{d^2V}{dy^2} + \frac{d^2V}{dz^2}\right) dx\, dy\, dz$$

$$= -\iiint\left(\frac{dU}{dx}\frac{dV}{dx} + \frac{dU}{dy}\frac{dV}{dy} + \frac{dU}{dz}\frac{dV}{dz}\right) dx\, dy\, dz$$

$$= \iiint V\left(\frac{d^2U}{dx^2} + \frac{d^2U}{dy^2} + \frac{d^2U}{dz^2}\right) dx\, dy\, dz,$$

wo die Integrationen über alle Punkte des Raumes zu erstrecken sind, wo U und V von Null verschiedene Werthe haben (vgl. *Green* S. 10, Klass. S. 24).

---

*) Klassiker Nr. 61. **) Klassiker Nr. 2.

Dieses Theorem zeigt, dass, wenn sich in einem Raume gleichzeitig zwei anziehende Systeme befinden, die Wirkung des einen auf das andere gleich und entgegengesetzt der des zweiten auf das erste ist.[41]) Setzen wir $U = V$, so finden wir, dass das Potential eines Systems auf sich selbst proportional dem über den ganzen Raum erstreckten Integrale des Quadrates der resultirenden Kraft in jedem Punkte ist. Dies Resultat hätte man auch aus Art. 30 erhalten können, da das Volumen jeder Zelle nach Art. 12 und 13 dem Quadrate der Geschwindigkeit verkehrt proportional und daher die Anzahl der Zellen in einem gegebenen Raume dem Quadrate der daselbst herrschenden Geschwindigkeit direct proportional ist.

Theorem IV.

Seien α, β, γ, ϱ Grössen, welche in einem gegebenen Raume endliche Werthe haben und ausserhalb desselben verschwinden, und sei k eine für alle Punkte dieses Raumes gegebene continuirliche oder discontinuirliche Function von x, y, z; dann hat die Gleichung für p

$$\frac{d}{dx}\left[\frac{1}{k}\left(\alpha - \frac{dp}{dx}\right)\right] + \frac{d}{dy}\left[\frac{1}{k}\left(\beta - \frac{dp}{dy}\right)\right] + \frac{d}{dz}\left[\frac{1}{k}\left(\gamma - \frac{dp}{dz}\right)\right] + 4\pi\varrho = 0$$

eine und nur eine Lösung, wenn man noch fordert, dass p überall endlich sein und im Unendlichen verschwinden soll.

Der Beweis dieses Theorems wurde von Prof. *William Thomson* gegeben.*)

Wenn α, β, γ die elektromotorischen Kräfte, p die elektrische Spannung und k der Widerstandscoefficient ist, so ist die obige Gleichung identisch mit der Continuitätsgleichung C (S. 50)

$$\frac{da_2}{dx} + \frac{db_2}{dy} + \frac{dc_2}{dz} + 4\pi\,\varrho = 0$$

und das Theorem sagt aus, dass, wenn die elektromotorischen Kräfte, sowie die Menge Elektricität, welche in jedem Punkte des Raumes erzeugt wird, gegeben sind, dadurch das elektrische Potential in jedem Punkte bestimmt ist. Da die mathematischen Gesetze des Magnetismus, so weit wir dieselben jetzt betrachten, identisch mit denen der Elektricität sind, können wir auch α, β, γ als die Componenten der magnetischen Kraft,

---

*) Cambr. a. Dubl. math. j. III, S. 84, Febr. 1848, pap. o. electrostat. a. magn. XIII s. 206, S. 139, math. a. phys. pap. I, S. 93, art. XXXVI.

p als das magnetische Potential und ϱ als die Dichte des wahren Magnetismus betrachten, während dann k der Widerstandscoefficient gegen magnetische Induction ist.

Der Beweis dieses Theorems basirt auf der Bestimmung des Minimumwerthes der Grösse

$$Q = \int\int\int \frac{dx\,dy\,dz}{k}\left[\left(\alpha - \frac{dp}{dx} - k\frac{dV}{dx}\right)^2 + \right.$$
$$\left. + \left(\beta - \frac{dp}{dy} - k\frac{dV}{dy}\right)^2 + \left(\gamma - \frac{dp}{dz} - k\frac{dV}{dz}\right)^2\right],$$

wobei V die Lösung der Gleichung

$$\frac{d^2 V}{dx^2} + \frac{d^2 V}{dy^2} + \frac{d^2 V}{dz^2} + 4\pi\varrho = 0,$$

p dagegen zu bestimmen ist. [Dieser Beweis ist natürlich den gegen den analogen Beweis des *Dirichlet*'schen Princips gemachten Einwendungen ausgesetzt.] Die Bedeutung dieses Integrals in der Elektricitätslehre kann folgendermaassen gefunden werden. Wenn die Anwesenheit der Medien, in denen k verschiedene Werthe hat, die Kraftvertheilung nicht beeinflussen würde, so wäre die »Quantität« in der Abscissenrichtung einfach $\frac{dV}{dx}$, die Intensität $k\frac{dV}{dx}$. In Wirklichkeit aber haben diese beiden Grössen die Werthe $\frac{1}{k}\left(\alpha - \frac{dp}{dx}\right)$, respective $\alpha - \frac{dp}{dx}$. Diejenigen Theile beider Grössen, welche von der Verschiedenheit der Medien allein herrühren, sind daher

$$\frac{1}{k}\left(\alpha - \frac{dp}{dx}\right) - \frac{dV}{dx} \text{ und } \alpha - \frac{dp}{dx} - k\frac{dV}{dx}.$$

Das Product beider stellt die Arbeit dar, welche bei gegebener Vertheilung der Quellen geleistet werden muss, um diese Vertheilung der Medien im Raume herzustellen. Fügen wir dazu noch die Glieder, welche sich auf die y- und z-Axe beziehen, so erhalten wir die Grösse Q als Ausdruck für die gesammte Arbeit, welche nicht direct durch die Anwesenheit der Quellen, sondern durch die Vertheilung der leitenden Mittel geleistet wird. [42])

Dieser Ausdruck wird für einen und nur einen Werth

von p zu einem Minimum, und zwar für denjenigen, welcher die Lösung unserer ursprünglichen Gleichungen ist.

Theorem V.

Wenn a, b, c drei gegebene Functionen von x, y, z sind, welche der Gleichung genügen:

$$\frac{da}{dx} + \frac{db}{dy} + \frac{dc}{dz} = 0,$$

so ist es immer möglich, drei Functionen α, β, γ von x, y, z zu finden, welche den Gleichungen genügen:

$$\frac{d\beta}{dz} - \frac{d\gamma}{dy} = a, \quad \frac{d\gamma}{dx} - \frac{d\alpha}{dz} = b, \quad \frac{d\alpha}{dy} - \frac{d\beta}{dx} = c.$$

Sei $A = \int c\,dy$, wobei die Grösse c bloss partiell nach y zu integriren ist, während x und z als constant zu betrachten sind. Ferner sei $B = \int a\,dz$, $C = \int b\,dx$, $A' = \int b\,dz$, $B' = \int c\,dx$, $C' = \int a\,dy$; alle Integrationen sind in dem eben definirten Sinne aufzufassen. Dann werden die drei Grössen

$$\alpha = A - A' + \frac{d\psi}{dx}, \quad \beta = B - B' + \frac{d\psi}{dy}, \quad \gamma = C - C' + \frac{d\psi}{dz}$$

den gegebenen Gleichungen genügen; denn es ist

$$\frac{d\beta}{dz} - \frac{d\gamma}{dy} = \int \frac{da}{dz} dz - \int \frac{dc}{dz} dx - \int \frac{db}{dy} dx + \int \frac{da}{dy} dy$$

$$0 = \int \frac{da}{dx} dx + \int \frac{db}{dy} dx + \int \frac{dc}{dz} dx,$$

daher

$$\frac{d\beta}{dz} - \frac{d\gamma}{dy} = \int \frac{da}{dx} dx + \int \frac{da}{dy} dy + \int \frac{da}{dz} dz = a.$$

In derselben Weise lässt sich zeigen, dass diese Werthe von α, β, γ die übrigen Gleichungen befriedigen. Die Function ψ ist durch diese Gleichungen vollkommen unbestimmt gelassen.

Diese Methode ist einer Abhandlung Prof. *William Thomson's* über den Magnetismus entlehnt.*)

Da wir die geforderten Integrationen nicht ausführen können, sobald a, b, c discontinuirliche Functionen von x, y, z

*) Phil. trans. 1851, p. 283, mitgetheilt 20. Juni 1850, pap. o. electrostat. a. magn. V, s. 521, S. 402.

sind, so zeigt die folgende vollkommen allgemeine, freilich etwas complicirtere Methode noch deutlicher die Richtigkeit des fraglichen Lehrsatzes.

Es seien A, B, C die aus den Gleichungen

$$\frac{d^2A}{dx^2}+\frac{d^2A}{dy^2}+\frac{d^2A}{dz^2}+a=0,\ \frac{d^2B}{dx^2}+\frac{d^2B}{dy^2}+\frac{d^2B}{dz^2}+b=0,$$

$$\frac{d^2C}{dx^2}+\frac{d^2C}{dy^2}+\frac{d^2C}{dz^2}+c=0$$

nach den Methoden der Theoreme I und II abgeleiteten Grössen, so dass A, B, C nirgends unendlich werden und, wenn x, y oder z unendlich sind, verschwinden.

Ferner sei

$$\alpha=\frac{dB}{dz}-\frac{dC}{dy}+\frac{d\psi}{dx},\ \beta=\frac{dC}{dx}-\frac{dA}{dz}+\frac{d\psi}{dy},$$

$$\gamma=\frac{dA}{dy}-\frac{dB}{dx}+\frac{d\psi}{dz};$$

dann hat man

$$\frac{d\beta}{dz}-\frac{d\gamma}{dy}=\frac{d}{dx}\left(\frac{dA}{dx}+\frac{dB}{dy}+\frac{dC}{dz}\right)-\left(\frac{d^2A}{dx^2}+\frac{d^2A}{dy^2}+\frac{d^2A}{dz^2}\right)$$

$$=\frac{d}{dx}\left(\frac{dA}{dx}+\frac{dB}{dy}+\frac{dC}{dz}\right)+a.$$

Wenn wir diese Gleichung nach x, die beiden analogen für die y- und z-Coordinate nach y und z differentiiren und nachher alle drei addiren, so finden wir mit Rücksicht auf die Gleichung

$$\frac{da}{dx}+\frac{db}{dy}+\frac{dc}{dz}=0:$$

$$\left(\frac{d^2}{dx^2}+\frac{d^2}{dy^2}+\frac{d^2}{dz^2}\right)\left(\frac{dA}{dx}+\frac{dB}{dy}+\frac{dC}{dz}\right)=0.$$

Da nun A, B, C überall endlich sind und im Unendlichen verschwinden, so ist die einzig mögliche Lösung dieser Gleichung

$$\frac{dA}{dx}+\frac{dB}{dy}+\frac{dC}{dz}=0,$$

und wir erhalten endlich

$$\frac{d\beta}{dz} - \frac{d\gamma}{dy} = a,$$

mit zwei analogen Gleichungen für y und z, welche beweisen, dass α, β, γ richtig bestimmt worden sind.

Die Function ψ kann nur bestimmt werden, wenn der Werth von

$$\frac{d\alpha}{dx} + \frac{d\beta}{dy} + \frac{d\gamma}{dz} = \left(\frac{d^2}{dx^2} + \frac{d^2}{dy^2} + \frac{d^2}{dz^2}\right)\psi$$

gegeben ist. Wäre diese Grösse z. B. allgemein gleich Null, so müsste auch $\psi = 0$ sein.

Theorem VI.

Seien wieder a, b, c irgend welche gegebenen Functionen von x, y, z. Dann ist es immer möglich, drei Functionen α, β, γ und eine vierte V derselben Grössen so zu bilden, dass

$$\frac{d\alpha}{dx} + \frac{d\beta}{dy} + \frac{d\gamma}{dz} = 0$$

und

$$a = \frac{d\beta}{dz} - \frac{d\gamma}{dy} + \frac{dV}{dx},$$

$$b = \frac{d\gamma}{dx} - \frac{d\alpha}{dz} + \frac{dV}{dy}$$

$$c = \frac{d\alpha}{dy} - \frac{d\beta}{dx} + \frac{dV}{dz}.$$

Es sei

$$\frac{da}{dx} + \frac{db}{dy} + \frac{dc}{dz} = -4\pi\varrho$$

und V aus der Gleichung gefunden

$$\frac{d^2V}{dx^2} + \frac{d^2V}{dy^2} + \frac{d^2V}{dz^2} = -4\pi\varrho;$$

dann genügen die Grössen

$$a' = a - \frac{dV}{dx},\ b' = b - \frac{dV}{dy},\ c' = c - \frac{dV}{dz}$$

der Bedingung

$$\frac{da'}{dx} + \frac{db'}{dy} + \frac{dc'}{dz} = 0,$$

und daher können wir drei Functionen A, B, C und daraus α, β, γ so bestimmen, dass sie den gegebenen Gleichungen genügen. [a', b', c' übernehmen dann die Rolle der Grössen a, b, c des Theorems V.]

Theorem VII.

Das über den ganzen unendlichen Raum erstreckte Integral

$$Q = \int\int\int (a_1 \alpha_1 + b_1 \beta_1 + c_1 \gamma_1)\, dx\, dy\, dz,$$

wobei a_1, b_1, c_1, α_1, β_1, γ_1 irgend beliebige Functionen sind, ist der Umformung in

$$Q = \int\int\int [4\pi \varrho_1 + (\alpha_0 a_2 + \beta_0 b_2 + \gamma_0 c_2)]\, dx\, dy\, dz$$

fähig. Die in dem letztern Integrale vorkommenden Grössen sind durch die Gleichungen bestimmt:

$$\frac{da_1}{dx} + \frac{db_1}{dy} + \frac{dc_1}{dz} + 4\pi \varrho_1 = 0$$

$$\frac{d\alpha_1}{dx} + \frac{d\beta_1}{dy} + \frac{d\gamma_1}{dz} + 4\pi \varrho'_1 = 0,$$

α_0, β_0, γ_0, V aber sind aus a_1, b_1, c_1 durch das vorhergehende Theorem bestimmt[43]), so dass

$$a_1 = \frac{d\beta_0}{dz} - \frac{d\gamma_0}{dy} + \frac{dV}{dx} \text{ etc.},$$

a_2, b_2, c_2 aber sind aus α_1, β_1, γ_1 durch die Gleichungen bestimmt

$$a_2 = \frac{d\beta_1}{dz} - \frac{d\gamma_1}{dy} \text{ etc.}$$

p ist aus der Gleichung zu berechnen

$$\frac{d^2p}{dx^2} + \frac{d^2p}{dy^2} + \frac{d^2p}{dz^2} + 4\pi \varrho'_1 = 0.$$

In der That, wenn wir a_1 in der Form schreiben:

$$\frac{d\beta_0}{dz} - \frac{d\gamma_0}{dy} + \frac{dV}{dx},$$

und ähnlich b_1 und c_1, und bedenken, dass alle diese Functionen im Unendlichen verschwinden, so erhalten wir durch partielle Integration des über den ganzen unendlichen Raum erstreckten Integrales

$$Q = -\iiint \left\{ V\left(\frac{d\alpha_1}{dx} + \frac{d\beta_1}{dy} + \frac{d\gamma_1}{dz}\right) - \alpha_0\left(\frac{d\beta_1}{dz} - \frac{d\gamma_1}{dy}\right) \right.$$
$$\left. - \beta_0\left(\frac{d\gamma_1}{dx} - \frac{d\alpha_1}{dz}\right) - \gamma_0\left(\frac{d\alpha_1}{dy} - \frac{d\beta_1}{dx}\right)\right\} dx\,dy\,dz,$$

oder

$$Q = \iiint [4\pi V\varrho'_1 + (\alpha_0 a_2 + \beta_0 b_2 + \gamma_0 c_2)]\, dx\,dy\,dz,$$

und vermöge des Theorems III folgt:

$$\iiint V\varrho'_1\, dx\,dy\,dz = \iiint p\,\varrho_1\, dx\,dy\,dz,$$

daher endlich

$$Q = \iiint [4\pi p\varrho_1 + (\alpha_0 a_2 + \beta_0 b_2 + \gamma_0 c_2)]\, dx\,dy\,dz. \text{[44]}$$

Wenn a_1, b_1, c_1 die Componenten der magnetischen Quantität und α_1, β_1, γ_1 die der magnetischen Intensität bezeichnen, so bezeichnet ϱ_1 die Dichte des wahren Magnetismus und p das magnetische Potential oder die Spannung. a_2, b_2, c_2, sind die Componenten der Quantität der elektrischen Ströme und α_0, β_0, γ_0 sind drei aus a_1, b_1, c_1 abgeleitete Grössen, von denen wir sehen werden, dass sie den mathematischen Ausdruck für *Faraday*'s elektrotonischen Zustand darstellen.

Wir wollen jetzt die Beziehung dieser analytischen Theoreme zur Theorie des Magnetismus betrachten. Sobald wir es mit Grössen zu thun haben, welche sich auf den Magnetismus beziehen, wollen wir denselben unten den Index 1 beifügen. Daher sind a_1, b_1, c_1 die Componenten der Quantität der magnetischen Induction, α_1, β_1 γ_1, die der Intensität der Magnetisirung in irgend einem Punkte oder, was dasselbe ist, die Componenten der Kraft, welche auf einen Südpol[45]) von der Intensität 1 wirken würde, wenn man denselben, ohne die magnetische Vertheilung zu stören, an die betreffende Stelle brächte.

Die elektrischen Ströme werden aus den magnetischen Intensitäten durch folgende Gleichungen gefunden:

$$a_2 = \frac{d\beta_1}{dz} - \frac{d\gamma_1}{dy} \text{ etc.}$$

Wo keine elektrischen Ströme vorhanden sind, ist:

$$\alpha_1\, dx + \beta_1\, dy + \gamma_1\, dz = dp_1$$

ein vollständiges Differentiale einer Function von x, y und z. Nach dem Principe der Analogie können wir p_1 die magnetische Spannung nennen.

Die Kräfte, welche auf eine südmagnetische Masse m in den Coordinatenrichtungen wirken sind:

$$-m\,\frac{dp_1}{dx},\; -m\,\frac{dp_1}{dy},\; -m\,\frac{dp_1}{dz},$$

und daher ist die gesammte Arbeit, welche bei irgend einer Lagenänderung eines magnetischen Systems geleistet wird, gleich der Abnahme des über das gesammte System erstreckten Integrales

$$Q = \int\!\!\int\!\!\int \varrho_1 p_1\, dx\, dy\, dz.$$

Wir nennen Q das gesammte Potential des Systems auf sich selbst. Die Zunahme oder Abnahme von Q misst die bei irgend einer Lagenänderung irgend eines Theils des Systems verlorene oder gewonnene Arbeit und setzt uns daher in den Stand, die auf den betreffenden Theil des Systems wirkenden Kräfte zu berechnen.

Nach dem Theorem III kann man Q in die Form bringen:

$$Q = \frac{1}{4\pi}\int\!\!\int\!\!\int (a_1\alpha_1 + b_1\beta_1 + c_1\gamma_1)\, dx\, dy\, dz,$$

worin α_1, β_1, γ_1 die Ableitungen von p_1 nach x, respective y und z sind. [Vergl. Anm. 26 und 32.]

Wenn wir nun annehmen, dass dieser Ausdruck von Q richtig ist, welche Werthe immer die Grössen α_1, β_1, γ_1 haben mögen [auch wenn $\alpha_1 dx + \beta_1 dy + \gamma_1 dz$ kein vollständiges Differential ist], so gelangen wir von der Betrachtung der Wirkungen permanenter Magnete zu der der magnetischen Wirkung elektrischer Ströme und wir haben vermöge des Theorems VII

$$Q = \int\!\!\int\!\!\int \left[p_1\varrho_1 + \frac{1}{4\pi}(\alpha_0 a_2 + \beta_0 b_2 + \gamma_0 c_2)\right] dx\, dy\, dz.$$

Im Falle elektrischer Ströme müssen daher die Stromcomponenten mit den Functionen α_0, resp. β_0 und γ_0 multiplicirt werden und die Summirung aller dieser Producte über das ganze System giebt uns den von den elektrischen Strömen herrührenden Theil von Q.

Wir haben nun in den Functionen α_0, β_0, γ_0 die Mittel erhalten, um die Betrachtung der magnetischen Induction, welche durch den Stromkreis hindurchgeht, vermeiden zu können. Anstatt dieser künstlichen Methode können wir nun die weit natürlichere anwenden, den Strom mit Grössen in Zusammenhang zu bringen, welche in dem gleichen Raume vorhanden sind, wie der Strom selbst. Diese Grössen (α_0, β_0, γ_0) nenne ich die elektrotonischen Functionen oder die Componenten der elektrotonischen Intensität.

Wir wollen nun die Bedingungen für die Leitung elektrischer Ströme in dem Medium während der Veränderungen des elektrotonischen Zustandes betrachten. Wir wollen uns da einer Methode bedienen, welche eine Anwendung der von *Helmholtz* in seiner Abhandlung über die Erhaltung der Kraft angegebenen ist.*)

Es sei eine gewisse äussere Quelle elektrischer Ströme gegeben, welche in der leitenden Masse Ströme erzeugen würde, deren Quantität durch a_2, b_2, c_2 und deren Intensität durch α_2, β_2, γ_2 gemessen ist. Dann ist die in Folge dieser Ursache während der Zeit dt auf Ueberwindung von Widerstand verwendete Arbeit

$$dt \iiint (a_2\alpha_2 + b_2\beta_2 + c_2\gamma_2)\, dx\, dy\, dz\,,$$

und die durch die elektromagnetische Wirkung dieser Ströme mechanisch geleistete Arbeit

$$\frac{dt}{4\pi}\frac{d}{dt}\iiint (a_2\alpha_0 + b_2\beta_0 + c_2\gamma_0)\, dx\, dy\, dz\,.$$

Wenn keine äusseren Energiequellen vorhanden sind, welche die Ströme hervorrufen, so muss daher die gesammte Arbeit verschwinden und man erhält

$$dt \iiint (a_2\alpha_2 + b_2\beta_2 + c_2\gamma_2)\, dx\, dy\, dz$$
$$+ \frac{dt}{4\pi}\frac{d}{dt}\iiint (a_2\alpha_0 + b_2\beta_0 + c_2\gamma_0)\, dx\, dy\, dz = 0\,,$$

wo die Integrale über einen beliebigen Raum erstreckt werden können. Daraus ergiebt sich für jeden Punkt des Raumes:

*) Klassiker Nr. 1.

$$a_2 \alpha_2 + b_2 \beta_2 + c_2 \gamma_2 + \frac{1}{4\pi} \frac{d}{dt} (a_2 \alpha_0 + b_2 \beta_0 + c_2 \gamma_0) = 0 .$$

Es muss im Auge behalten werden, dass hier bloss diejenige Veränderung von Q gemeint ist, welche durch Veränderung der Grössen α_0, β_0, γ_0, nicht aber der Grössen a_2, b_2, c_2 entsteht. Wir müssen daher a_2, b_2, c_2 als Constante behandeln und erhalten die Gleichung:

$$a_2 \left(\alpha_2 + \frac{1}{4\pi} \frac{d\alpha_0}{dt}\right) + b_2 \left(\beta_2 + \frac{1}{4\pi} \frac{d\beta_0}{dt}\right) + c_2 \left(\gamma_2 + \frac{1}{4\pi} \frac{d\gamma_0}{dt}\right) = 0 .$$

Damit diese Gleichung unabhängig von dem Werthe der Grössen a_2, b_2, c_2 erfüllt sei[46]), müssen die drei Coefficienten dieser Grössen für sich verschwinden und wir erhalten daher, wenn wir die durch die Fernwirkung der Magnete und Ströme hervorgerufenen elektromotorischen Kräfte durch den elektrotonischen Zustand ausdrücken, die folgenden Gleichungen:

$$\alpha_2 = - \frac{1}{4\pi} \frac{d\alpha_0}{dt}, \quad \beta_2 = - \frac{1}{4\pi} \frac{d\beta_0}{dt}, \quad \gamma_2 = - \frac{1}{4\pi} \frac{d\gamma_0}{dt} .$$

Das Experiment zeigt, dass sich der Ausdruck $\frac{d\alpha_0}{dt}$ auf die Veränderung des elektrotonischen Zustandes eines gegebenen Massentheilchens des Leiters bezieht, sei es, dass derselbe durch eine Veränderung des Werthes der elektrotonischen Functionen selbst oder durch eine Bewegung des Massentheilchens hervorgerufen wird.

Wenn α_0 als Function von x, y, z und t ausgedrückt wird, und x, y, z die Coordinaten eines bewegten [ponderabeln] Massentheilchens sind, so ist die in der Richtung der Abscissenaxen wirkende elektromotorische Kraft

$$\alpha_2 = - \frac{1}{4\pi} \left(\frac{d\alpha_0}{dx} \frac{dx}{dt} + \frac{d\alpha_0}{dy} \frac{dy}{dt} + \frac{d\alpha_0}{dz} \frac{dz}{dt} + \frac{d\alpha_0}{dt}\right) \text{[47])}.$$

Analoge Ausdrücke erhält man für die Componenten der elektromotorischen Kraft in der y- und z-Richtung. Die Vertheilung der durch diese Kräfte hervorgerufenen elektrischen Ströme hängt von der Form und Lage der leitenden Medien und von der gesammten elektrischen Spannung in irgend einem Punkte ab.

Die Discussion dieser Functionen würde uns in mathematische Formeln verwickeln, deren diese Abhandlung ohnehin schon allzu voll ist. Nur vermöge ihrer physikalischen Wichtigkeit habe ich überhaupt den mathematischen Ausdruck für eine der *Faraday*'schen Ideen hier in der gegenwärtigen Form auseinander gesetzt. Durch eine noch sorgfältigere Ueberlegung aller ihrer Beziehungen und mit Unterstützung von Männern, welche sich sowohl mit den in dieses Gebiet einschlägigen physikalischen Untersuchungen, als auch mit anderen scheinbar nicht damit zusammenhängenden beschäftigen, hoffe ich die Theorie des elektrotonischen Zustandes einst in eine Form bringen zu können, in welcher alle ihre Beziehungen ohne Zuhülfenahme analytischer Rechnungen klar hervortreten werden.

E. Zusammenfassung des über die Theorie des elektrotonischen Zustandes Gesagten.

Wir kennen den elektrotonischen Zustand in irgend einem Punkt des Raumes als einen in Grösse und Richtung bestimmten Vector und können den elektrotonischen Zustand einem Punkte des Raumes durch irgend ein Bestimmungsstück der Mechanik, sei es eine Geschwindigkeit oder eine Kraft, darstellen, deren Richtung und Grösse denen des vorausgesetzten elektrotonischen Zustandes entspricht. Diese Darstellung involvirt keine physikalische Theorie, sie ist nur eine Art künstlicher Versinnlichung. In analytischen Untersuchungen verwenden wir die drei Componenten des elektrotonischen Zustandes, welche wir die elektrotonischen Funktionen nannten. Wir können für jeden Punkt einer geschlossenen Curve die Componente des elektrotonischen Zustandes in der Richtung derselben finden. Multipliciren wir diese Componente mit dem Längendifferenzial der Curve und integriren über die ganze Curve, so erhalten wir das, was wir die gesammte elektrotonische Intensität längs einer geschlossenen Curve nennen wollen.

Lehrsatz I.

Wenn auf irgend einer Fläche eine geschlossene Curve gezeichnet wird und wenn der innerhalb liegende Theil der Fläche in unendlich kleine Flächenelemente getheilt wird, so ist die gesammte Intensität längs der geschlossenen Curve gleich der in derselben Richtung [demselben Umkreisungssinne] geschätzten Intensitäten längs aller Curven, welche die Flächenelemente umschliessen. Denn wenn man um die Flächenelemente herumgeht, so wird jede Begrenzungslinie, welche zwischen zweien derselben liegt, zweimal in entgegengesetzter Richtung durchlaufen, wobei die Intensität im erstern Fall um eben so viel vermehrt, als im zweiten vermindert wird. Daher heben sich alle im Innern liegenden Linienelemente auf und es bleibt nur die Integration über die äussere geschlossene Linie übrig.

Gesetz I. Die gesammte elektrotonische Intensität längs des Umfangs eines Flächenelementes misst die Quantität der magnetischen Induction, welche durch jenes Flächenelement hindurchgeht oder (in andern Worten) die Zahl der magnetischen Kraftlinien [Inductionslinien], welche durch jenes Flächenelement hindurchgehen.

Nach Lehrsatz I ist es klar, dass dasjenige, was für Flächenelemente gilt, auch für Flächen von endlicher Grösse richtig sein muss. Daher wird die Quantität der magnetischen Induction durch zwei beliebige Flächen gleich sein müssen, sobald sie durch die gleiche geschlossene Curve begrenzt sind.

Gesetz II. Die magnetische Intensität in irgend einem Punkte ist mit der Quantität der magnetischen Induction durch ein System dreier linearer Gleichungen verknüpft, welche die Gleichungen der [magnetischen] Leitung heissen. (Vergl. Artikel 28.)

Gesetz III. Die gesammte magnetische Intensität längs des Umfangs irgend einer Fläche misst die Quantität des elektrischen Stromes, welcher durch diese Fläche geht.

Gesetz IV. Die Quantität und Intensität eines elektrischen Stromes sind ebenfalls durch ein System von Leitungsgleichungen mit einander verknüpft, welche dieselbe Form haben wie beim Magnetismus.

Durch diese vier Gesetze kann magnetische und elektrische Quantität und Intensität aus den Werthen der elektrotonischen Functionen abgeleitet werden. Ich habe nichts über die zu wählenden Einheiten gesagt, da dies besser bei Discussion wirklicher Experimente geschieht. Wir kommen nun zur Behandlung von Stromleitern und zur Induction von Strömen in Leitern.

Gesetz V. Das gesammte elektromagnetische Potential eines geschlossenen Stromes ist gemessen durch das Product aus der Quantität des Stromes und der gesammten elektrotonischen Intensität längs des Stromkreises, geschätzt in der Stromrichtung [Linienintegral der elektrotonischen Intensität längs des Stromkreises].

Irgend eine Verschiebung des Conductors, welche dieses Potential vermehrt, wird durch eine Kraft begünstigt werden, welche proportional dem Differenzialquotienten des Potentials nach der die Verschiebung bestimmenden Coordinate ist, so dass die während der Verschiebung geleistete mechanische Arbeit dem Zuwachse des Potentials proportional ist.

Obwohl in gewissen Fällen eine Richtungs- oder Intensitätsänderung des Stromes [im Stromleiter ohne Lagenänderung des letzteren] das Potential vermehren kann, so würde eine solche Aenderung an sich keine Arbeit leisten, und es wird kein Bestreben vorhanden sein, diese Aenderung hervorzubringen, da Aenderungen des Stromes lediglich durch elektromotorische Kräfte, niemals durch elektromagnetische Anziehungen [ponderomotorische Kräfte] hervorgerufen werden, welche letztere nur auf die ponderable Masse des Leiters wirken [vielleicht abgesehen vom Hallphänomen].

Gesetz VI. Die auf ein Element eines Leiters wirkende elektromotorische Kraft [der Induction] ist durch den Differenzialquotienten der längs dieses Elements genommenen elektrotonischen Intensität nach der Zeit gemessen, mag dieser durch eine Grössen- oder Richtungsänderung des elektrotonischen Zustandes bewirkt werden.

Die elektromotorische Kraft in einem geschlossenen Leiter ist proportional dem nach der Zeit genommenen Differentialquotienten der gesammten elektrotonischen Intensität längs des ganzen Leitungskreises. Sie ist unabhängig von der Natur des Leiters, während die erzeugte Stromintensität dem Widerstande verkehrt proportional ist. Erstere bleibt dieselbe, wie immer die Veränderung der elektrotonischen Intensität erzeugt worden sein mag, sei es durch Bewegung des Leiters oder durch Veränderung des Feldes, in dem er sich befindet.

Ich habe versucht, in diesen sechs Gesetzen den mathematischen Ausdruck der Idee zu liefern, welche, wie ich glaube, dem Gedankengange in den Experimentaluntersuchungen *Faraday*'s zu Grunde liegt. Ich bilde mir nicht ein, dass sie auch nur den Schatten einer wahren physikalischen Theorie enthalten; ihr Hauptverdienst als ein provisorisches Werkzeug zu weiteren Untersuchungen ist vielmehr, von jeder vorgefassten Meinung frei zu sein. Im Gegensatze hierzu existirt eine ausgesprochenermaassen physikalische Theorie der Elektrodynamik. Dieselbe ist so elegant mathematisch durchdacht und so gänzlich verschieden von allem in dieser Abhandlung Gebrachten, dass ich ihre Grundannahmen ebenfalls hier anführen zu müssen glaube, auf die Gefahr hin, zu wiederholen, was allen wohl bekannt sein sollte. Sie ist enthalten in *Wilhelm Weber*'s elektrodynamischen Maassbestimmungen. (Verhandlungen der Leibniz-Gesellschaft oder der königlich sächsischen Gesellschaft der Wissenschaften.*) Diese Annahmen sind folgende:

1) Zwei in Bewegung befindliche elektrische Theilchen stossen sich nicht mit derselben Kraft ab, als wenn sie sich in Ruhe befänden, sondern diese Kraft erfährt eine Veränderung, welche von der Relativbewegung der beiden Theilchen abhängt, so dass der Ausdruck für die Abstossung in der Distanz r der folgende ist:

$$\frac{ee'}{r^2}\left[1 + a\left(\frac{dr}{dt}\right)^2 + br\,\frac{d^2r}{dt^2}\right].$$

2) Wenn die Elektricität in einem Leiter strömt, so ist die Geschwindigkeit des positiven Fluidums relativ gegen die Masse des Leiters gleich und entgegengesetzt gerichtet der des negativen Fluidums.

3) Die Gesammtwirkung eines Leiterelementes auf ein anderes ist die Resultirende aller Wechselwirkungen der beiden darin enthaltenen elektrischen Fluida.

4) Die elektromotorische Kraft in irgend einem Punkte ist die Differenz der Kräfte, welche auf das positive und negative Fluidum wirken.

Aus diesen Grundannahmen können die von *Ampère* für die Wechselwirkung der Stromleiter, sowie die von *Neumann* und andern für die Inductionswirkungen aufgestellten Gesetze abgeleitet werden. Dieselben sind daher die Grundlage einer wirklichen physikalischen Theorie, welche die Bedingungen für eine solche vielleicht besser erfüllen, als irgend eine andere bisher aufgestellte Theorie, und welche von einem For-

---

*) Als dieses geschrieben wurde, hatte ich noch keine Kenntniss, dass ein Theil von *Weber*'s Abhandlungen in *Taylor*'s Scientific Memoirs Bd. V, Art. 14 übersetzt ist. Die experimentelle und theoretische Bedeutung dieser Untersuchungen macht das Studium derselben für jeden Elektriker unentbehrlich.

scher aufgestellt wurden, dessen Experimentaluntersuchungen eine breite Grundlage seiner mathematischen Speculationen bilden. Man könnte also fragen, welchen Nutzen die Ersetzung eines leicht verständlichen Anziehungsgesetzes durch die Idee eines elektrotonischen Zustandes, von welchem wir keine klare physikalische Vorstellung haben, gewähre. Ich antworte, dass es immer wichtig sei, zwei Anschauungsweisen von einem Gegenstande zu haben und einzusehen, dass verschiedene Anschauungsweisen möglich sind. Zudem glaube ich nicht, dass gegenwärtig schon die Zeit gekommen sei, sich eine definitive Vorstellung vom Wesen der Elektricität zu bilden, und ich halte es für das Hauptverdienst einer provisorischen Theorie, dass sie zu Experimenten anregt, ohne dem Fortschritte zu einer wahren Theorie hinderlich zu sein. Man kann auch gegen die Abhängigkeit der letzten Naturkräfte von der Geschwindigkeit der Körper, zwischen denen sie wirken, Bedenken erheben. Wenn die Naturkräfte sich auf Kräfte, die zwischen materiellen Punkten wirken, zurückführen lassen, so erfordert das Princip der Erhaltung der Energie, dass jede Kraft die Richtung der Verbindungslinie der beiden materiellen Punkte haben muss, zwischen denen sie wirkt, und dass ihre Intensität eine Function der Entfernung derselben allein sein muss.[48]) Die Experimente von *Weber* über die verkehrte Polarität diamagnetischer Substanzen, welche in neuester Zeit von Prof. *Tyndall* wiederholt wurden [entscheiden nichts; denn sie] constatiren lediglich eine Thatsache, welche in gleicher Weise aus *Weber*'s Theorie der Elektricität und aus der Theorie der Kraftlinien folgt.

Bezüglich der Geschichte der gegenwärtigen Theorie erwähne ich, dass die Benutzung dieser mathematischen Functionen zum Ausdrucke von *Faraday*'s elektrotonischem Zustand und zur Bestimmung elektrodynamischer Potentiale und elektromotorischer Kräfte, soweit ich mich erinnere, neu ist. Die sichere Vermuthung der Möglichkeit dieser mathematischen Ausdrücke verdanke ich jedoch dem Studium von Prof. *William Thomson*'s Abhandlung »über die mechanische Darstellung der elektrischen, magnetischen und galvanischen Kräfte« (siehe Citat S. 45) und dessen mathematischer Theorie des Magnetismus (Art. 78 u. s. w., siehe Citat S. 33). Um ein Beispiel für ein Hülfsmittel zu geben, welches aus andern physikalischen Untersuchungen zum Studium herbeigezogen werden könnte, erwähne ich, dass mich, nachdem ich die Lehrsätze dieser Abhandlung ausgearbeitet hatte, Prof. *Stokes* darauf aufmerksam machte, dass er ähnliche Ausdrücke in seiner dynamischen Theorie der Beugung (sect. I. Cambridge transact. Bd. IX, Abth. I) benutzt hat. Ob die Anwendung der Theorie dieser Functionen auf die Elektricitätslehre zu neuen für die physikalische Untersuchung nützlichen mathematischen Ideen führen wird, muss der Zukunft überlassen werden. Ich will im Folgenden einige wenige Probleme der Lehre von der Elektricität und vom Magnetismus, welche sich auf kugelförmige Körper beziehen, behandeln. Dieselben sollen nur als specielle Beispiele für die Anwendung der Methoden der gegebenen Theorie dienen. Ich verspare die detaillirte Untersuchung von Fällen, welche sich auf speciell zu machende Experimente beziehen, bis ich über die Mittel zur Anstellung solcher Experimente verfügen werde.

III. Theil.

Beispiele.

A. Theorie der elektrischen Bilder.

Durch die Methode der elektrischen Bilder, welche man Professor *William Thomson* verdankt*), wurde die Theorie der Elektricitätsvertheilung auf kugelförmigen Leitern sehr vereinfacht. Dieselbe ist aber noch einer weiteren Vereinfachung fähig, wenn wir sie mit den Methoden der vorliegenden Abhandlung verbinden. Wenn eine Kugelschale vom Radius a in der Zeiteinheit $4\pi Pa^2$ Einheiten der Flüssigkeitsmenge aussendet [und zwar gleichförmig durch alle Elemente ihrer Oberfläche], so ist, wie wir sahen, der Druck in irgend einem Punkte des als gleichförmig vorausgesetzten Mediums ausserhalb der Kugelschale gleich $kP\frac{a^2}{r}$, innerhalb derselben aber kPa, wobei r die Entfernung des betreffenden Punktes vom Centrum der Kugelschale ist.

Wenn zwei Kugelschalen vorhanden sind, von denen die eine in der Zeiteinheit die Flüssigkeitsmenge $4\pi Pa^2$ aus-

---

*) Vergl. eine Reihe von Abhandlungen über die mathematische Theorie der Elektricität in Cambr. and Dubl. Math. Journ., welche im März 1848 beginnt, pap. on electrostat. art. 114, S. 77.

sendet, die andere aber die Flüssigkeitsmenge $4\pi P' a'^2$ vernichtet, so ist der Druck in einem Punkte ausserhalb der beiden Kugelschalen

$$p = 4\pi P \frac{a^2}{r} - 4\pi P' \frac{a'^2}{r'},$$

wobei r und r' die Distanzen des betreffenden Punktes von den Mittelpunkten der beiden Kugelschalen, a und a' deren Radien sind. Setzen wir diesen Ausdruck gleich Null, so erhalten wir für die Fläche, in welcher der Druck Null herrscht, die Gleichung:

$$\frac{r'}{r} = \frac{P' a'^2}{P a^2}.$$

Die Fläche, wo der Druck Null herrscht, hat also die Eigenschaft, dass die beiden Entfernungen jedes ihrer Punkte von zwei fixen Punkten in einem constanten Verhältnisse stehen. Eine solche Fläche ist bekanntlich eine Kugelfläche, deren Centrum O so auf der Centrilinie CC' der beiden ursprünglich gegebenen Kugeln liegt, dass

$$C'O = CC' \frac{P'^2 a'^4}{P^2 a^4 - P'^2 a'^4} \tag{49}$$

ist und deren Radius

$$= CC' \frac{P a^2 \cdot P' a'^2}{P^2 a^4 - P'^2 a'^4}$$

ist. Wenn wir im Centrum dieser dritten Kugel eine neue Quelle anbringen, so muss der durch diese Quelle hervorgebrachte Druck zu dem durch die beiden andern erzeugten addirt werden; und da dieser neu hinzukommende Druck nur Function der Entfernung vom Centrum O ist, so ist er auf der Oberfläche der dritten Kugel, wo der von den beiden andern Quellen zusammen hervorgebrachte Druck gleich Null ist, constant.

Wir haben nun die Mittel, ein System von Quellen innerhalb einer gegebenen Kugelfläche so zu vertheilen, dass es mit einem gegebenen System von Quellen ausserhalb der Kugelfläche zusammen auf jener Kugelfläche einen constanten Druck erzeugt.

Es seien a der Radius der Kugelfläche und p der gegebene Druck, b_1, b_2 etc. die Distanzen der gegebenen Quellen vom

Mittelpunkte der Kugel und $4\pi P_1$, $4\pi P_2$ etc. die Flüssigkeitsmengen, welche diese Quellen in der Zeiteinheit hervorbringen. Wenn wir dann in den Distanzen $\frac{a^2}{b_1}$, $\frac{a^2}{b_2}$ etc. vom Kugelmittelpunkte negative Quellen anbringen, welche auf den Geraden b_1, b_2 etc. liegen und in der Zeiteinheit die Flüssigkeitsmengen

$$-4\pi P_1 \frac{a}{b_1}, \; -4\pi P_2 \frac{a}{b_2} \text{ etc.}$$

liefern, so wird der Druck auf der Fläche $r = a$ gleich Null sein. Bringen wir nun eine Quelle $\frac{4\pi pa}{k}$ in ihrem Centrum an, so wird der Druck auf der ganzen Oberfläche der Kugel $r = a$ derselbe und gleich p sein.

Den Gesammtbetrag der Flüssigkeit, welche von der Fläche $r = a$ ausgesandt wird, erhält man durch Addition der Flüssigkeitsmengen, welche alle darin liegenden Quellen aussenden. Diese Addition liefert:

$$4\pi a\left(\frac{p}{k} - \frac{P_1}{b_1} - \frac{P_2}{b_2} - \text{etc.}\right)$$

Um dieses Resultat auf den Fall leitender Kugeln anzuwenden, setzen wir voraus, die äusseren Quellen von den Intensitäten $4\pi P_1$, $4\pi P_2$ etc. seien kleine elektrisirte Körper, welche die Mengen e_1, e_2 etc. positiver Elektricität enthalten. Ferner wollen wir voraussetzen, die Kugel vom Radius a sei eine isolirte, leitende Kugel, welche vor der Wirkung jener elektrisirten Körper die Ladung E gehabt habe. Dann haben wir die vollständige Lösung des Problems gefunden, wenn es uns gelungen ist, zu bewirken, dass die Kugelfläche vom Radius a eine Fläche gleichen Potentials ist und dass die ganze Ladung auf derselben wiederum gleich E ist.

Wenn wir dies durch irgend eine Vertheilung gedachter Quellen im Innern der Kugel bewirkt haben, so ist der dieser Vertheilung entsprechende Werth des Potentials ausserhalb der Kugel der wahre und einzig mögliche. Das Potential innerhalb der Kugel dagegen ist in dem elektrischen Probleme constant und gleich dem auf der Oberfläche.

Wir müssen daher die Bilder der elektrisirten Punkte finden, das heisst, für jeden elektrisirten Punkt in der Distanz

b_h vom Centrum müssen wir einen Punkt auf dem gleich gerichteten Radius in der Distanz $\frac{a^2}{b_h}$ vom Centrum aufsuchen und uns in diesen Punkt eine Elektricitätsmenge $-\frac{ea}{b_h}$ versetzt denken.

Im Centrum der Kugel müssen wir uns eine Elektricitätsmenge E' denken, wobei

$$E' = E + e_1 \frac{a}{b_1} + e_2 \frac{a}{b_2} \text{ etc.}$$

ist. Wenn dann R die Distanz irgend eines ausserhalb der Kugel gelegenen Raumpunktes vom Centrum der Kugel, r_1, r_2 etc. die Distanzen dieses Raumpunktes von den elektrisirten Punkten und r'_1, r'_2 etc. die Distanzen von den Bildern derselben sind, so ist das Potential in jenem Raumpunkte:

$$p = \frac{E'}{R} + e_1\left(\frac{1}{r_1} - \frac{a}{b_1}\frac{1}{r'_1}\right) + e_2\left(\frac{1}{r_2} - \frac{a}{b_2}\frac{1}{r'_2}\right) \text{ etc.}$$

$$= \frac{E}{R} + \frac{e_1}{b_1}\left(\frac{a}{R} + \frac{b_1}{r_1} - \frac{a}{r'_1}\right) + \frac{e_2}{b_2}\left(\frac{a}{R} + \frac{b_2}{r_2} - \frac{a}{r_1}\right) \text{ etc.}$$

Dies ist der Werth des Potentials ausserhalb der Kugel. Auf der Oberfläche derselben haben wir

$$R = a, \frac{b_1}{r_1} = \frac{a}{r'_1}, \frac{b_2}{r_2} = \frac{a}{r'_2} \text{ etc.,}$$

folglich

$$p = \frac{E}{a} + \frac{e_1}{b_1} + \frac{e_2}{b_2} \text{ etc.}$$

Diesen Werth hat auch das Potential für jeden Punkt im Innern der Kugel. Bezüglich der Anwendungen des Princips der elektrischen Bilder auf speciellere Fälle verweise ich den Leser auf die citirten Abhandlungen *Thomson*'s. Nur der Fall, dass $E = 0$, b_1 unendlich gross ist und mit der Richtung der Abscissenaxe zusammenfällt, und $\frac{e_1}{b_1^2}$ sich einer endlichen Grenze J nähert, während ausser der einen elektrischen Masse e_1 keine andern vorhanden sind, ist für uns von Wichtigkeit.

Dann ist innerhalb der Kugel $p = 0$, ausserhalb aber

$$p = -\frac{Ja^3x}{r^3}.$$

B. Ueber das Verhalten einer paramagnetischen oder diamagnetischen Kugel in einem homogenen magnetischen Felde.*)

Der Ausdruck für das Potential eines kleinen Magnets [von der Länge l und Polstärke m], der sich im Coordinatenursprung befindet und dessen magnetische Axe mit der Abscissenaxe zusammenfällt, ist:

$$l \frac{d}{dx}\left(\frac{m}{r}\right) = -lm \frac{x}{r^3}. \quad 50)$$

Es mag zunächst angenommen werden, dass die durch die Anwesenheit einer magnetisirbaren Kugel hervorgebrachte Störung der Kraftlinien dieselbe ist, wie die durch einen in ihrem Mittelpunkte angebrachten kleinen Magnet von zu bestimmender Stärke. (Diese Annahme wird sich später als gerechtfertigt erweisen.)

Vor der Störung durch die Anwesenheit der Kugel habe das Potential den Werth $p = Jx$. Durch die Einwirkung der Kugel, deren Mittelpunkt mit dem Coordinatenursprung zusammenfallen soll, komme für äussere Punkte hinzu noch der Addend:

$$p' = A \frac{a^3}{r^3} x,$$

während das Potential im Innern der Kugel den Werth habe

$$p_1 = Bx.$$

Ist dann k' der Widerstandscoefficient ausserhalb, k der innerhalb der Kugel [nicht wie (23), wo sich k' auf das Innere, k auf die Umgebung bezog], so müssen folgende Bedingungen erfüllt werden: Das innere und äussere Potential muss für die Kugelfläche denselben Werth haben [51]), und die Induction durch die Kugelfläche muss gleich herauskommen,

*) Siehe Prof. *Thomson*, über die Theorie der magnetischen Induction Phil. mag. 4. ser. vol I, p. 177, März 1851. pap. o. electrostat. XXX. S. 471, art. 604. Nach jener Abhandlung ist die inductive Capacität der Kugel das Verhältniss der Quantität der magnetischen Induction (nicht der Intensität) innerhalb der Kugel zu der ausserhalb. Sie ist daher nach unserer Bezeichnung gleich

$$\frac{1}{J} B \frac{k'}{k} = \frac{3k'}{2k + k'}.$$

ob man sie aus dem äusseren oder inneren Potential berechnet. Setzen wir $x = r \cos \vartheta$, so erhalten wir für das äussere Potential

$$p = \left(Jr + A\frac{a^3}{r^2}\right) \cos \vartheta$$

und für das innere

$$p_1 = Br \cos \vartheta .$$

Da beide Werthe für $r = a$ identisch sein müssen, so folgt:

$$J + A = B .$$

Die Induction durch die Oberfläche in das äussere Medium ist:

$$\frac{1}{k'}\left(\frac{dp}{dr}\right)_{r=a} = \frac{1}{k'}(J - 2A) \cos \vartheta .$$

Die durch die innere Fläche aber ist

$$\frac{1}{k}\left(\frac{dp_1}{dr}\right)_{r=a} = \frac{1}{k} B \cos \vartheta .$$

Die Gleichsetzung beider Ausdrücke liefert:

$$\frac{1}{k'}(J - 2A) = \frac{1}{k} B ,$$

woraus folgt

$$A = \frac{k - k'}{2k + k'} J, \quad B = \frac{3k}{2k + k'} J.$$

Die Wirkung der Kugel ausserhalb derselben kann ersetzt werden durch die eines kleinen Magnets, dessen Länge l und dessen Moment gleich ml ist, sobald

$$ml = \frac{k - k'}{2k + k'} a^3 J.$$

Wenn sich die Kugel in dem vom Erdmagnetismus erzeugten homogenen magnetischen Felde befindet, und wenn k kleiner als k', die Kugel also paramagnetisch ist, so wird der Nordpol des äquivalenten Magnets gegen Norden zeigen. Ist k grösser als k', die Kugel also diamagnetisch, so stellt sich der äquivalente Magnet umgekehrt.

C. Magnetisches Feld von veränderlicher Intensität.

Wir setzen nun voraus, dass die Intensität des ungestörten magnetischen Feldes in Grösse und Richtung von Punkt zu Punkt veränderlich ist, und bezeichnen ihre Componenten [die der magnetischen Kraft] im Punkte x, y, z mit α, β, γ. Wenn wir dann in erster Annäherung die Intensität innerhalb der Kugel als nahe gleich der in ihrem Centrum voraussetzen, so kommen ausserhalb der Kugel in Folge ihrer Gegenwart im Felde zu dem Potentiale noch drei Addenden hinzu, welche dieselben Werthe haben, wie die Potentiale dreier kleiner Magnete, welche sich im Mittelpunkt befinden, deren Axen parallel der x-, respective der y- und z-Axe sind, und deren magnetische Momente die Werthe haben:

$$\frac{k-k'}{2k+k'}\,a^3\alpha \text{ resp. } \frac{k-k'}{2k+k'}\,a^3\beta,\ \frac{k-k'}{2k+k'}\,a^3\gamma.$$

Die wirkliche Vertheilung des Potentials innerhalb und ausserhalb der Kugel kann aufgefasst werden als bewirkt durch eine Belegung der Oberfläche der Kugel mit magnetischer Masse. Da nun der äussere Effect dieser auf der Oberfläche befindlichen Magnetismen genau derselbe ist, wie der der drei im Mittelpunkte befindlichen kleinen Magnete, so muss die gesammte von aussen ausgeübte mechanische Wirkung dieselbe sein, als ob die drei Magnete [an Stelle der Kugel] existiren würden.

Wenn die drei Magnete, deren Längen l_1, l_2, l_3 sind, an deren Enden die magnetischen Massen m_1, m_2, m_3 angehäuft und deren Axen parallel den drei Coordinatenaxen sind, im Punkte x, y, z wirklich existiren würden, so wäre die gesammte auf sie in der Richtung der x-Axe wirkende Kraft

$$-X = m_1 \left\{\begin{matrix} \alpha + \dfrac{d\alpha}{dx}\dfrac{l_1}{2} \\ -\alpha + \dfrac{d\alpha}{dx}\dfrac{l_1}{2} \end{matrix}\right\} + m_2 \left\{\begin{matrix} \alpha + \dfrac{d\alpha}{dy}\dfrac{l_2}{2} \\ -\alpha + \dfrac{d\alpha}{dy}\dfrac{l_2}{2} \end{matrix}\right\}$$

$$+ m_3 \left\{\begin{matrix} \alpha + \dfrac{d\alpha}{dz}\dfrac{l_3}{2} \\ -\alpha + \dfrac{d\alpha}{dz}\dfrac{l_3}{2} \end{matrix}\right\} =$$

$$= m_1 l_1 \frac{d\alpha}{dx} + m_2 l_2 \frac{d\alpha}{dy} + m_3 l_3 \frac{d\alpha}{dz}.$$

Substituiren wir hier die Werthe der magnetischen Momente der kleinen Magnete, so erhalten wir:

$$-X = \frac{k - k'}{2k + k'} a^3 \left(\alpha \frac{d\alpha}{dx} + \beta \frac{d\beta}{dx} + \gamma \frac{d\gamma}{dx}\right)$$

$$= \frac{k - k'}{2k + k'} \frac{a^3}{2} \frac{d}{dx} (\alpha^2 + \beta^2 + \gamma^2). \quad 52)$$

Die Kraft, welche auf die Kugel in der Abscissenrichtung wirkt, ist daher dem Differentialquotienten des Quadrates der Intensität $\alpha^2 + \beta^2 + \gamma^2$ proportional, und da dasselbe für die y- und z-Richtung gilt, so erhalten wir das Gesetz, dass die auf diamagnetische Kugeln wirkende Kraft immer von den Stellen grösserer zu denen geringerer Intensität der magnetischen Kraft gerichtet ist und dass sie bei ähnlicher Vertheilung der magnetischen Kraft dem Volumen der Kugel und dem Quadrat der Intensität proportional ist.

Es ist leicht, mit Hülfe von Kugelfunctionen die Werthe des Potentials mit beliebiger Annäherung zu berechnen und so auch die Anziehung zu finden. Wenn sich z. B. ein einziger Nord- oder Südpol von der Stärke M in der Distanz b von einer diamagnetischen Kugel vom Radius a befindet, so ist die Abstossung:

$$R = M^2(k - k') \frac{a^3}{b^5} \left(\frac{2 \cdot 1}{2k + k'} + \frac{3 \cdot 2}{3k + 2k'} \frac{a^2}{b^2} + \right.$$

$$\left. + \frac{4 \cdot 3}{4k + 3k'} \frac{a^4}{b^4} \text{ etc.}\right)$$

Wenn $\frac{a}{b}$ klein ist, so giebt das erste Glied eine genügende Annäherung. Die Abstossung ist dann dem Quadrate der Polstärke und dem Volumen der Kugel direct, der fünften Potenz des Abstandes des Kugelcentrums von dem punktförmig gedachten Pole aber verkehrt proportional.

D. Zwei Kugeln in einem homogenen Felde.

Zwei festverbundene Kugeln vom Radius a und der Centraldistanz b sollen sich in einem homogenen magnetischen Felde befinden. Obwohl dann jede Kugel für sich an jedem Orte des Feldes im Gleichgewicht wäre, so wird die Störung des Feldes Kräfte erzeugen, welche das System beider Kugeln in eine bestimmte Richtung einzustellen suchen. Wählen wir das Centrum der einen Kugel als Coordinatenursprung, so ist das ungestörte Potential

$$p = Jr \cos \vartheta .$$

Der von jener Kugel hervorgerufene Addend zu diesem Potentiale ist:

$$p' = J \frac{k - k'}{2k + k'} \frac{a^3}{r^2} \cos \vartheta .$$

Das gesammte Potential ist also:

$$J\left(r + \frac{k - k'}{2k + k'} \frac{a^3}{r^2}\right) \cos \vartheta = p$$

$$\frac{dp}{dr} = J\left(1 - 2 \frac{k - k'}{2k + k'} \frac{a^3}{r^3}\right) \cos \vartheta$$

$$\frac{1}{r} \frac{dp}{d\vartheta} = - J\left(1 + \frac{k - k'}{2k + k'} \frac{a^3}{r^3}\right) \sin \vartheta, \quad \frac{dp}{d\varphi} = 0$$

$$i^2 = \left(\frac{dp}{dx}\right)^2 + \left(\frac{dp}{dy}\right)^2 + \left(\frac{dp}{dz}\right)^2 =$$

$$= \left(\frac{dp}{dr}\right)^2 + \frac{1}{r^2}\left(\frac{dp}{d\vartheta}\right)^2 + \frac{1}{r^2 \sin^2 \vartheta}\left(\frac{dp}{d\varphi}\right)^2 =$$

$$= J^2\left[1 + 2 \frac{k - k'}{2k + k'} \frac{a^3}{r^3} (1 - 3 \cos^2 \vartheta) + \right.$$

$$\left. + \left(\frac{k - k'}{2k + k'}\right)^2 \frac{a^6}{r^6} (1 + 3 \cos^2 \vartheta)\right].$$

Dies ist der Werth des Quadrats der Intensität an irgend einem Punkte. Das Moment des Kräftepaares, welches das System der beiden Kugeln in die Kraftrichtung des Feldes zu drehen sucht, ist daher:

$$L = \frac{1}{2}\left(\frac{k - k'}{2k + k'} a^3\right) \frac{d(i^2)}{d\vartheta}, \quad 53)$$

hierin ist noch $r = b$ zu setzen, wodurch sich ergiebt:

$$L = \frac{3}{2} J^2 \left(\frac{k - k'}{2k + k'}\right)^2 \frac{a^6}{b^3} \left(2 - \frac{k - k'}{2k + k'} \frac{a^3}{b^3}\right) \sin 2\vartheta.$$

Dieser Ausdruck, welcher jedenfalls positiv ist, da b nothwendig grösser als a ist, giebt das Moment, welches die Centrilinie der beiden Kugeln in die Kraftrichtung des Feldes zu drehen strebt. Die Kugeln streben, ob sie paramagnetisch oder diamagnetisch sind, ohne jeden Unterschied von Nord und Süd [auf kürzestem Wege] der axialen Richtung zu. Nur wenn die eine Kugel paramagnetisch, die andere diamagnetisch wäre, würde sich ihre Centrilinie äquatorial stellen. Die Grösse der Kraft ist angenähert dem Quadrate von $k - k'$ proportional und daher ganz unmerkbar klein, wenn die Kugeln nicht aus stark magnetisirbarem Materiale bestehen.*)

E. Zwei Kugln zwischen den Polen eines Elektromagnets.

Die früher betrachteten beiden Kugeln sollen sich jetzt nicht in einem homogenen Felde, sondern zwischen einem Nord- und einem Südpole $\pm$ M befinden. Diese beiden Pole sollen auf der x-Axe in der Distanz $2c$ von einander liegen.

Wählen wir den Halbirungspunkt ihrer Verbindungslinie zum Coordinatenursprung, so erhalten wir für das Potential der beiden Pole den Ausdruck

$$p = M\left(\frac{1}{\sqrt{c^2 + r^2 - 2cr\cos\vartheta}} - \frac{1}{\sqrt{c^2 + r^2 + 2cr\cos\vartheta}}\right).$$

Hieraus ergiebt sich für das Quadrat der Feldintensität [angenähert]:

$$J^2 = \frac{4M^2}{c^4}\left(1 - 3\frac{r^2}{c^2} + 9\frac{r^2}{c^2}\cos^2\vartheta\right),$$

daher

$$J\frac{dJ}{d\vartheta} = -18\frac{M^2}{c^6} r^2 \sin 2\vartheta.$$

Das Moment, welches die Kugeln, deren Radius a und

---

*) Siehe Professor *Thomson*, Citat S. 75.

deren Centraldistanz $2b$ sei, in der Richtung, in welcher ϑ wächst, zu drehen sucht, ist:

$$-36\,\frac{k-k'}{2k+k'}\,\frac{M^2a^3b^2}{c^6}\sin 2\vartheta.$$

Diese Kraft, welche die Centrilinie für diamagnetische Körper äquatorial, für paramagnetische axial zu stellen sucht, ist dem Quadrate der Polstärke, der dritten Potenz der Kugelradien und dem Quadrate ihrer Centraldistanz direct, dagegen der sechsten Potenz der Entfernung der punktförmig gedachten Pole verkehrt proportional. So lange diese Pole einander nahe sind, ist diese Wirkung der Pole weit stärker, als die Wechselwirkung der Kugeln, so dass man als allgemeine Regel annehmen kann, dass sich lang gestreckte Körper zwischen den Polen eines Magnets axial oder äquatorial stellen, je nachdem sie paramagnetisch oder diamagnetisch sind. Würde man aber einen langgestreckten Körper anstatt zwischen zwei ziemlich nahen Polen in ein vollkommen homogenes Feld, wie das durch den Erdmagnetismus oder das im Innern eines kugelförmigen Elektromagneten (siehe Beispiel H) erzeugte bringen, so würde er sich in beiden Fällen axial stellen.

In allen diesen Fällen hängen die Phänomene von der Differenz $k-k'$ ab, so dass der Körper sich magnetisch oder diamagnetisch verhält, je nachdem er mehr oder weniger magnetisch oder auch weniger oder mehr diamagnetisch ist, als das umgebende Medium.

F. Ueber das magnetische Verhalten einer Kugel, welche aus einer Substanz geschnitten ist, deren Widerstandscoefficient in verschiedenen Richtungen verschieden ist.

Die Axen des magnetischen Widerstandes sollen an allen Stellen der Kugel die gleiche Richtung haben und als Coordinatenaxen gewählt werden. k_1, k_2, k_3 seien die Widerstandscoefficienten in diesen drei Richtungen, k' der im umgebenden Medium und a der Radius der Kugel. J sei die ungestörte magnetische Feldintensität, l, m, n die Richtungscosinusse derselben.

Betrachten wir zunächst den Fall einer homogenen Kugel mit dem Widerstandsfactor k_1, welche in ein homogenes Feld gebracht sei, das die Richtung der Abscissenaxe und die Feldintensität lJ hat; dann wäre das gesammte Potential ausserhalb der Kugel:

$$p' = lJ\left(1 + \frac{k_1 - k'}{2k_1 + k'}\frac{a^3}{r^3}\right)x, *)$$

innerhalb derselben aber

$$p_1 = lJ\frac{3k_1}{2k_1 + k'}x,$$

so dass im Innern der Kugel die Magnetisirung überall die Richtung der Abscissenaxe hat. Dieselbe ist also vollkommen unabhängig von dem Werthe der Widerstandscoefficienten in der y- und z-Richtung, welche ohne Störung der Vertheilung des Magnetismus anstatt k_1 die Werthe k_2 und k_3 haben können. Wir können daher die durch jede der drei Componenten der gesammten Feldintensität J hervorgebrachte Magnetisirung so berechnen, als ob die Kugel homogen wäre; nur muss für jede der drei Componenten der Feldintensität dem k ein anderer Werth ertheilt werden. Wir finden auf diese Weise für äussere Punkte:

$$p' = J\left\{lx + my + nz + \left(\frac{k_1 - k'}{2k_1 + k'}lx + \right.\right.$$

$$\left.\left. + \frac{k_2 + k'}{2k_2 + k'}my + \frac{k_3 - k'}{2k_3 + k'}nz\right)\frac{a^3}{r^3}\right\},$$

und für innere Punkte

$$p' = J\left(\frac{3k_1}{2k_1 + k'}lx + \frac{3k_2}{2k_2 + k'}my + \frac{3k_3}{2k_3 + k'}nz\right).$$

Der äussere Effect ist derselbe, als ob im Coordinatenursprunge drei sehr kurze Magnete angebracht wären, deren magnetische Axen die Richtung der Coordinatenaxen haben und deren magnetische Momente gleich:

$$\frac{k_1 - k'}{2k_1 + k'}lJa^3,\ \frac{k_2 - k'}{2k_2 + k'}mJa^3,\ \frac{k_3 - k'}{2k_3 + k'}nJa^3$$

sind. Das magnetische Moment, welches die Kugel um die x-Axe zu drehen sucht, wird gefunden, indem man die Momente sucht, mit welchen die drei Componenten der gesammten Feldstärke J die drei äquivalenten Magnete zu drehen suchen.

*) [Definirt man das Potential, wie in Anm. 50, so wirkt lJ auf den Nordpol in der negativen Abscissenrichtung.]

Das Kräftemoment, welches die y-Componente von J auf den dritten Magnet ausübt, ist:

$$\frac{k_3 - k'}{2k_3 + k'} mnJ^2 a^3,$$

und das der z-Componente auf den zweiten Magnet ist;

$$-\frac{k_2 - k'}{2k_2 + k'} mnJ^2 a^3.$$

Das gesammte Kräftemoment also, welches die Kugel um die x-Axe von der positiven y- gegen die positive z-Axe zu drehen sucht, ist die Summe dieser beiden Grössen, also gleich

$$\frac{3k'(k_3 - k_2)}{(2k_3 + k')(2k_2 + k')} mnJ^2 a^3.$$

Wenn die Kugel so aufgehängt ist, dass die x-Axe vertikal ist, wenn ferner J horizontal ist und mit der positiven y-Richtung den Winkel ϑ [gegen die negative z-Richtung hin gezählt] bildet, so ist $m = \cos\vartheta$, $n = -\sin\vartheta$, und das Drehungsmoment, welches die Kugel sammt den Coordinatenaxen so zu drehen sucht, dass der Winkel ϑ zunimmt, wird gleich:

$$\frac{3}{2} \frac{k'(k_2 - k_3)}{(2k_2 + k')(2k_3 + k')} I^2 a^3 \sin 2\vartheta.$$

Die Axe des kleinsten Widerstandes [der grössten Magnetisirungszahl] stellt sich daher auf kürzestem Wege axial, gleichgültig, welches Ende der Nordrichtung näher sein mag. Da in allen Körpern mit Ausnahme des Eisens [Kobalts und Nickels], die Werthe von k nahezu dieselben als im Vacuum sind, so wird der Coefficient in dem letzten Ausdrucke nur sehr wenig verändert, wenn man daselbst alle Werthe von k untereinander gleichsetzt mit Ausnahme der in der Differenz $k_2 - k_3$ erscheinenden. Dadurch erhält man unabhängig von dem äussern Medium den Werth:

$$\frac{1}{6} \frac{k_2 - k_3}{k} J^2 a^3 \sin 2\vartheta. \text{*)}$$

*) Wenn wir den allgemeinen Fall der magnetischen Induction, welcher in Artikel 28 behandelt wurde, betrachten, so geht in dem Ausdruck für das Moment der magnetischen Kräfte ausser den Gliedern, welche die Sinus und Cosinus von ϑ enthalten, noch ein

G. Permanenter Magnetismus in einer Kugelschale.

Der Fall einer homogenen Kugelschale aus einer diamagnetischen oder paramagnetischen Substanz bereitet keinerlei Schwierigkeit. Die Intensität innerhalb der Schale ist geringer, als sie ohne Anwesenheit der Schale wäre, sowohl wenn die Substanz der Schale paramagnetisch, als auch wenn sie diamagnetisch ist. Sowohl wenn der Widerstand innerhalb der Kugelschale unendlich gross, als auch wenn er Null ist, wird die Intensität innerhalb derselben gleich Null.[54)]

Wenn der Widerstand in der Substanz der Kugelschale Null ist, so kann die gesammte Wirkung der Schale auf irgend einen innern oder äussern Punkt gefunden werden, wenn man sich die Kugelfläche mit magnetischer Materie belegt denkt, deren Flächendichte durch die Gleichung gegeben ist

$$\varrho = 3\,J \cos\vartheta\,.$$ [55)]

Wenn nun die Kugelschale in einen permanenten Magnet verwandelt wird, so dass die Vertheilung des Magnetismus auf derselben unveränderlich wird, so ist das äussere Potential dieser Vertheilung

$$p' = -\,J\,\frac{a^3}{r^2}\cos\vartheta\,,$$

das innere aber

$$p_1 = -\,Jr\cos\vartheta\,.$$

Wir wollen jetzt den Effect untersuchen, welcher entstünde, wenn man das Innere der Kugelschale mit irgend einer Substanz von dem Widerstandscoefficienten k erfüllen würde, während der Widerstandscoefficient des äusseren Mediums k' sei. Die Dicke der magnetisirten Kugelschale soll vernachlässigt werden. Das magnetische Moment des permanenten Magnetismus ist Ja^3 und das der durch das Medium

---

von T abhängiges Glied ein. Dieses bewirkt, dass durch jede vollständige Umdrehung um die Axe von T in der negativen Richtung eine gewisse positive Arbeit gewonnen wird. Da aber keine unerschöpfliche Arbeitsquelle in der Natur existiren kann, so müssen wir annehmen, dass bezüglich der magnetischen Wirkungen in allen Substanzen T gleich Null ist. Dieses Argument ist im Falle der elektrischen Leitung oder in dem eines Körpers, durch welchen Wärme oder Elektricität strömt, nicht stichhaltig, da solche Zustände nur durch fortwährenden Arbeitsaufwand unterhalten werden können. Siehe Prof. *Thomson*, Phil. Mag. March 1851. p. 186. (Vgl. Citat S. 75.)

bewirkten Oberflächenbelegung sei Aa^3. Dann ist das äussere, resp. innere Potential $p' = -(J + A)\frac{a^3}{r^2}\cos\vartheta$, respective $p_1 = -(J + A) r \cos\vartheta$. Die Vertheilung des wahren Magnetismus ist vor und nach der Einführung des Mediums mit dem Widerstandscoefficienten k dieselbe, so dass man hat:

$$\frac{1}{k'}J + \frac{2}{k'}J = \frac{1}{k}(J + A) + \frac{2}{k'}(J + A)$$

oder

$$A = \frac{k - k'}{2k + k'}J. \quad 56)$$

Der äussere Effect der magnetisirten Kugelschale wird vermehrt oder vermindert, je nachdem k grösser oder kleiner als k' ist. Er wird also vermehrt, wenn man die Kugel mit einer diamagnetischen Substanz, vermindert, wenn man sie mit einer paramagnetischen Substanz, wie Eisen erfüllt.

H. Elektromagnetische Wirkung einer Kugelschale.

Als Beispiel der magnetischen Wirkungen elektrischer Ströme wollen wir einen Elektromagnet behandeln, dessen Bewicklung den Raum innerhalb einer dünnen Kugelschale erfüllt. Der Radius derselben sei a, seine Dicke t und die Wirkung des Elektromagnets nach aussen sei gleich der eines Magnetes vom magnetischen Momente Ja^3. Sowohl innerhalb als auch ausserhalb der Kugelschale werden die magnetischen Kräfte ein Potential haben, nicht aber innerhalb der Substanz der Kugelschale, wo elektrische Ströme fliessen. Seien p' und p_1 das innere und äussere Potential, so ist wie früher

$$p' = J\frac{a^3}{r^2}\cos\vartheta, \quad p_1 = Ar\cos\vartheta.$$

Da kein permanenter Magnetismus vorhanden ist, so muss $\frac{dp'}{dr} = \frac{dp_1}{dr}$, für $r = a$ sein, woraus folgt:

$$A = -2J.$$

Wenn wir irgend eine geschlossene Curve zeichnen, welche die Kugelschale im Aequator und in einem zweiten Punkte schneidet, für welchen ϑ bekannt ist, so ist die gesammte magnetische Intensität längs dieser Curve gleich $3 Ja \cos \vartheta$,[57]) und da dies das Maass des gesammten elektrischen Stromes ist, welcher durch die Curve fliesst, so ergiebt sich die Quantität des elektrischen Stromes in irgend einem Punkte durch Differentiation. Die Quantität, welche durch das Flächenelement $a t d\vartheta$ fliesst, ist also: $-3 Ja \sin \vartheta d\vartheta$, so dass die Quantität des Stromes, bezogen auf die Flächeneinheit, gleich:

$$j = -\frac{3J}{t} \sin \vartheta$$

ist.

Wenn die Kugelschale durch einen Draht gebildet wird, welcher rund um die betreffende Kugel so gewickelt ist, dass die auf die Längeneinheit entfallende Windungszahl dem Sinus von ϑ proportional ist, so wird die Wirkung angenähert dieselbe sein, als ob die Kugel von einer gleichförmig leitenden Substanz gebildet wäre und die Ströme nach dem soeben angegebenen Gesetze vertheilt würden.

Wenn ein Draht, welcher einen Strom von der Intensität I_2 leitet, auf eine Kugel vom Radius a so aufgewickelt wird, dass die Distanz zwischen den Projectionen zweier benachbarter Windungen auf die Abscissenaxe gleich $\frac{2a}{n}$ ist, so ist die Wirkung dieselbe, als ob n Windungslagen vorhanden wären, und der Werth von J für den resultirenden Elektromagnet ist:

$$J = \frac{n}{6a} J_2.$$

Das innere und äussere Potential ist

$$p' = J_2 \frac{n}{6} \frac{a^2}{r^2} \cos \vartheta, \text{ resp. } p_1 = -2 J_2 \frac{n}{6} \frac{r}{a} \cos \vartheta.$$

Das Innere der Kugel ist daher ein homogenes Magnetfeld [für welches $\frac{dp_1}{dx} = -\frac{nJ_2}{3a}$ ist].

I. Wirkung des Eisenkerns des Elektromagnets.

Setzen wir nun voraus, dass das Innere der eben betrachteten mit Strom führendem Draht umwundenen Kugel mit diamagnetischer oder paramagnetischer Materie vom Widerstandscoefficienten k erfüllt werde, während derselbe aussen gleich k' sei. Das Resultat kann nach den im soeben betrachteten Falle angewandten Methoden gefunden werden. Man erhält für die Potentiale:

$$p' = J_2 \frac{n}{6} \frac{3k'}{2k + k'} \frac{a^2}{r^2} \cos \vartheta$$

$$p_1 = -2J_2 \frac{n}{6} \frac{3k}{2k + k'} \frac{r}{a} \cos \vartheta . \text{ [58]}$$

Die Wirkung nach aussen ist grösser oder kleiner als im vorigen Falle, je nachdem k' grösser oder kleiner als k ist, d. h. je nachdem das innere Medium paramagnetisch oder diamagnetisch bezüglich des äusseren ist. Die Wirkung auf einen innern Punkt ändert sich im entgegengesetzten Sinne, so dass sie für ein diamagnetisches Medium am grössten ist.

Diese Untersuchung erklärt die Wirkung des Eisenkerns in einem Elektromagnet. Wenn k im Eisenkern mathematisch unendlich klein wäre, so wäre die Wirkung des Elektromagnets mit Eisenkern dreimal so gross, als die ohne Eisenkern. Da aber k immer einen endlichen Werth hat, so kann die Wirkung des Eisenkerns diesen Betrag niemals vollständig erreichen.

Im Innern des Elektromagnets haben wir ein homogenes magnetisches Feld, dessen Intensität vermehrt würde, wenn wir die Windungsfläche aussen mit einer Schale von Eisen umhüllen würden. Wenn k' gleich Null und jene Schale unendlich dick wäre, so würde die Wirkung auf die innern Punkte verdreifacht.

Noch grösser ist die Wirkung des Eisenkerns im Fall eines cylindrischen Magnets und am grössten, wenn der Kern aus einem Ringe von weichem Eisen besteht.

K. Elektrotonische Functionen in einem kugelförmigen Elektromagnet.

Wir wollen nun die elektrotonischen Functionen für den Fall eines kugelförmigen Elektromagnets aufsuchen.

Dieselben werden jedenfalls die Form haben:

$$\alpha_0 = 0, \ \beta_0 = \omega z, \ \gamma_0 = -\omega y,$$

wobei ω eine Function von r ist. Wo keine elektrischen Ströme vorhanden sind, müssen die drei Grössen a_2, b_2, c_2

sämmtlich verschwinden, woraus man leicht die Gleichung ableitet:

$$\frac{d}{dr}\left(3\omega + r\frac{d\omega}{dr}\right) = 0, \quad 59)$$

welche liefert:

$$\omega = C_1 + \frac{C_2}{r^3}.$$

Innerhalb der Kugel kann ω nicht unendlich werden, daselbst gilt also die Lösung:

$$\omega = C_1,$$

wogegen ausserhalb a in unendlicher Entfernung verschwinden muss, so dass man ausserhalb hat

$$\omega = \frac{C_2}{r^3}.$$

Wir fanden im letzten Artikel für die magnetische Quantität innerhalb der Kugel den Werth:

$$-2J_2\frac{n}{6a}\frac{3}{2k+k'} = a_1 = \frac{d\beta_0}{dz} - \frac{d\gamma_0}{dy} = 2C_1,$$

daher ist daselbst:

$$\omega_0 = -\frac{J_2 n}{2a}\frac{1}{2k+k'},$$

ausserhalb der Kugel muss ω so bestimmt werden, dass der Werth an der Oberfläche mit dem für das Innere geltenden Werthe zusammenfällt. Daher ist ausserhalb der Kugel:

$$\omega = -\frac{J_2 n}{2a}\frac{1}{2k+k'}\frac{a^3}{r^3}.$$

Dabei ist vorausgesetzt, dass die Kugelschale n Drahtwindungen enthält, welche einen Strom von der Stärke J_2 leiten. Wenn noch ein zweiter Draht in n' Windungen nach demselben Gesetze um die Kugel gewunden wird, so ist die gesammte elektrotonische Intensität EJ_2 längs der zweiten Windungslage gleich dem über die ganze Länge des Drahtes erstreckten Integrale. Es ist also:

$$EJ_2 = \int_0^{2\pi} \omega a \sin\vartheta \, ds.$$

Die Gleichung [der Mittellinie] des [Secundär-]Drahtes ist:

$$\cos\vartheta = \frac{\varphi}{n'\pi},$$

wo n' eine grosse Zahl ist. Daraus folgt für das Längenelement des Drahtes

$$ds = a\sin\vartheta\, d\varphi$$
$$= -\,an'\pi\sin^2\vartheta\, d\vartheta,\ ^{60)}$$

woraus sich ergiebt:

$$EJ_2 = \frac{4\pi}{3}\,\omega a^2 n' = -\,\frac{2\pi}{3}\,ann'J_2\,\frac{1}{2k+k'}$$

E soll der elektrotonische Coefficient des betreffenden Drahtes heissen.

L. Inductionsapparat, dessen primäre und secundäre Spule auf ein und dieselbe Kugelfläche aufgewunden sind.

Wir haben nun die elektrotonische Function gefunden, welche die Wirkung der einen Windungslage auf die andere bestimmt. Die Wirkung jeder Windungslage auf sich selbst wird gefunden, indem man n^2 oder n'^2 an Stelle von nn' setzt. Es sei nun die erste Windungslage mit einer Vorrichtung verbunden, welche darin eine veränderliche elektromotorische Kraft F erzeugt. Wir wollen die Wirkung auf beide Windungslagen untersuchen, und bezeichnen dabei mit J und J' die Quantitäten [Gesammtintensitäten] der Ströme, welche in der einen und andern Windungslage fliessen, mit R und R' die gesammten Widerstände, welche jeder dieser Ströme zu überwinden hat.

Schreiben wir noch N an Stelle von

$$\frac{2\pi}{3}\,\frac{a}{(2k+k')},$$

so ist die elektromotorische Kraft des ersten Drahtes auf den zweiten

$$-\,Nnn'\frac{dJ}{dt},$$

die des zweiten auf sich selbst

$$- N n'^2 \frac{dJ'}{dt}.$$

Für den zweiten Draht erhalten wir daher die Gleichung:

$$1) \quad - N n n' \frac{dJ}{dt} - N n'^2 \frac{dJ'}{dt} = R'J' \ldots$$

Ebenso findet man für den ersten Draht:

$$2) \quad - N n^2 \frac{dJ}{dt} - N n n' \frac{dJ'}{dt} + F = RJ \ldots$$

Wenn wir die Differentialquotienten eliminiren, erhalten wir:

$$\frac{R}{n} J - \frac{R'}{n'} J' = \frac{F}{n},$$

weiter folgt:

$$3) \quad N\left(\frac{n^2}{R} + \frac{n'^2}{R'}\right) \frac{dJ}{dt} + J = \frac{F}{R} + \frac{N}{R} \frac{n'^2}{R'} \frac{dF}{dt},$$

woraus J und J' gefunden werden können, wenn F als Function von t gegeben ist.

Betrachten wir zunächst den Fall, wo F constant und zu Anfang der Zeit $J = J' = 0$ ist. Dies tritt bei einem Inductionsapparate in dem Momente ein, wo der Primärstrom geschlossen wird.

Schreiben wir $\frac{1}{2}\tau$ für $N\left(\frac{n^2}{R} + \frac{n'^2}{R'}\right)$, so ergiebt sich:

$$J = \frac{F}{R}\left(1 - \varepsilon^{-\frac{2t}{\tau}}\right)$$

$$J' = - \frac{Fn'}{R'n} \varepsilon^{-\frac{2t}{\tau}}.$$

[ε ist die Basis der natürlichen Logarithmen.]

Der Primärstrom wächst rapid von Null bis zur Intensität $\frac{F}{R}$, der secundäre beginnt mit der Intensität $- \frac{F}{R'} \frac{n'}{n}$ und verschwindet rasch, da τ meist sehr klein ist.

Die gesammte Arbeit, welche der erstere Strom, sei es durch Erwärmung des Stromkreises oder in irgend welcher anderen Weise leistet, ist durch das Integral gegeben:

$$\int_0^\infty J^2 R\,dt.$$

Die gesammte Quantität des Stromes ist:

$$\int_0^\infty J\,dt.$$

Für den secundären Strom sind dieselben Grössen gleich:

$$\int_0^\infty J'^2 R'\,dt = \frac{F^2 n'^2 \tau}{4 R' n^2}$$

$$\int_0^\infty J'\,dt = \frac{F n' \tau}{2 R' n}.$$

Die geleistete Arbeit und die Quantität des Stromes sind also dieselben, als ob ein Strom von der Quantität $J' = \dfrac{F n'}{2 R' n}$ durch eine Zeit τ den Draht mit unveränderlicher Intensität durchflossen hätte, wobei

$$\tau = 2N\left(\frac{n^2}{R} + \frac{n'^2}{R}\right).$$

Diese Methode, einen Inductionsstrom durch einen constanten Strom von sehr kurzer Dauer zu ersetzen, stammt von *Weber*, nach dessen experimentellen Methoden der äquivalente Strom ausserordentlich genau bestimmt werden kann. Nun soll die elektromotorische Kraft F plötzlich verschwinden, während der primäre Strom [im Momente ihres Verschwindens, $t = 0$] die Intensität J_0, der secundäre aber die Intensität Null hat. Dann haben wir für posite t

$$J = J_0\,\varepsilon^{-\frac{2t}{\tau}},\quad J' = \frac{J_0}{R'}\frac{R n'}{n}\,\varepsilon^{-\frac{2t}{\tau}}.$$

Die äquivalenten Ströme sind $\frac{1}{2} J_0$ und $\frac{1}{2} J_0 \frac{R}{R'} \frac{n'}{n}$; ihre Dauer ist τ.

Der wirkliche Vorgang bei Unterbrechung der Verbindung mit der Stromquelle wird durch die Annahme eines raschen Anwachsens von R genauer dargestellt, als durch die eines momentanen Verschwindens von F. Von dem Gesetze dieses Anwachsens ist der Werth von τ abhängig, so dass, wenn R sehr rasch wächst, die Intensität des Inductionsstromes wächst, seine Dauer aber abnimmt. Dies wird bei den gewöhnlichen Inductionsmaschinen angestrebt. Die Grösse N hängt von der Construction des Inductionsapparates ab und kann jedesmal experimentell bestimmt werden.[61])

M. Eine leitende Kugelschale rotirt in einem Magnetfelde.

Betrachten wir schliesslich den Fall einer leitenden Kugelschale, welche in einem homogenen Magnetfelde rotirt. Die hierbei auftretenden Erscheinungen sind von *Faraday* in der zweiten Serie seiner Experimentaluntersuchungen beobachtet worden, und es wird dort auch auf frühere einschlägige Experimente hingewiesen.

Die Drehungsaxe sei die z-Axe, die Winkelgeschwindigkeit sei ω. Die Feldstärke sei J, die Richtung der magnetischen Kraft liege in dem von den positiven Coordinatenrichtungen gebildeten Quadranten der xz-Ebene unter dem Winkel ϑ gegen die z-Axe geneigt. R sei der Radius, T die Dicke der Kugelschale.

Es seien $\alpha_0, \beta_0, \gamma_0$ die elektrotonischen Functionen im Punkte x, y, z des Raumes; $a_1, b_1, c_1, \alpha_1, \beta_1, \gamma_1$ die Componenten der magnetischen Quantität und Intensität; $a_2, b_2, c_2, \alpha_2, \beta_2, \gamma_2$ die der elektrischen Quantität und Intensität [k der specifische Widerstand], endlich p_2 die elektrische Spannung. Dann ist:

$$\left.\begin{aligned} \alpha_2 &= \frac{dp_2}{dx} + k a_2 \\ \beta_2 &= \frac{dp_2}{dy} + k b_2 \\ \gamma_2 &= \frac{dp_2}{dz} + k c_2 \end{aligned}\right\} \ldots\ldots\ldots 1)$$ [62])

$$\frac{da_2}{dx} + \frac{db_2}{dy} + \frac{dc_2}{dz} = 0 \ldots\ldots 2)$$

$$\frac{d\alpha_2}{dx} + \frac{d\beta_2}{dy} + \frac{d\gamma_2}{dz} = \nabla^2 p_2.$$

Die von dem Magnetismus des Feldes herrührenden Werthe von $\alpha_0, \beta_0, \gamma_0$ sind:

$$\alpha_0 = A_0 + \frac{J}{2} y \cos\vartheta,$$

$$\beta_0 = B_0 + \frac{J}{2}(z \sin\vartheta - x\cos\vartheta)$$

$$\gamma_0 = C_0 - \frac{J}{2}\, y \sin\vartheta. \qquad 63)$$

A_0, B_0, C_0 sind Constanten. Die Geschwindigkeiten eines Punktes der rotirenden Kugel sind:

$$\frac{dx}{dt} = -\omega y, \quad \frac{dy}{dt} = \omega x, \quad \frac{dz}{dt} = 0.$$

Wir erhalten demnach für die elektromotorischen Kräfte [nach der letzten in Theorem VII entwickelten Formel]:

$$\alpha_2 = -\frac{1}{4\pi}\frac{d\alpha_0}{dt} = -\frac{\omega x J}{8\pi}\cos\vartheta$$

$$\beta_2 = -\frac{1}{4\pi}\frac{d\beta_0}{dt} = -\frac{\omega y J}{8\pi}\cos\vartheta$$

$$\gamma_2 = -\frac{1}{4\pi}\frac{d\gamma_0}{dt} = \frac{\omega x J}{8\pi}\sin\vartheta.$$

Mit Berücksichtigung der Gleichungen 1) erhalten wir:

$$k\left(\frac{db_2}{dz} - \frac{dc_2}{dy}\right) = \frac{d\beta_2}{dz} - \frac{d\gamma_2}{dy} = 0$$

$$k\left(\frac{dc_2}{dx} - \frac{da_2}{dz}\right) = \frac{d\gamma_2}{dx} - \frac{d\alpha_2}{dz} = \frac{J\omega}{8\pi}\sin\vartheta$$

$$k\left(\frac{da_2}{dy} - \frac{db_2}{dx}\right) = \frac{d\alpha_2}{dy} - \frac{d\beta_2}{dx} = 0.$$

Daraus folgt weiter unter Zuziehung der Gleichungen 2: 64)

$$a_2 = -\frac{J\omega z}{16\pi k}\sin\vartheta$$

$$b_2 = 0$$

$$c_2 = \frac{J\omega x}{16\pi k}\sin\vartheta$$

$$p_2 = \frac{J\omega}{16\pi}\left[xz\sin\vartheta - (x^2 + y^2)\cos\vartheta\right].$$

Diese Ausdrücke würden die Bewegung der Elektricität in einer rotirenden Kugel vollständig bestimmen, wenn wir die Wirkung der in der Kugel fliessenden Ströme auf sich selbst vernachlässigen. Sie stellen ein System von Strömen dar, welche in Kreisen fliessen, deren Ebene senkrecht zur y-Axe ist; die Quantität des Stromes in irgend einem Punkt ist der Distanz von dieser Axe proportional. Der äussere magnetische Effect ist der eines kleinen Magnets vom magnetischen Momente

$$\frac{TR^4}{48\pi k}\,\omega J \sin\vartheta, \quad 65)$$

dessen magnetische Axe die Richtung der y-Axe hat, so dass der Magnetismus des Feldes ihn in die Richtung der Abscissenaxe zurückzudrehen suchen würde.*)

Die Existenz dieser Ströme wird aber die Vertheilung der elektrotonischen Functionen verändern, so dass die Ströme auf sich selbst zurückwirken. Wir wollen annehmen, dass das schliessliche Resultat dieser Rückwirkung ein System von Strömen sei, deren Ebene senkrecht auf einer Axe stehe, welche in der xy-Ebene liegt und mit der Abscissenaxe den Winkel φ bildet. Diese Ströme sollen einen äussern Effect hervorbringen, welcher dem eines Magnets vom Momente $J'R^3$ gleichkommt.

Die magnetischen inducirenden Componenten nach den drei Coordinatenrichtungen sind im Innern der Kugelschale:

$$\begin{aligned} &J \sin\vartheta - 2J' \cos\varphi \\ &\qquad\qquad - 2J' \sin\varphi \\ &J \cos\vartheta. \quad 66) \end{aligned}$$

Jede dieser drei Componenten würde ihr eigenes System von Strömen in der rotirenden Kugel erzeugen und diese würden neue Vertheilungen von Magnetismus hervorrufen, welche, sobald die Geschwindigkeit gleichförmig ist, mit der ursprünglichen Vertheilung identisch sein müssen. Es ruft hervor: die Componente

$$J \sin\vartheta - 2J' \cos\varphi \text{ in der } x\text{-Richtung},$$

*) Der Ausdruck für p_2 zeigt eine veränderliche elektrische Spannung in der Kugelschale an, so dass durch einen Draht, welcher sie am Aequator und an einem Pole berührt, elektrische Ströme fliessen würden.

die magnetische Kraft

$$2\,\frac{TR}{48\pi k}\,\omega\,(J\sin\vartheta - 2J'\cos\varphi) \text{ in der } y\text{-Richtung},$$

die Componente

$$(-2J'\sin\varphi) \text{ in der } y\text{-Richtung},$$

die magnetische Kraft

$$2\,\frac{TR}{48\pi k}\,\omega\,(2J'\sin\varphi) \text{ in der } x\text{-Richtung},$$

wogegen die Componente $J\cos\vartheta$ in der z-Richtung keine Ströme inducirt. Wir müssen daher, da der Zustand in der Kugelschale sich fortwährend gleich bleiben muss, die folgenden Gleichungen haben:

$$J_1\sin\vartheta - 2J'\cos\varphi = J\sin\vartheta + \frac{TR}{24\pi k}\,\omega\, 2J'\sin\varphi$$

$$-2J'\sin\varphi = \frac{TR}{24\pi k}\,\omega\,(J\sin\vartheta - 2J'\cos\varphi),$$

woraus folgt:

$$\operatorname{cotg}\varphi = -\frac{TR}{24\pi k}\,\omega,$$

$$J' = \frac{1}{2}\,\frac{\frac{TR}{24\pi k}\,\omega}{\left(\sqrt{1+\left(\frac{TR}{24\pi k}\,\omega\right)^2}\right)}\,J\sin\vartheta.$$

Um die Bedeutung dieser Ausdrücke zu verstehen, wollen wir einen speciellen Fall betrachten. Die Drehungsaxe der rotirenden Kugelschale sei vertical [sie befinde sich irgendwo in Europa oder an einem andern Orte der nördlichen Hemisphäre] und die Umdrehung geschehe von Nord nach West.[67] J sei die Totalintensität des Erdmagnetismus, ϑ sei die Inclination, so dass $J\cos\vartheta$ die Horizontalcomponente des Erdmagnetismus ist. Die Richtung derselben ist die magnetische Nordrichtung. Das Resultat der Rotation ist die Erzeugung von Strömen in der Kugelschale, deren Ebenen senkrecht auf einer Axe stehen, welche den kleinen Winkel

$$\operatorname{arc\,tang}\frac{TR}{24\pi k}\,\omega$$

mit der Westrichtung gegen Süden hin bildet. Der äussere Effect dieser Ströme ist derselbe, wie der eines Magnets vom magnetischen Momente

$$\frac{1}{2}\,\frac{T\omega R^4 J\cos\vartheta}{\sqrt{(24\pi k)^2+T^2R^2\omega^2}}.$$

Das Moment des Kräftepaares, mit welchem der Erdmagnetismus der Rotation entgegenwirkt, ist:

$$\frac{24\pi k}{2}\,\frac{T\omega R^4 J^2\cos^2\vartheta}{(24\pi k)^2+T^2R^2\omega^2}.$$

Die auf Ueberwindung der von diesem Kräftepaare herrührenden Gegenkraft in der Zeiteinheit verbrauchte Arbeit ist:

$$\frac{24\pi k}{2}\,\frac{T\omega^2 R^4 J^2\cos^2\vartheta}{(24\pi k)^2+T^2R^2\omega^2}.$$

Diese aufgewandte Arbeit kommt in der Substanz der Kugelschale in Form von Wärme zum Vorschein, wie neuerdings *Foucault* experimentell nachgewiesen hat. (Siehe Comptes Rendus XLI p. 450. 1855.)

Anmerkungen.

Mit 2 Textfiguren.

Die Bemerkungen in meiner Grazer Rectorsrede über den Stil *Maxwell's*, die gewiss keinen Zweifel über meine Werthschätzung des rein Sprachlichen aufkommen lassen, kamen mir bei vorliegender Uebersetzung sofort wieder in den Sinn. Wer ginge leichten Herzens an die Uebersetzung von *Maxwell's* origineller, für den Kenner so interessanter, aber für den Anfänger so schwieriger Sprache, dass sie einerseits als unerreichtes Muster knapper und scharfsinniger Darstellung gepriesen, andererseits als zu schwer verständlich getadelt wurde?

Es giebt 3 Methoden der Uebersetzung: 1. man übersetzt wortgetreu; dann ist jede Fälschung oder Modification des Originals ausgeschlossen; aber die Uebersetzung wird nothwendig undeutsch. 2. Man liest das Original und sucht dann möglichst dieselben Gedanken mit eigenen Worten wiederzugeben. Dann tritt an Stelle des Originals nothwendig etwas anderes, aber, wenn der Uebersetzer die Fähigkeit besitzt, wieder etwas wirklich Gutes. 3. Man hält sich soweit ans Original, dass die Abweichungen unwesentlich scheinen und die Uebersetzung correct deutsch klingt, also dem Leser gut zu sein scheint. Diese dritte Methode passt allein für das Publicum und wurde daher auch hier eingeschlagen.

Nicht geringe Schwierigkeit bot die Uebersetzung der Terminologie. *Maxwell* schliesst sich hier ganz der *Faraday*schen Terminologie an, welche heute nicht mehr üblich ist, und von *Maxwell* selbst in seinen spätern Schriften vielfach verlassen wurde. Trotzdem suchte ich dieselbe möglichst beizubehalten, da manche Ideen der Abhandlung unzertrennlich damit verknüpft sind, wie der Parallelismus zwischen Elektricität und Magnetismus mit den Bezeichnungen Quantität und Intensität des elektrischen Stromes und des Magnetismus.

Obwohl wir heute unter Stromintensität etc. etwas ganz anderes verstehen, so konnten diese Bezeichnungen nicht aufgegeben werden, ohne das Verständniss der Ideen *Maxwell's* zu erschweren. Ich habe da, so oft es anging, die heute üblichen Bezeichnungen in eckigen Klammern beigefügt und, wo es erforderlich schien, in den Anmerkungen weitere Aufklärung gegeben. Meine Uebersetzungen der rein englischen Termini technici wie »Stromröhren«, »Einheitsröhren«, »Einheitszellen«, »mitgetheilte« und »wirksame« Kraft für impressed und effective force, »Vernichtungsstelle« für sink etc. wird man hoffentlich nicht ganz unglücklich gewählt finden. Nur wenige neue Bezeichnungen, welche mir das Verständniss entschieden zu fördern schienen, erlaubte ich mir einzuführen, so Quelle (die positiv und negativ sein kann) neben der (notwendig positiven) Entstehungsstelle (beides für source, Artikel 7), ferner Quelle von der Intensität S (Artikel 7 und 18). Ferner bezeichnet *Maxwell* anfangs (Artikel 18, 21, 26, 27, 28, 29 etc.) die Grösse k als den Widerstand, oft aber (in Artikel 22, in Beispiel B, F etc.) als Widerstandscoefficienten, während er in Artikel 31 letzteren Namen einer ganz anderen Grösse R beilegt. Diese Verwendung desselben Wortes in verschiedenem Sinne dürfte dem Leser kaum bequem sein. Ich habe daher schon von Anfang an (Artikel 10) die Grösse k als den Widerstandscoefficienten, R aber als den »Totalwiderstandscoefficienten« bezeichnet.

Die Eintheilung der *Maxwell*'schen Abhandlung ist zwar für den Leser ganz bequem, doch befremdet es, plötzlich einen II. Theil ohne vorhergegangenen I. zu finden. Ich habe daher das dem II. Theil Vorhergehende als I. Theil bezeichnet und mit einem so entsprechend wie möglich gewählten Titel versehen. Die Beispiele, welche nicht gut zum II. Theile allein gerechnet werden können, da sie sich auch auf das im I. Theile Behandelte beziehen, habe ich als III. Theil angefügt. Die Unterabtheilungen der 3 Theile bezeichnet *Maxwell* anfangs wieder mit I, II, III etc., welche Bezeichnung dann aufgelassen wird. Diese Unterabtheilungen habe ich der Unterscheidung wegen consequent mit A, B, C . . . bezeichnet und ihre Titel auch als Columnentitel verwendet, während das Original überall den Columnentitel »on Faradays lines of force« hat. Die Bezeichnung der »Artikel« (S. 9—29) mit arabischen, sowie der »Theoreme« (S. 55—62) mit römischen Ziffern beliess ich wie im Originale.

Auch die Citate habe ich vervollständigt und berichtigt.

War ich mir daher auch der Schwierigkeiten klar bewusst, so glaubte ich doch die an mich ergangene Aufforderung, gerade diese Abhandlung *Maxwell*'s zu übersetzen, nicht zurückweisen zu sollen. Hat man die Wichtigkeit der historischen Reihenfolge beim Studium einer Wissenschaft überhaupt oft betont, so gilt dasselbe wohl auch beim Studium der Werke eines einzelnen Forschers. Sicher bei *Maxwell*. Dieser wäre nicht so oft missverstanden worden, wenn man das Studium nicht mit dem treatise begonnen hätte, während die specifisch *Maxwell*'sche Methode in dessen früheren Abhandlungen viel klarer hervortritt. Wahrscheinlich weil diese anfangs wenig Verständniss fanden, auch weil er mehr für Studirende schreiben wollte, glaubte *Maxwell* später die alten Vorstellungen mit den seinigen mischen zu sollen, wodurch aber Leser, die mit dem treatise beginnen, gerade irre geführt werden.

Schon diese erste grössere Abhandlung *Maxwell*'s enthält bewunderungswürdig viel. Die Gleichungen zwischen magnetischer und elektrischer Quantität und Intensität blieben im Wesentlichen unverändert; nur die Einführung der dielektrischen Polarisation und der elektrischen Leitung neben einander, sowie der Inductionswirkung der zeitlichen Veränderung der ersteren und das Meiste über die Gleichungen für bewegte Körper kam später hinzu.

Ich kann zum Schlusse nur wünschen, dass beim Vergleiche dieser Uebersetzung mit dem Originale der innere Werth nicht allzusehr im Verhältnisse des äussern Formates stehen möge!

---

1) *Zu S. 3.* Die nun folgende Einleitung dieser ersten grösseren Arbeit *Maxwell*'s ist hochbedeutend. Sie zeigt, wie wenig derselbe durch einen blossen Zufall zu seinen späteren Entdeckungen gelangte; dass er vielmehr nach einem vorher wohl überlegten Plane vorging. Ein solcher mag wohl auch vielen anderen grossen Entdeckern vorgeschwebt haben, aber wenige waren sich desselben so klar bewusst und hatten die Aufrichtigkeit, ihn vorher so schlicht auseinander zu setzen. Man kannte auch am Continent die Wichtigkeit der von *Maxwell* besprochenen Uebergangsfälle, aber während man sie dort bloss zu unfruchtbaren Debatten über die verschiedenen elektrodynamischen Elementargesetze heranzog, hatte *Maxwell*

längst schon das einzig richtige gethan, nämlich eine völlig neue Theorie geschaffen.

Maxwell's Einleitung beweist ferner, dass er für die Erkenntnisstheorie ebenso bahnbrechend war, als für die theoretische Physik. Alle in den folgenden 40 Jahren von der Erkenntnisstheorie eingeschlagenen Bahnen sind in diesen wenigen Seiten bereits klar vorgezeichnet, ja selbst durch dieselben Gleichnisse veranschaulicht. Die späteren Erkenntnisstheoretiker gaben alles dies viel ausführlicher, aber auch meist einseitiger wieder und stellten die Regeln, wie die Theorie weiter zu entwickeln sei, erst nach geschehener Weiterentwicklung, nicht wie hier schon vorher auf.

2) *Zu S. 4.* Eine allerdings nur schwache Andeutung des Princips der Oeconomie. (Vgl. *Mach*, Almanach der Wiener Acad. der Wissensch. 1882.)

3) *Zu S. 4.* Was *Maxwell* hier und im Folgenden über die Methode der rein mathematischen Formel sagt, ist ganz der *Kirchhoff*'sche Standpunkt der reinen Beschreibung und der *Hertz*'sche der Voranstellung von Differentialgleichungen, deren Beweis dann in der Uebereinstimmung ihrer Folgerungen mit den Thatsachen liegt.

4) *Zu S. 4.* Genau so sagt *Mach* »Ueber das Princip der Vergleichung in der Physik« (Naturforscherverhandlungen 1894, p. 7 des Separatabdruckes): »Sie (die Stofftheorie der Wärme) hat die Nachfolger *Black*'s geblendet«.

5) *Zu S. 4.* Dieses Wort ist nachher Schlagwort geworden. Vgl. *Helmholtz*, Studien zur Statik monocyclischer Systeme (Berl. Ber. März, Dec. 1884), oder die soeben citirte Schrift *Mach*'s, auch des Uebersetzers »über die Methoden der theoretischen Physik«. Catalog der math. Ausstellung zu München 1892 und 93.

6) *Zu S. 4.* Der Standpunkt, dass die Messung der Raum- und Zeitgrössen durch Zahlen auf einer blossen Analogie derselben mit den zwischen ganzen Zahlen bestehenden Relationen beruhe, ist, soviel ich weiss, niemals wieder aufgenommen worden.

7) *Zu S. 5.* Genau so sagt *Hertz* (Untersuch. über die Ausbreitung der elektr. Kraft p. 31): »Die Strenge der Wissenschaft fordert, dass wir das bunte Gewand, welches wir der Theorie überwerfen, von der einfachen und schlichten Gestalt der Natur selbst unterscheiden«. Ueberhaupt ist die Klarheit, womit *Maxwell* schon damals zwischen der Thatsache der

periodischen Aenderung irgend eines transversal gerichteten Zustandes und der Hypothese einer schwingenden Bewegung unterschied, ein Beweis seiner Einsicht auf erkenntnisstheoretischem Gebiete.

8) *Zu S. 6.* Vergl. *Mach* l. c. p. 10, Uebersetzer l. c. pag. 7. Einige der wichtigsten Analogien wären etwa:

Gesetze der Wirbelbewegung in Flüssigkeiten und der Elektrodynamik, *Helmholtz*, Borchardts J. 55, S. 40, ges. Abh. I S. 117; *Kirchhoff*, Borch. J. 71, 1869, ges. Abh. S. 404; *Neumann*, sächs. Ges. Febr. 1892.

Gesetze der Gasreibung und der Elektrodynamik, *Helmholtz*, Borch. J. 72, S. 85, ges. Abh. I. S. 578.

Drehung eines festen Körpers und Biegung, *Kirchhoff*, Vorlesungen über Mechanik, 3. Aufl. S. 421.

Energie und Stoff, Magnetismus-, Elektricitätsmenge.

Schwingungen des Pendels mit Luftreibung, der Magnetnadel in einem Kupfergehäuse, der Elektricität in Condensatoren.

Brechung der Bahn einer ins Wasser geschossenen Flintenkugel, des Lichts, der elektrischen Kraftlinien.

Die zahllosen mechanischen Bilder der Elektricitätswirkung (*Hankel*, *Edlund*, *Bjerkness*, *Gordon*, *Fitzgerald*, Lord *Kelvin*, *Sommerfeld*, *Reiff*).

Bicykeln und Elektricitätsbewegung (*Maxwell*, treatise, II. S. 189).

Monocykeln und Wärme (*Helmholtz*, Berl. Ber. 6. 27. März und 10. Juli 1884, wissensch. Abh. III, S. 117, 163, 173).

Alle Arten von Wellen, elastische, elektrische und Lichtschwingungen.

Potentialtheorie, Elasticität, Hydrodynamik, Wasserstrom, Wärmestrom und elektr. Strom in Leitern (*Maxwell*, treat. II. S. 406), Diffusionsstrom.

Dielektricität, stationärer elektrischer Strom und magnetischer Fluss (*Rowland*, Amer. Journ. of math. III, S. 89, 1880).

Arbeitsleistung beim Sinken eines Gewichts, einer Elektricitätsmenge auf niederes Potential (*Mach*, Sitzungsb. d. Wien. Acad. II, Bd. 101 S. 1593), einer Wärme auf niedrigere Temperatur.

Actuelle und potentielle Energie in der Thermodynamik (*Oettingen*, die thermodyn. Bezieh. antithetisch entwickelt), Mém. de l'acad. (d. Pétersbourg [7] 32, Aug. 1885).

Die verschiedenen Minimumsätze (*Gibbs*, thermodyn. Studien, Ostw. Lehrbuch d. allg. Chemie II).

Viele dieser Analogien haben übrigens einen so einfachen mathematischen Grund, dass ihr Ueberraschendes für den mathematisch denkenden Leser verschwindet. So beruht eine ganze Reihe darauf, dass bei gewissen Phänomenen zunächst der erste, dann der zweite Differentialquotient der gesuchten Grösse nach der independent Variabeln in Frage kommt; wo die positive und negative Richtung gleichberechtigt sind, nur der zweite. Sind zudem noch mehrere Variabeln gleichberechtigt, so müssen die betreffenden zweiten Differentialquotienten gleichen Coefficienten haben; daher wird für 3 rechtwinkelige Coordinaten die Grösse $a^2 \nabla^2 u$ *) besonders oft entscheidend. Spielt die positive und negative Richtung eine verschiedene Rolle (z. B. bei der Zeit), so kann auch der erste Differentialquotient erscheinen. Alles dies darf uns so wenig wundern, wie die Thatsache, dass kleine Aenderungen des Druckes, Volumens, Brechungsexponenten etc. den dazu gehörigen Aenderungen der Temperatur, Elektrisirung etc. proportional sind.

9) *Zu S. 9.* Dieses Bestreben, keine über die nackten Thatsachen hinausgehende Hypothese zu machen, ist wieder ganz im Sinne der modernen Erkenntnisstheorie.

10) *Zu S. 10.* Eine zu einer bestimmten Zeit durch zwei Punkte A und B des Raumes gehende Stromlinie S giebt nämlich in A und B die daselbst zu dieser Zeit herrschende Strömungsrichtung. Das Flüssigkeitstheilchen F nun, welches zu dieser Zeit in A war, bewegt sich dort genau in der durch die Stromlinie angezeigten Richtung; allein in die Nähe von B kommt es zu einer viel spätern Zeit, wo die Stromlinien, wenn die Bewegung nicht stationär ist, bereits eine ganz andere Gestalt haben. Würde es also selbst zufällig nach B kommen, was im Allgemeinen nicht der Fall ist, so würde es sich keineswegs mehr in der Richtung der früheren Stromlinie S bewegen, da jetzt durch B im Allgemeinen eine ganz anders gerichtete Stromlinie ginge. Wenn die Bewegung nicht stationär ist, stimmt daher die Stromlinie nur während unendlich kurzer Zeit mit der Bahn des Flüssigkeitstheilchens überein.

11) *Zu S. 12.* Zu einer ganz ähnlichen Ansicht gelangte *Riemann*, offenbar vollkommen unabhängig von *Maxwell*.

---

*) ∇^2 bedeutet immer die Operation $\frac{d^2}{dx^2} + \frac{d^2}{dy^2} + \frac{d^2}{dz^2}$.

(*Riemann*, gesammelte Werke 2. Aufl. S. 529.) Man beachte den Unterschied zwischen der subjectiven Methode *Riemann*'s, der sogar die Geisterwelt mit ins Spiel zieht, und der rein objectiven *Maxwell*'s. Welche verdient da mehr die Bezeichnung philosophisch?

12) *Zu S. 14.* Bisher war das Bild ein rein geometrisches, d. h. die fingirte Flüssigkeit diente bloss zur Versinnlichung gewisser geometrischer Beziehungen. Nun entlehnt *Maxwell* die weiteren Züge des Bildes der analytischen Mechanik und zwar einem Grenzfalle derselben. Denn da es eine Mechanik massenloser Körper nicht giebt, so muss man sich zuvörderst vorstellen, die fingirte Flüssigkeit habe sehr kleine Dichte, während das im Nachfolgenden von *Maxwell* postulirte »Medium« sehr grosse Kräfte auf sie ausübt. Der Grenzfall, wo die Dichte unendlich klein, die Kraft unendlich wird, liefert das *Maxwell*'sche Bild. Das Bild kann nun natürlich nicht mehr geometrische Evidenz, sondern bloss die der Gesetze der Mechanik beanspruchen.

13) *Zu S. 15.* Das »Medium« ist im Raume ruhend zu denken, während die »Flüssigkeit« durch dasselbe, wie Wasser durch einen Schwamm hindurchdringt, wobei jedes Flüssigkeitstheilchen den besprochenen gegen das Product seiner Masse und Beschleunigung stets unendlichen Widerstand erfährt.

14) *Zu S. 15.* Da die Dichte der Flüssigkeit verschwindet, so ist zur Aenderung der Geschwindigkeit derselben keine Kraft erforderlich und die Resultirende aller auf ein Volumelement wirkenden Druckkräfte muss immer gleich den auf dasselbe Volumelement wirkenden äussern Kräften (hier dem vom Medium ausgehenden Widerstande) sein. Jede Geschwindigkeitscomponente der Flüssigkeit, welche einen durch Druckdifferenz nicht compensirten Widerstand des Mediums erzeugen würde, kommt sofort wegen der unendlich kleinen Dichte der Flüssigkeit zur Ruhe.

15) *Zu S. 16.* Dieser durch keine Druckdifferenz äquilibrirte Widerstand würde nach dem am Schlusse der vorigen Anmerkung Gesagten sofort die Geschwindigkeitscomponente, welche zur Fläche gleichen Drucks tangential gerichtet ist, zum Stillstande bringen.

16) *Zu S. 18.* Zahlreiche Sätze der Potentialtheorie, z. B. das *Dirichlet*'sche Princip, verschiedene Sätze von *Green* und *Gauss*, kann *Maxwell* nach seiner echt englischen, rein

constructiven Methode ohne Rechnung beweisen; doch erzielt er natürlich keine mathematische Evidenz, da ja gewisse Grundsätze der Mechanik (also physikalischer Natur) zu seinen Voraussetzungen gehören.

17) *Zu S. 19.* Seien u, v, w die Geschwindigkeitscomponenten der Flüssigkeit, so ist $u = -\frac{1}{k}\frac{dp}{dx}$, $v = -\frac{1}{k}\frac{dp}{dy}$, $w = -\frac{1}{k}\frac{dp}{dz}$. Ferner ist in jedem Volumelemente $dx\,dy\,dz$ eine Quelle von der Intensität $S = \varrho\,dx\,dy\,dz = dx\,dy\,dz\left(\frac{du}{dx} + \frac{dv}{dy} + \frac{dw}{dz}\right) = -\frac{dx\,dy\,dz}{k}\nabla^2 p$. Nach (19) ist $p = \Sigma\frac{kS}{4\pi r} = \frac{k}{4\pi}\int\int\int\frac{\varrho\,dx\,dy\,dz}{r}$. Wenn wir daher $\int\int\int\frac{\varrho\,dx\,dy\,dz}{r} = \frac{4\pi p}{k} = V$ setzen, so folgt $\nabla^2 V = -4\pi\varrho$. Der *Laplace*'sche und *Poisson*'sche Satz der Potentialtheorie gehören also ebenfalls zu jenen, die *Maxwell*, ohne Kenntniss der Differential- und Integralrechnung vorauszusetzen, beweist. Natürlich folgen nach *Maxwell*'s Methode sofort auch die Sätze über das Potential von Flächen, die mit endlichen Maassen belegt sind.

18) *Zu S. 21.* Zieht man senkrecht zur Trennungsfläche die z-Axe, in der Tangentialebene derselben die x- und y-Axe und bezeichnet mit u, v, w, p die Componenten der Strömungsgeschwindigkeit und den Druck auf der Seite, wo der Widerstandsfactor $= k$ ist, mit einem angehängten Striche aber die Werthe auf der andern Seite, so ist an der Trennungsfläche

$$\frac{dp}{dx} = \frac{dp'}{dx},\ \frac{dp}{dy} = \frac{dp'}{dy},\ k'\frac{dp}{dz} = k\frac{dp'}{dz} \qquad 1)$$
$$k'u = ku',\ k'v = kv',\ w = w'.$$

Da $u : u' = v : v'$, so bleibt die Stromröhre in derselben durch die z-Axe (also die Normale) gelegten Ebene. Da ferner $\frac{\sqrt{u^2 + v^2}}{w}$ und $\frac{\sqrt{u'^2 + v'^2}}{w'}$ die Tangenten derjenigen Winkel i und b sind, welche man Einfalls- und Brechungswinkel nennen würde, wenn man statt der ungestrichelten resp. gestrichelten Stromrichtung die eines einfallenden resp. gebrochenen Lichtstrahls setzen würde, so folgt $\operatorname{tg} i : \operatorname{tg} b = k' : k$.

(Vergl. *Helmholtz*, »über die Bewegungsgleich. der Elektr. für ruhende leitende Körper. Gleich 17. Borch. Journal 72, S. 116, Ges. Abhandl. I. S. 613.) dp/dz wird später mit der elektrischen oder magnetischen Kraft (auf die Elektricitäts- oder Magnetismusmenge eins) identificirt werden. Wenn man daher die Flüssigkeitsmenge, die durch den Querschnitt einer Röhre fliesst, der Kraft direct, dessen Flächeninhalt ihr verkehrt proportional setzt, wodurch man die sogenannten Kraftröhren erhielt, so muss sich der Querschnitt beim Uebergang von einer Substanz in eine zweite plötzlich ändern, und die Röhren füllen in der zweiten Substanz nicht mehr den ganzen Raum aus, wenn sie es in der ersten thaten. Setzt man dagegen den Querschnitt der magnetischen oder elektrischen Induction (d. i. der Grösse $\frac{1}{k}\frac{dp}{dz} = w$) verkehrt proportional (Inductionsröhren), so verschwindet diese Schwierigkeit. Daher gebraucht man jetzt immer die Inductionsröhren. In einem homogenen Körper kommt beides auf dasselbe hinaus.

19) *Zu S. 21.* An jeder Stelle der Trennungsfläche, wo eine Einheitsröhre aus dem innern in das äussere Medium übertritt, ist eine Quelle $+1$ an der Aussen- und eine Quelle -1 an der Innenseite anzubringen. Erstere ist dann mit k, letztere mit k' zu multipliciren, so dass beide zusammen eine Quelle von der Intensität $k - k'$ liefern. Umgekehrt bleibt an jeder Stelle, wo eine Einheitsröhre in das Innere eintrat, eine Quelle von der Intensität $k' - k$.

20) *Zu S. 22.* Von der geschlossenen Fläche kann dabei Flüssigkeit ausströmen, und da innerhalb derselben $k' = 0$ ist, kann man sich die Quellen, welche dies bewirken, beliebig innerhalb oder an ihrer Oberfläche denken. Zu diesen Quellen kommen dann im 2. Falle ($k' = k$) nur Quellenpaare (d. h. Quellen, deren Intensität die Summe Null hat) hinzu, welche bestimmt sind, wenn die ersteren Quellen in bestimmter Weise gewählt wurden.

21) *Zu S. 25.* Die neuen Coordinatenaxen, welche das specielle Coordinatensystem bilden, sind die Axen des Ellipsoids, welches bezüglich der ursprünglichen Coordinatenaxen die Gleichung hatte:

$$P_1 x^2 + P_2 y^2 + P_3 z^2 + 2 S_1 y z + 2 S_2 x z + 2 S_3 x y = 1.$$

Dass dies eine geschlossene Fläche 2. Grades sein muss, folgt daraus, dass für keine Lage der Coordinatenaxen einer der

Coefficienten P negativ werden kann. Ist es ein Rotationsellipsoid, so sind natürlich unendlich viele derartige Coordinatentransformationen möglich; ist es eine Kugel, so erhalten wir wieder den ursprünglichen Fall gleicher Beschaffenheit nach allen Richtungen.

22) *Zu S. 25.* Es wird angenommen, dass der Druck, wie im isotropen Medium, nach allen Richtungen gleich ist, dass also die strömende »Flüssigkeit«, in welcher dieser Druck herrscht, nach wie vor isotrop ist; nur das immer ruhende »Medium«, durch welches die Flüssigkeit wie durch einen porösen Schwamm strömt, ist anisotrop. Wenn α, β, γ die Componenten der von der Flüssigkeit auf das Medium ausgeübten Kraft sind, wie es *Maxwell* später voraussetzt, da er $\alpha = ka$, nicht gleich $-\cdot ka$ setzt, so muss übrigens

$$\alpha = -\frac{dp}{dx}, \beta = -\frac{dp}{dy}, \gamma = -\frac{dp}{dz}$$

gesetzt werden. (Vgl. S. 30, S. 49, Gl. A.)

23) *Zu S. 25.* Durch die Gleichung

$$\frac{d^2p}{d\xi^2} + \frac{d^2p}{d\eta^2} + \frac{d^2p}{d\zeta^2} = 0$$

und die Grenzbedingungen, auf welche T ebenfalls ohne Einfluss ist, ist nämlich p eindeutig bestimmt.

24) *Zu S. 27.* *Maxwell* meint Folgendes: Geht eine Einheitsröhre von einer Entstehungsstelle eins aus, wo ein positiver Druck p herrscht, und endet an einer Vernichtungsstelle eins mit negativem Drucke $-p_1$, so hat sie bis zur Stelle, wo der Druck Null herrscht, p und dann noch p_1, also im Ganzen $p + p_1$ Einheitszellen. In der That ist die Entstehungsstelle durch die Zahl $+1$, die Vernichtungsstelle durch -1 charakterisirt, daher ist $\Sigma(Sp) = p + p_1$. Würde an der Vernichtungsstelle noch der positive Druck $+p_1$ herrschen, so wäre $\Sigma(Sp) = p - p_1$, und dies wäre auch die Zahl der Einheitszellen. Dieselbe Formel ist richtig, wenn schon an der Entstehungsstelle negativer Druck herrscht, und man kann sich Quellen von höherer Intensität immer so denken, als ob mehrere Einheitsquellen unmittelbar nebeneinander lägen. Es ist überhaupt für die *Maxwell*'sche Methode charakteristisch, dass er die Intensität der Quellen, welche der freien Elektricität, dem freien Magnetismus etc. entsprechen, niemals durch eine Irrationalzahl, sondern immer durch eine

ganze Zahl von Einheiten ausgedrückt denkt und daher immer auch eine ganze Zahl von Einheitsröhren, Einheitszellen etc. annimmt.

25) *Zu S. 27.* Da die »Flüssigkeit« keine Trägheit und daher auch keine lebendige Kraft hat, so muss diese Arbeit in der Zeiteinheit auf Ueberwindung des Widerstandes verwendet werden und daher gleich der Zahl der Einheitszellen sein, in deren jeder in der Zeiteinheit die Arbeit eins auf Ueberwindung von Widerstand verwendet wird.

26) *Zu S. 31.* Die nach irgend einer Richtung auf die Elektricitätsmenge eins wirkende Kraft ist gleich der Anzahl der Einheitsröhren, welche durch ein senkrecht zu jener Richtung gelegtes Flächenelement vom Flächeninhalte eins gehen. Zum vorigen Satze ist zu bemerken, dass das sogenannte Selbstpotential eines elektrischen Systems $\Sigma(dm)$ den Werth $kw/8\pi$ hat, also gleich der halben in der Zeiteinheit in allen Einheitszellen von der Flüssigkeit auf Ueberwindung von Widerstand verwendeten Arbeit ist. Diese Division des Selbstpotentials durch 2 ist im spätern Verlauf der *Maxwell*'schen Abhandlung noch öfter erforderlich.

27) *Zu S. 32.* Dies alles ergiebt sich unmittelbar, wenn man in den früher gefundenen Sätzen »freie Elektricität« statt »Quelle«, »Kraftlinie« statt »Stromlinie«, »Potential« statt »negativer Druck« setzt. Da in einem Dielektricum, wo $k' = 0$ ist, p constant ist, so muss auch ausserhalb in der unmittelbaren Nähe der Differentialquotient von p tangential zur Oberfläche des Dielektricums, also auch die elektrische Kraft in dieser Richtung verschwinden. Ueberhaupt folgen die bekannten Bedingungen für die Trennungsfläche zweier Dielektrica unmittelbar aus den Gleichungen 1) der Anm. 18.

28) *Zu S. 33.* Eine solenoidale oder tubulare Vertheilung ist bekanntlich eine solche, wo $\nabla^2\varphi = 0$ ist, wenn φ diejenige Function bedeutet, deren Differentialquotienten nach den Coordinaten die Componenten der magnetischen Kraft (auf die positive Magnetismusmenge eins) liefern. Ist daher die Vertheilung im Innern eines Raumes solenoidal, so enthält derselbe keinen freien Magnetismus, also keine Quellen der »Flüssigkeit«.

29) *Zu S. 37.* Potentialdifferenzen zwischen verschiedenen in Contact befindlichen Metallen führt *Maxwell* nicht ein. Er betrachtet ein aus Zink, Platin und einer Flüssigkeit bestehendes Element. Auch zwischen dem Platin und der Flüssig-

keit nimmt er keinen Potentialsprung an. Die gesammte elektromotorische Kraft hat daher nur in einem einzigen Querschnitte des Stromkreises (der Berührungsfläche von Zink und Flüssigkeit) ihren Sitz. Dieser Querschnitt spielt die Rolle eines galvanischen Elements von verschwindendem Widerstande, alles andere ist nur Schliessungskreis desselben ohne elektromotorische Kraft, aber vom Gesammtwiderstande K. Daher ist die Potentialdifferenz $p - p'$ zu beiden Seiten jenes Querschnittes immer gleich der gesammten elektromotorischen Kraft F, die Potentialdifferenz zweier anderer Querschnitte aber, zwischen denen der Widerstand L herrscht, ist FL/K.

30) *Zu S. 38.* Sei dx das Längenelement einer geschlossenen oder ungeschlossenen Curve; die magnetische Kraft f, welche daselbst auf die Magnetismusmenge eins wirkt, habe in der Richtung dx die Componente f_x, dann versteht *Maxwell* unter der gesammten Intensität längs dieser Curve das Integrale $\int f_x dx$. Dieses Integrale ist in dem nun Folgenden unter F zu verstehen. In der vorhergehenden Gleichung dagegen bezeichnet F die Grösse f selbst oder, wenn die Magnetisirung nicht gleichförmig wäre, deren Mittelwerth im betreffenden Querschnitte, der wohl normal zu den Kraftlinien gedacht ist. f heisst sonst die Intensität in einem Punkte. Unter einem magnetischen Solenoid ist hier eine dünne gerade oder krumme solenoidal magnetisirte (vgl. S. 33) Eisenstange verstanden. Die »gesammte magnetische Intensität« F längs derselben $\int f_x dx$, über deren Mittellinie erstreckt, ist die Differenz $p - p'$ der magnetischen Potentiale an beiden Enden. Dieser Fall entspricht der Influenzwirkung auf einen leitenden Draht, in dem keine elektromotorischen Kräfte vorhanden sind. Der hierauf von *Maxwell* behandelte Fall eines »solenoidal magnetisirten in sich zurücklaufenden Kreises«, welcher ganz einem geschlossenen elektrischen Stromkreise entspricht, bietet ein Beispiel, wo die (z. B. von einem den magnetischen Kreis umfliessenden Strome herrührende) magnetische Kraft kein eindeutiges Potential besitzt.

31) *Zu S. 39.* Wir betrachten zuerst einen in sich geschlossenen Stromkreis, der aus verschiedenen Drähten bestehen kann, die von einem elektrischen Strom durchflossen werden. Unter der Gesammtquantität J versteht *Maxwell* die Elektricitätsmenge, die in der Zeiteinheit durch irgend einen Querschnitt fliesst, unter der Quantität i in einem Punkte die

Stromdichte. Wird daher ein Querschnitt S gleichmässig durchströmt, so ist

$$J = Si.$$

Die Intensität f in einem Punkte ist die daselbst auf die Einheit positiver Elektricität wirkende Kraft. Die Gesammtintensität ist

$$F = \int f\,dx,$$

wobei dx ein Längenelement eines Drahtes und das Integrale über den ganzen Stromkreis zu erstrecken ist. Mit k bezeichnet *Maxwell* den specifischen Widerstand in einem Punkte. Es ist also daselbst

$$f = ki, = \frac{kJ}{S},$$

(wofür *Maxwell* S. 38 nicht ganz consequent schreibt $F = \frac{kJ}{S}$),

daher $F = \int ki\,dx = J\int\frac{k\,dx}{S} = JK$ (was mit S. 38 stimmt). $k\,dx\,/\,S$ ist der Widerstand des Längenelementes dx des Drahtes, daher K der Gesammtwiderstand des Stromkreises.

Dieselben Gleichungen gelten unverändert, wenn ein aus dünnen, stark magnetisirbaren Stangen (verschiedene Eisensorten, Nickel) gebildeter Ring durch einen ihn umschlingenden elektrischen Strom magnetisirt wird, sobald der Austritt von Kraftlinien aus dem Ringe (Streuung) vernachlässigt werden kann. Es ist dann f die magnetische Intensität in einem Punkte (magnetische Feldintensität, Kraft auf den Magnetismus eins), F die gesammte magnetische Intensität, i die magnetische Quantität an einem Punkte (magnetisches Moment der Volumeinheit daselbst), J die magnetische Gesammtintensität und k die magnetische Permeabilität.

Wir betrachten nun zunächst das elektrische Analogon der Streuung. Einer der stromführenden Drähte mag eine weitere mit verdünnter Schwefelsäure gefüllte Röhre durchsetzen, oder noch allgemeiner, ein Leitersystem bildet einen beliebigen ringförmigen (zweifach zusammenhängenden) Raum und darin fliesst Elektricität im Kreise herum. Die elektrische Wirkung soll solenoidal sein, d. h. die elektrische Kraft soll ein (freilich nicht eindeutiges) Potential haben, oder mit andern Worten: Keine Stromlinie soll (wie A in Fig. 1) in sich zurücklaufen, ohne den Ring ganz zu durchsetzen, sondern jede soll (wie B) im Ringe rund herumgehen. Dann besteht die Aequipotentialfläche aus lauter Querschnitten des Ringes. Die elektrische Quantität i und Intensität f in einem Punkte sind wieder die Stromdichte und Kraft auf die positive Elektricitätsmenge eins daselbst. Die elektrische Gesammtintensität ist wieder

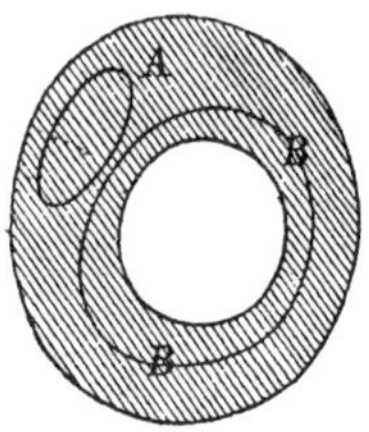

Fig. 1.

$$F = \int f dx ,$$

wobei jetzt dx ein Längenelement irgend einer Stromlinie I bedeutet und über die ganze geschlossene Stromlinie zu integriren ist (*Maxwell* schreibt S. 38: $F = \Sigma\,(f dx)$. Sei $d\xi$ das zwischen denselben Aequipotentialflächen (1 und 2) liegende Längenelement einer andern Stromlinie II, und φ die Intensität (elektrische Kraft) daselbst, so ist

$$\varphi : f = dx : d\xi ,$$

da f der nach der Normalen genommene Differentialquotient des Potentials ist. Der Potentialunterschied ist aber für zwei gegebene Aequipotentialflächen an allen Stellen gleich, während die Differentiale der Normalen gleich den Differentialen dx und $d\xi$ der Stromlinien sind. Daher ist $f dx = \varphi d\xi$ und es muss auch $\int f dx$ für jede geschlossene Stromlinie gleich ausfallen.

Sei dS ein Flächenelement der Aequipotentialfläche (1), φ die elektrische Kraft und $d\xi$ der Abstand der beiden Aequipotentialflächen daselbst, wogegen f und dx dieselben Grössen an der unveränderlich gedachten Stelle sind, wo die Stromlinie I die Aequipotentialfläche schneidet. Dann ist $dS d\xi$ das Volum des über dS stehenden senkrecht von den Aequipotentialflächen (1) und (2) begrenzten Cylinders. Ist noch k der specifische Widerstand an dieser Stelle, so ist

$$\frac{k d\xi}{dS} = \frac{kf}{\varphi} \frac{dx}{dS}$$

der Widerstand dieses Cylinders. In dem ganzen zwischen den Aequipotentialflächen (1) und (2) liegenden Raume sind alle diese Cylinder als parallel geschaltet zu betrachten; daher ist der Widerstand dieses Raumes

$$dK = \frac{dx}{\int \frac{\varphi\, dS}{fk}} = \frac{f\, dx}{\int \frac{\varphi\, dS}{k}},$$

und der Gesammtwiderstand des Ringes ist

$$K = \int \frac{f\, dx}{\int \frac{\varphi\, dS}{k}}.$$

Die gesammte Quantität (gesammte Stromstärke) ist

$$J = \int i\, dS = \int \frac{\varphi\, dS}{k},$$

da wieder $\varphi = ki$ ist. (*Maxwell* schreibt S. 38 $J = \Sigma i\, dy\, dz$.) Da dieses Integrale für jeden Querschnitt denselben Werth haben muss, so kann die Gleichung für K so geschrieben werden:

$$K = \frac{1}{J} \int f\, dx = \frac{F}{J}.$$

Wir denken uns nun den ganzen Raum beliebig mit leitender Substanz erfüllt und dadurch in einen zweifach zusammenhängenden verwandelt, dass eine beliebige beiderseits offene Fläche, welche die Gestalt eines endlichen Röhrenstückes hat, absolut nicht leitend sein soll. Wenn in einem oder mehreren Querschnitten der Röhre constante elektromotorische Kräfte thätig sind, so entstehen elektrische Ströme, welche durch das Innere der Röhre fliessen und aussen herum geschlossen sind. Nichts hindert uns, unsere Gleichungen auch auf diesen Fall anzuwenden. Obwohl die Querschnitte des Ringes jetzt theilweise ins Unendliche gehen, bleiben doch alle Integrale endlich.

Substituiren wir nun statt der nichtleitenden röhrenförmigen Fläche eine congruente mit stromführendem Drahte umwickelte Fläche und setzen statt der Elektricitätsleiter magnetisirbare Körper, so haben wir das entsprechende magnetische Problem, und es bleiben mit entsprechender Veränderung der Bedeutung der Buchstaben die Formeln unverändert anwendbar.

32) *Zu S. 41.* Sei a_1 die magnetische Quantität in einem Punkte (magnetische Induction, magnetisches Moment der Volumeinheit, nicht wie später bloss die Componente dieser Grösse in der x-Richtung), α_1 die magnetische Intensität

(magnetische Kraft auf die Magnetismusmenge eins), λ die Länge, q der Querschnitt, also $q\lambda$ das Volumen einer Einheitszelle, so ist $a_1 q\lambda$ die totale magnetische Quantität (magnetisches Moment des Volumelementes) und $\alpha_1 a_1 q\lambda/2$ die Magnetisirungsarbeit. Diese muss für alle Einheitszellen gleich sein, da daselbst in der Zeiteinheit die Einheit der Arbeit geleistet wird. Nun ist aber jede Einheitszelle aus einer Einheitsröhre herausgeschnitten, daher $a_1 q = 1$, folglich $\alpha_1 \lambda$ constant. Da nach Anmerkung 26 das Selbstpotential gleich der halben in allen Einheitszellen in der Zeiteinheit geleisteten Arbeit ist, so ist auch hier die Magnetisirungsarbeit $\alpha_1 a_1 q\lambda/2$ in einer Einheitszelle gleich $1/2$, daher $\alpha_1 \lambda = 1$.

Die Richtigkeit der nach dieser Stelle unmittelbar folgenden Behauptung *Maxwell*'s folgt leicht. Da die Gesammtzahl der Einheitszellen einer Einheitsröhre der Gesammtstromintensität allein proportional ist, so ist die Gesammtzahl aller in allen Einheitsröhren vorhandenen Einheitszellen dem Producte der Gesammtstromstärke und der Zahl der erzeugten Einheitsröhren proportional. (Vergl. auch Theorem III, S. 55 und vorletzte Gleichung S. 63.)

33) *Zu S. 41* und *42*. Mit diesem Worte sind dieselben Linien gemeint, die sonst immer Kraftlinien genannt werden, die aber zweckmässiger immer Inductionslinien heissen würden.

34) *Zu S. 42*. Dabei ist aber noch das Vorzeichen und der Proportionalitätsfactor zu beachten. In der Elektrostatik nimmt nämlich die Zahl der Einheitszellen und daher die Energie des Mediums (Aethers) um so viel zu, als die sichtbaren Kräfte, die den elektrostatischen das Gleichgewicht halten, Arbeit leisten; wenn zwei sich abstossende elektrostatisch geladene Körper sich wirklich entfernen, nimmt die Zellenzahl und Mediumenergie ab. In der Elektrodynamik aber nimmt die Mediumenergie um eben so viel ab, als die sichtbaren, den elektrodynamischen das Gleichgewicht haltenden Kräfte Arbeit leisten, die Mediumenergie und Zellenzahl wächst also, wenn zwei sich abstossende Stromleiter sich wirklich entfernen oder zwei sich anziehende sich nähern.

35) *Zu S. 43*. Diese beiden Arten von Kräften werden jetzt bekanntlich nach Prof. *Carl Neumann*'s Vorgang durch die Namen »elektromotorisch« und »ponderomotorisch« unterschieden. Ebenso bekannt ist, dass das seither von *Hall* entdeckte Phänomen gemeiniglich durch die Annahme erklärt

wird, dass die ponderomotorischen Kräfte doch eine kleine Verschiebung der Stromlinien im Stromleiter bewirken.

36) *Zu S. 45.* Man beachte, wie sich *Maxwell* entschuldigt, dass er nun kein mechanisches Bild bereit hat und zur Beschreibung der Thatsachen durch rein mathematische Formeln übergeht. In der That ist auch der nun folgende Theil der Abhandlung unvollkommen und blieb es, bis es *Maxwell* gelang, in der Abhandlung on physical lines of forces (scient. pap. I, p. 451, phil. mag. (4), 21, S. 161, 281, 338, 1861; 23, S. 12, 85, 1862) die mechanische Analogie, die er schon hier sucht, zu finden.

37) *Zu S. 49.* Der Index 2 ist in dieser und den folgenden Gleichungen wieder weggelassen, da dieselben Gleichungen auch für den Magnetismus gelten, wo dann alle Grössen den Index 1 bekommen. Uebrigens könnte aus demselben Grunde der Index 2 auch in den Gleichungen *A*) und *B*) wegbleiben.

38) *Zu S. 51.* D. h. wenn man in der Lösung eines Problems der stationären elektrischen Strömung durch körperliche Leiter die Begriffe »elektrische Kraft, Stromdichte, specifischer Widerstand« mit: »magnetische Kraft, magnetische Induction (magnetisches Moment der Volumeinheit), specifische inductive Capacität« vertauscht, so erhält man die Lösung eines Problems der magnetischen Influenz.

39) *Zu S. 53.* Dies ist nicht das jetzt in England übliche, sondern das französische oder Hopfencoordinatensystem, wo für ein von der positiven z-Seite herblickendes Auge der Uhrzeiger auf kürzestem Wege von der positiven x- zur positiven y-Axe gelangt, wo eine gewöhnliche Schraube, die sich auf kürzestem Wege von der positiven x- zur positiven y-Axe in einer unbeweglichen Mutter dreht, in der negativen z-Richtung fortschreitet, wo die positive z-Axe gegen den Kopf, die positive x-Axe gegen die linke Hand, die positive y-Axe gegen die Vorderseite einer menschlichen Figur gerichtet ist, wogegen der Beschauer der Hörsaaltafel die positive z-Axe nach aufwärts, die positive x-Axe nach rechts, die positive y-Axe gegen den Zuschauerraum gezogen erblickt. Bei diesem Coordinatensystem ist für ein Solenoid, dessen Mittellinie die z-Axe ist und welches vom elektrischen Strome so umflossen wird, wie man auf kürzestem Wege von der positiven x- zur positiven y-Axe gelangt, das dem Nordpol

entsprechende Ende der negativen z-Axe zugewandt. Dasselbe benutzt *Hertz* (Ausbreit. der elektr. Kraft p. 214).

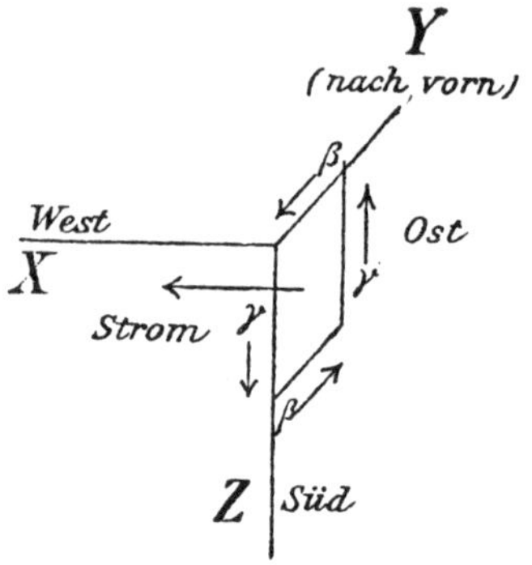

Fig. 2.

Fliesst daher ein Strom in der positiven Abscissenrichtung durch das Flächenelement $dy\,dz$, so wird durch denselben ein Nordpol auf dem Umfange des Flächenelementes in dem Sinne herumgetrieben, wie man auf dem kürzesten Wege von der positiven x- zur positiven y-Richtung gelangt. Diese Voraussetzung liegt auch den nun folgenden Rechnungen *Maxwell*'s zu Grunde. (Siehe beistehende Fig. 2.)

40) *Zu S. 54.* Ein geschlossener Strom habe diejenige Intensität, welche wir heute die magnetische Intensität eins nennen. Umkreist man denselben vollständig in der Richtung, in der ein Nordpol herumgetrieben wird, so dass man an die alte Stelle zurückkehrt, so wächst bekanntlich das magnetische Potentiale des Stromes um 4π. Dieser Zuwachs ist das, was *Maxwell* die totale Intensität der magnetischen Kraft, erstreckt über eine den Strom umfassende geschlossene Curve nennt. Wenn diese gleich eins ist, setzt er den Strom in dieser Abhandlung gleich eins. Ein Strom, der in unserm magnetischen Maasse die Intensität eins hat, hat also in dem gegenwärtigen *Maxwell*'schen Maasse die Intensität 4π. In spätern Werken nahm *Maxwell* unser heute übliches Maass an.

41) *Zu S. 56.* Denn wenn U das Potential des 1., V das des 2. Systems ist, so ist $\nabla^2 U$ der Dichte der elektrischen Ladung des 1., $\nabla^2 V$ aber der des 2. Systems proportional. $\int\int\int V \nabla^2 U\, dx\, dy\, dz$ ist daher dem Potentiale des 2. Systems auf das 1., $\int\int\int U \nabla^2 V\, dx\, dy\, dz$ dem des 1. Systems auf das 2. proportional. Die relative Verschiebung des 1. gegen das 2. System ist aber immer genau entgegengesetzt der des 2. gegen das 1.

42) *Zu S. 57.* Seien die Quellen ursprünglich in einem Medium vom Widerstandscoefficienten eins vorhanden und die Medien von anderen Widerstandscoefficienten alle in so grosser Entfernung befindlich, dass sie von den Quellen nicht merk-

lich beeinflusst werden. Es ist die Arbeit gemeint, die geleistet werden muss, um, ohne Aenderung der Lage und Intensität der Quellen die verschiedenen Medien in eine beliebige andere Lage in die Nähe der Quellen zu bringen.

43) *Zu S. 61.* α_0, β_0, γ_0 übernehmen dieselbe Rolle wie im Theorem VI α, β, γ. Es ist daher entsprechend der 1. Gleichung des Theorems VI.

$$\frac{d\alpha_0}{dx} + \frac{d\beta_0}{dy} + \frac{d\gamma_0}{dz} = 0.$$

44) *Zu S. 62.* Bei *Maxwell* hat das 2. Glied in der eckigen Klammer in diesem sowie auch in allen andern solche eckige Klammern enthaltenden Ausdrücken für Q das entgegengesetzte Zeichen, was ich für einen Druckfehler halte. Die Gleichungen der S. 31 stimmen, auch abgesehen vom Zeichen, mit diesen bloss, wenn $k = 1$ ist, da jetzt p die Function ist, deren negative Differentialquotienten nach den Coordinaten gleich α, β, γ sind, während die positiven Differentialquotienten von V gleich a, b, c sind. Wegen dieses Unterschiedes im Vorzeichen wird auch das Vorzeichen des ersten Gliedes der Gleichung, welcher diese Anmerkung beigefügt ist, sowie das der vorhergehenden Gleichung fraglich.

Auch auf S. 50 habe ich das Vorzeichen der rechten Seite der beiden letzten Gleichungen verkehrt.

45) *Zu S. 62.* Früher (vgl. Anm. 39) waren α, β, γ die Componenten der auf einen Nordpol eins wirkenden Kraft. Sollte *Maxwell* jetzt auf ein Weinrankencoordinatensystem denken, wodurch sich freilich die Figur der Anmerkung 39 umkehren würde und man

$$a_2 = \frac{d\gamma_1}{dy} - \frac{d\beta_1}{dz} \text{ statt } a_2 = \frac{d\beta_1}{dz} - \frac{d\gamma_1}{dy} \text{ erhielte?}$$

In der neuern *Maxwell*'schen Elektricitätstheorie haben bekanntlich die diesen Gleichungen analogen für Elektricität einerseits und Magnetismus anderseits das entgegengesetzte Vorzeichen. Sonst würde für einen elektrischen oder magnetischen Vector u nicht $\frac{d^2u}{dt^2} = a^2\nabla^2 u$, sondern $\frac{d^2u}{dt^2} = - a^2\nabla^2 u$ folgen.

46) *Zu S. 65.* Diese Schlussweise dürfte nicht ganz strenge sein, da die völlige Unabhängigkeit der a_2, b_2, c_2 von den α, β, γ wohl nicht erwiesen ist.

47) *Zu S. 65.* Diese Gleichung enthält das Fundament der Elektrodynamik bewegter Körper (vgl. Beispiel M).

48) *Zu S. 70.* Dies ist bekanntlich bezweifelt worden; wenn die Kräfte auch zweite Differentialquotienten nach der Zeit enthalten, kann das Energieprincip gewahrt bleiben; doch ist hier nicht der Ort, auf die Frage nach der Verträglichkeit des *Weber*'schen Gesetzes mit dem Principe der Erhaltung der Energie einzugehen.

49) *Zu S. 72.* O liegt in der Verlängerung von CC' über C' hinaus, oder über C hinaus, je nachdem dieser Ausdruck positiv oder negativ ist.

50) *Zu S. 75.* Versteht man unter dem Potentiale den Ausdruck, dessen negativer Differentialquotient nach einer Coordinate die Kraft auf einen positiven Pol (Nordpol) liefert, setzt also das Potential eines Nordpoles $= + \frac{m}{r}$, so hat dieser Magnet seinen Nordpol der negativen Abscissenrichtung zugekehrt. Der Magnet, dessen Potential durch die nun folgende Formel $p' = A \frac{a^3}{r^3} x$ gegeben ist, hat also, wenn A positiv ist, den Nordpol der positiven Abscissenrichtung zugekehrt. Wenn das Feld den Nordpol in der positiven Abscissenrichtung treibt, ist bei obiger Definition des Potentials J negativ; wenn zudem die Kugel paramagnetisch ist, so ist $k < k'$, daher A positiv.

51) *Zu S. 75.* Da in der Oberfläche der Kugel keine elektrischen Ströme fliessen, so muss der Differentialquotient des Potentials tangential zur Kugelfläche innen und aussen den gleichen Werth haben. Bestimmt man daher die zum Potentiale hinzutretende Constante so, dass es im Unendlichen verschwindet und in einem Punkte der Kugelfläche innen und aussen denselben Werth hat, so muss letzteres für alle Punkte der Kugelfläche gelten. Nach *Maxwell*'s Anschauung muss der Druck innen und aussen gleich sein, da in der Kugelfläche keine Quellen und keine elektrischen Ströme liegen. (In Beispiel H und I ist der Druck innen und aussen verschieden, da in der Kugelfläche elektrische Ströme fliessen, daher dort die Giltigkeit des Bildes aufhört; die magnetischen Kräfte haben kein Potential, machen an der Kugelfläche einen Sprung.) Es bleibt noch die Bedingung, dass die Differentialquotienten des Potentials normal zur Kugelfläche, also in der

Richtung von r innen und aussen sich direct wie die Magnetisirungszahlen, also verkehrt wie die k verhalten müssen. Man hat also $\frac{dp_1}{d r} : \frac{dp}{dr} = k' : k$. In *Maxwell's* Bild muss die »Flüssigkeitsmenge«, die von innen in die Kugelfläche eintritt (Induction durch diese Fläche, Zahl der hindurchgehenden Inductionslinien), gleich der nach aussen austretenden sein.

52) *Zu S. 78.* Weil ein magnetisches Potential existirt, ist

$$\frac{d\alpha}{dy} = \frac{d\beta}{dx}, \quad \frac{d\alpha}{dz} = \frac{d\gamma}{dx}.$$

Für einen paramagnetischen Körper ist der Werth k des Widerstandscoefficienten im Innern kleiner als der Werth k' ausserhalb, daher sind die 3 Grössen S. 77 Z. 14 von oben bei positivem α, β, γ negativ. Der erste der äquivalenten Magnete von der Länge l_1 muss daher die magnetische Masse $m_1 = \frac{(k-k')}{2k+k'} \frac{a^3\alpha}{l_1}$ der negativen, die entgegengesetzt bezeichnete magnetische Masse der positiven Abscissenrichtung zukehren. Daher erklärt sich das negative Zeichen von X. Dabei ist immer ein Nordpol positiv angenommen, α ist positiv, wenn es den Nordpol in der positiven Abscissenrichtung treibt.

53) *Zu S. 79.* Analog dem soeben S. 78 für X gefundenen Werthe hat nämlich die Kraft, welche auf die nicht im Coordinatenanfange liegende Kugel in der zu b senkrechten Richtung σ wirkt, die Stärke

$$S = \frac{k-k'}{2k+k'} \frac{a^3}{2} \frac{d(i^2)}{d\sigma} = \frac{k-k'}{2k+k'} \frac{a^3}{2} \cdot \frac{1}{b} \frac{d(i^2)}{d\vartheta}.$$

Das Moment dieser Kraft, welches das Kugelpaar zu drehen sucht, ist aber bS, was mit der Gleichung im Texte übereinstimmt. Durch einen Rechenfehler, der sich auch schon früher bemerkbar macht, findet *Maxwell* in der letzten Klammer der nächstfolgenden Formel für L als ersten Addenden 1 statt 2.

54) *Zu S. 84.* Man kann zuerst den allgemeinen Fall betrachten, dass zwei concentrische Kugelflächen im unendlichen Raume gegeben sind. Innerhalb der kleineren sei ein Medium vom Widerstandscoefficienten k, zwischen beiden vom Widerstandscoefficienten k', ausserhalb der grösseren vom Widerstandscoefficienten k''. Ist dann x die x-Coordinate und r die Entfernung eines beliebigen Punktes vom gemeinsamen

Mittelpunkte beider Kugeln, der zugleich Coordinatenursprung ist; sind ferner a, a', a'', b', b'' Constanten, so kann man allen Bedingungen der Aufgabe genügen, wenn man dem magnetischen Potentiale p folgende Werthe ertheilt:

In der kleinen Kugel: $p = ax$.

Zwischen beiden Kugelschalen: $p = \left(a' + \frac{b'}{r^2}\right) x$.

Ausserhalb der grösseren Kugel: $p = \left(a'' + \frac{b''}{r^2}\right) x$.

Die 5 Constanten können genau nach *Maxwell*'s Vorgang bestimmt werden. Setzt man dann $k = k''$, so hat man den Fall einer Hohlkugel.

55) *Zu S. 84.* Es wird dann in Beispiel B die Grösse $k = 0$, daher $B = 0$, $A = -J$. Das Potential, das von der Kugel allein herrührt, das also zu Jx addirt das Gesammtpotential liefert, ist innerhalb der Kugel $-Jx$, ausserhalb $-Ja^3x / r^3$. Daraus folgt sofort die Dichte ϱ des freien Magnetismus, der scheinbar die Kugel bedeckt. Da innerhalb das Gesammtpotential constant gleich Null, aussen gleich

$p' = Jx\left(1 - \frac{a^3}{r^3}\right) = J\cos\vartheta\left(r - \frac{a^3}{r^2}\right)$ ist, so ist

$\varrho = \left(\frac{dp'}{dr}\right)_{r=a} = 3J\cos\vartheta$ *). Vermöge der Constanz des Potentials in der Kugel ist es vollkommen gleichgültig, welches Medium deren Inneres erfüllt, und es genügt, wenn die Kugel von einer sehr dünnen Schicht mit dem Widerstandscoefficienten Null bedeckt ist. In einer so magnetisirten Kugelschale denkt sich nun *Maxwell* den freien Magnetismus plötzlich fixirt, wodurch sie also in einen permanenten Magnet verwandelt wird, der im Coordinatenursprung ist und dessen magnetisches Moment Ja^3 ist, da $-Ja^3x / r^3$ das äussere Potential ist (vergl. die erste Formel des Beispiels B).

56) *Zu S. 85.* Der wahre Magnetismus WdS eines Flächenelementes dS der Kugelfläche entspricht der »Flüssigkeit«, die im Ganzen in der Zeiteinheit von dS ausströmt, also mehr nach aussen ab- als von innen zufliesst. Da der Differentialquotient des Druckes p in irgend einer Richtung

*) Nach den Festsetzungen der Anmerkung 50 wäre das die Dichte des Südmagnetismus.

gleich der mit dem Widerstandscoefficienten k multiplicirten Geschwindigkeitscomponente der »Flüssigkeit« in dieser Richtung ist, so ist

$$W = \frac{1}{k_i}\frac{dp_i}{dr} - \frac{1}{k_a}\frac{dp_a}{dr},$$

wo die Indices a und i den Aussenraum, resp. den Innenraum der Kugel charakterisiren. Vor Einführung des Mediums mit dem Widerstandscoefficienten k war $k_a = k_i = k'$,

$$p_a = -Ja^3 \cos\vartheta / r^2,\ p_i = -Jr\cos\vartheta,$$

$$\text{daher } W = -\frac{J\cos\vartheta}{k'}\left(\frac{2a^3}{r^3} + 1\right) = -\frac{3J\cos\vartheta}{k'},$$

da für jedes Oberflächenelement der Kugel nach geschehener Differentiation $r = a$ zu setzen ist. Nach Einführung des Mediums ist:

$$k_a = k',\ k_i = k$$

$$p_a = -(A + J)\,a^3\cos\vartheta / r^2,\ p_i = -(A + J)r\cos\vartheta,$$

$$\text{daher}\qquad W = -\left(\frac{2A + 2J}{k'} + \frac{A + J}{k}\right)\cos\vartheta.$$

Da beide Werthe von W gleich sein müssen, folgt:

$$\left(\frac{2}{k'} + \frac{1}{k}\right)A + \left(\frac{2}{k'} + \frac{1}{k}\right)J = \frac{3}{k'}J.$$

$$A = \frac{k - k'}{2k + k'}J.$$

57) *Zu S. 86.* Sei die Kugel gleichliegend mit der Erdkugel. Die x-Axe gehe vom Centrum nach dem Nordpol. Die nördliche Breite eines Punktes sei $90^\circ - \vartheta$. Wir ziehen ausserhalb der Kugel eine Curve, deren Anfangspunkt B_0 und Endpunkt B auf der Kugeloberfläche liegen. Für dieselben soll ϑ die Werthe ϑ_0 resp. ϑ haben. Die magnetische Intensität (d. h. das Linienintegral der magnetischen Kraft) längs der Curve ist gleich der Differenz der Werthe des magnetischen Potentials an den Enden der Curve, also gleich $Ja(\cos\vartheta - \cos\vartheta_0)$. Ergänzen wir die Curve durch eine von B nach B_0 innerhalb der Kugel laufende zu einer geschlossenen, so ist die magnetische Intensität längs der Ergänzungscurve $Aa(\cos\vartheta_0 - \cos\vartheta)$, die über die ganze von B_0 nach aussen und von B nach innen laufende Curve aber ist, da

$A = -2J$ ist, $L = 3Ja(\cos\vartheta - \cos\vartheta_0)$. Ist B_0 auf dem Aequator, so hat man $\vartheta_0 = 90^0$, $L = 3Ja\cos\vartheta$. Wir betrachten den Nordpol als den positiven Pol und nennen eine magnetische Kraft eine positive, wenn sie ihn in den positiven Coordinatenrichtungen treibt; sie soll immer gleich der negativen Ableitung des Potentials nach dieser Richtung sein. Ist dann J positiv, so wird für $0 < \vartheta < 90^0$, also auf der nördlichen Hemisphäre, der Nordpol von der Kugel weg, also entgegengesetzt, wie durch den Erdmagnetismus getrieben und die elektrischen Ströme müssen die Kugel von West nach Ost umkreisen. Ist $\vartheta_0 = \vartheta - d\vartheta$, so wird $L = 3Ja\sin\vartheta d\vartheta$. Dies ist die Gesammtintensität der in allen Windungen fliessenden Ströme, die zwischen den beiden Punkten P und Q der Kugelfläche liegen, für die ϑ die Werthe $\vartheta - d\vartheta$ und ϑ hat. Die Abscissen dieser beiden Punkte sind um $dx = a\sin\vartheta d\vartheta$ verschieden. Denken wir uns daher die ganze Kugelschale mit Drahtwindungen bedeckt, die alle von West nach Ost laufen und einen Strom von der Stärke J_2 führen, so müssen zwischen den Parallelkreisen mit den Abscissen x und $x + dx$ immer $3Jdx / J_2$ Windungen liegen. Auf der ganzen Kugelfläche liegen also $n = 6Ja / J_2$ Windungen. Der in diesen Windungen fliessende Strom von der Stärke J_2 ist, so lange innen und aussen dasselbe Medium ist, einem kleinen Magnete äquivalent, dessen magnetische Axe die Abscissenaxe und dessen magnetisches Moment Ja^3 ist und welcher seinen Nordpol im geographischen Nordpol der Erde hätte, so dass also der Nordmagnetismus der positiven Abscissenrichtung zugekehrt ist. Zwischen den Punkten P und Q liegt ein Differential des Kugelmeridians von der Länge $ad\vartheta$. Da die Dicke der Kugelschale t ist, schneidet das zwischen den verlängerten Radien OP und OQ liegende unendliche Dreieck aus der Kugelschale die Fläche $tad\vartheta$ heraus. Der durch diese Fläche fliessende Gesammtstrom ist $L = 3J\,a\sin\vartheta d\vartheta$, daher die Stromdichte $j = \frac{3J}{t}\sin\vartheta$.

58) *Zu S. 87.* Die Bedingungen der Aufgabe sind folgende: Da kein wahrer Magnetismus (keine Quellen) vorhanden sind, hat man

$$\frac{1}{k}\frac{dp_1}{dr} = \frac{1}{k'}\frac{dp_1}{dr} \text{ für } r = a.$$

Im Ganzen ist die Kugel n-mal vom Strome J_2 umflossen.

Auf den ganzen Durchmesser $2a$ entfällt daher die Stromintensität nJ_2. Auf das Stück $dx = a \sin \vartheta d\vartheta$ soll die Stromintensität i entfallen. Dann ist $i : nJ_2 = dx : 2a$, also $i = nJ_2 \sin \vartheta d\vartheta / 2$. i ist der gesammte elektrische Strom, der durch ein Längenelement $a d\vartheta$ des Meridians der Kugel fliesst, also gleich der Differenz der »magnetischen Intensitäten« zu beiden Seiten des Längenelementes. Die »magnetische Intensität« ist die Potentialdifferenz an beiden Endpunkten des Längenelementes, also ausserhalb gleich $\frac{dp'}{d\vartheta} d\vartheta$, innerhalb $\frac{dp_1}{d\vartheta} d\vartheta$. Es folgt also (wieder für $r = a$)

$$\frac{dp'}{d\vartheta} - \frac{dp_1}{d\vartheta} = \frac{n}{2} J_2 \sin \vartheta .$$

Zudem muss $\nabla^2 p' = \nabla^2 p_1 = 0$ sein und p_1 muss für $r = 0$, p' für $r = \infty$ endlich bleiben. Man genügt allen Bedingungen, indem man setzt: $p_1 = Ar \cos \vartheta$, $p' = B \cos \vartheta / r^2$. Aus beiden Oberflächenbedingungen folgt $k' A = - 2kB / a^3$ und $-Aa + B / a^2 = nJ_2 / 2$, und daraus *Maxwell's* Resultat.

Maxwell findet das offenbar kürzer, wie folgt. Bezeichnen wir den jetzt geltenden Druck innen und aussen wieder mit p_1 und p', die zu Ende des Beispiels H gefundenen aber abweichend von *Maxwell* mit π_1 und π', so lauten die letzten beiden Gleichungen des Beispiels H:

$$\pi' = J_2 \frac{na^2}{\sigma r^2} \cos \vartheta, \quad \pi_1 = - 2 J_2 \frac{nr}{\sigma a} \cos \vartheta ,$$

und wir genügen, wie man leicht sieht, den Bedingungen unserer jetzigen Aufgabe, wenn wir setzen: $p_1 : p' = k\pi_1 : k'\pi'$ und $p' - p_1 = \pi' - \pi_1$ (letzteres für $r = a$), woraus wieder *Maxwell's* Werthe folgen.

59) *Zu S. 88.* Nach Theorem VII ist $a_2 = \frac{d\beta_1}{dz} = \frac{d\gamma_1}{dy}$; ferner $a_1 = \frac{\alpha_1}{k_1} = \frac{d\beta_0}{dz} - \frac{d\gamma_0}{dy} + \frac{dV}{dx}$. Bildet man die analogen Werthe für β_1 und γ_1 und bedenkt, dass k_1 constant ist, so folgt aus $a_2 = 0$ zunächst

$$\frac{d^2\beta_0}{dx\,dy} + \frac{d^2\gamma_0}{dx\,dz} - \frac{d^2\alpha_0}{dy^2} - \frac{d^2\alpha_0}{dz^2} = 0.$$

Diese Gleichung ist identisch erfüllt. Die beiden durch cyklische Vertauschung daraus entstehenden aber liefern die gesuchte Relation, wenn man darin $\alpha_0 = 0$, $\beta_0 = \omega z$, $\gamma_0 = -\omega y$ setzt. Dass *Maxwell* in den Gleichungen für ω_0 und ω immer $3k + k'$ statt $2k + k'$ schreibt, scheint ein Rechenfehler zu sein.

60) *Zu S. 89.* Denkt man sich die Mittellinie der secundären Windungslage als gleichförmige Spirale, so ändert sich die Abscisse eines ihrer Punkte um $2a$, wenn man alle n'-Windungen, um $\frac{2a}{n'}$, wenn man eine Windung, um $\frac{2a}{n'} \cdot \frac{d\varphi}{2\pi}$, wenn man nur den Winkel $d\varphi$ auf einer Windung durchläuft, so dass sich die geographische Länge des Punktes um $d\varphi$ ändert. Bezeichnet man die dazu gehörige Veränderung der Abscisse mit $dx = -a \sin\vartheta d\vartheta$, so ist also

$$-a \sin\vartheta d\vartheta = \frac{2a}{n'} \cdot \frac{d\varphi}{2\pi}.$$

Die Integration dieser Gleichung liefert diejenige, welche *Maxwell* die Gleichung der Mittellinie des Secundärdrahtes nennt.

Das bei der Winkeländerung $d\varphi$ im Secundärdrahte durchlaufene Bogenelement hat die Länge

$$ds = a \sin\vartheta d\varphi = -an'\pi \sin^2\vartheta d\vartheta,$$

wie auch *Maxwell* findet.

61) *Zu S. 92.* In den beiden Specialfällen, für welche *Maxwell* die Gleichungen 1, 2 und 3 integrirt, erfüllt er die Bedingung, dass $J' = 0$ für $t = 0$ sein soll, nicht. Er kann sie nicht erfüllen, da die Gleichung $\frac{R}{n} J - \frac{R'}{n'} J' = \frac{F}{n}$ nicht in beiden Momenten, wo $F = 0$ und F von Null verschieden ist, ohne plötzlichen Sprung von J' oder J erfüllbar ist. Dieser plötzliche Sprung von J' übt aber auf J eine Inductionswirkung aus, welche *Maxwell* vernachlässigt und welche wohl nur vernachlässigt werden kann, wenn $\frac{n'^2}{R'}$ klein gegen $\frac{n^2}{R}$ ist, wenn also der Primärstrom nahe so abläuft, als ob der secundäre nicht da wäre. Diese Inductionswirkung kann aus den Gleichungen nicht berechnet werden, so lange man annimmt, dass sich F discontinuirlich ändert.

62) *Zu S. 92.* Hier sind α_2, β_2, γ_2 die allein durch die magnetische Induction erzeugten elektromotorischen Kräfte,

welche für die elektrische Intensität längs einer geschlossenen Curve allein in Betracht kommen, da die von p_2 für ein Linienelement gelieferte Intensität über eine geschlossene Curve integrirt verschwindet.

63) *Zu S. 93.* Die magnetische Kraft hat die Intensität J und wirkt in der Feldrichtung. Da diese in den positiven Quadranten der xz-Ebene fällt und mit der positiven z-Axe den Winkel ϑ bildet, so sind ihre Componenten in den Coordinatenrichtungen

$$\alpha_1 = J \sin\vartheta,\ \beta_1 = 0,\ \gamma_1 = J\cos\vartheta.$$

Maxwell setzt die Magnetisirungsconstante k des Mediums offenbar gleich eins, so dass dies auch die Componenten der magnetischen Induction a_1, b_1, c_1 sind. Wir wollen zuerst die 2. Methode des Theorem V einschlagen. Wir haben da die Gleichungen zu bilden:

$$\frac{d^2A}{dx^2} + \frac{d^2A}{dy^2} + \frac{d^2A}{dz^2} = -a_1 = -J\sin\vartheta$$

$$\frac{d^2B}{dx^2} + \frac{d^2B}{dy^2} + \frac{d^2B}{dz^2} = 0$$

$$\frac{d^2C}{dx^2} + \frac{d^2C}{dy^2} + \frac{d^2C}{dz^2} = -c_1 = -J\cos\vartheta.$$

Es wäre ein grosser Irrthum, zu glauben, dass diese Gleichungen nur eine Auflösung zulassen; denn die Nebenbedingung, dass A, B, C im Unendlichen verschwinden sollen, ist unerfüllbar. Wir wollen daher irgend eine Lösung, die uns einfach und symmetrisch erscheint, herausgreifen. Wir setzen $B = 0$. Da der Differentialquotient von A nach x später gar nicht vorkommt, setzen wir A bloss als Function von y und z voraus, und zwar erhalten wir eine sehr einfache und symmetrische Lösung, wenn wir es gleich einer Constanten multiplicirt mit $y^2 + z^2$ setzen. Nach richtiger Constantenbestimmung wird dann

$$A = -\frac{J(y^2 + z^2)}{4}\sin\vartheta.$$

In derselben Weise kann man setzen

$$C = -\frac{J(x^2 + y^2)}{4}\cos\vartheta.$$

Setzt man noch $\psi = 0$, so folgt

$$\alpha_0 = \frac{dB}{dz} - \frac{dC}{dy} = \frac{Jy}{2} \cos \vartheta$$

$$\beta_0 = \frac{dC}{dx} - \frac{dA}{dz} = \frac{J}{2} (z \sin \vartheta - x \cos \vartheta)$$

$$\gamma_0 = \frac{dA}{dy} - \frac{dB}{dx} = -\frac{Jy}{2} \sin \vartheta,$$

was mit *Maxwell's* Resultat bis auf die ganz irrelevanten Constanten A_0, B_0, C_0 übereinstimmt.

Nach der ersten Methode des Theorems V bleiben zwei zu α_0 hinzutretende Addenden, von denen der eine nur Function von x und y, der andere nur von x und z ist, überhaupt unbestimmt, und da in unserem Beispiele α_0 nur aus zwei solchen Addenden besteht, so lehrt diese Methode in diesem Falle nur, dass α_0 kein von y und z gleichzeitig abhängiges Glied enthalten kann. Analoges gilt für β_0 und γ_0.

Dass für ein homogenes Magnetfeld die elektrotonischen Functionen nicht eindeutig bestimmt sind, ist keineswegs ein Gebrechen der *Maxwell'*schen Gleichungen, sondern der Ausdruck einer wichtigen physikalischen Thatsache. In der That wirkt beim plötzlichen Verschwinden des Magnetismus auf jeden im Felde befindlichen elektrostatisch geladenen Körper eine Kraft, aber Grösse und Richtung derselben sind durch die blosse Angabe, dass früher ein homogenes Magnetfeld von gegebener Stärke und Richtung vorhanden war, noch völlig unbestimmt. Sie sind erst bestimmt, wenn der ganze Verlauf des Feldes bis ins Unendliche gegeben ist, wo natürlich die magnetische Kraft verschwinden muss. Auf die Induction in einer geschlossenen Strombahn hat jedoch die Unbestimmtheit der elektrotonischen Functionen keinen Einfluss.

64) *Zu S. 93.* Die Methode der vorigen Anmerkung liefert hier:

$$\frac{d^2A}{dx^2} + \frac{d^2A}{dy^2} + \frac{d^2A}{dz^2} = \frac{d^2C}{dx^2} + \frac{d^2C}{dy^2} + \frac{d^2C}{dz^2} = 0$$

$$\frac{d^2B}{dx^2} + \frac{d^2B}{dy^2} + \frac{d^2B}{dz^2} = \frac{J\omega}{8\pi k} \sin \vartheta.$$

Wir verwenden die Lösung $A = C = \psi = 0$,

$$B = \frac{J\omega(x^2 + z^2)}{16\pi k} \sin \vartheta,$$ und erhalten

$$a_2 = \frac{dB}{dz} - \frac{dC}{dy} = -\frac{J\omega z}{16\pi k}\sin\vartheta$$

$$b_2 = \frac{dC}{dx} - \frac{dA}{dz} = 0$$

$$c_2 = \frac{dA}{dy} - \frac{dB}{dx} = \frac{J\omega x}{16\pi k}\sin\vartheta.$$

p_2 ist dann bis auf eine Constante durch die Gleichungen $\frac{dp_2}{dx} = \alpha_2 - k a_2$ etc. bestimmt.

65) *Zu S. 94.* Wir ziehen in der xy-Ebene 2 Radien, welche die Winkel φ und $\varphi + d\varphi$ mit der positiven x-Axe bilden. Die zwischen beiden liegende ebene Fläche schneidet aus der Kugelschale ein Flächenelement vom Flächeninhalte $TRd\varphi$ heraus. Die daselbst herrschende Stromdichte finden wir, indem wir in c_2 setzen $x = R\cos\varphi$, $z = 0$. Dieselbe hat daher den Werth $\frac{J\omega}{16\pi k} R\cos\varphi\sin\vartheta$. Ziehen wir durch jeden Punkt dieses Flächenelementes einen Parallelkreis, dessen Mittelpunkt in der y-Axe liegt und dessen Ebene zu ihr senkrecht steht, so durchfliesst den von allen diesen Parallelkreisen gebildeten Ring ein Gesammtstrom von der Intensität

$$i = TRd\varphi \cdot \frac{J\omega}{16\pi k} R\cos\varphi\sin\vartheta.$$

Die Mittellinie dieses Ringes ist ein Kreis vom Radius $R\cos\varphi$, also vom Flächeninhalte $f = \pi R^2 \cos^2\varphi$. Alle den Ring durchfliessenden Ströme sind daher unter Berücksichtigung des *Maxwell*'schen Maasssystems einem Magnete vom Momente

$$\frac{fi}{4\pi} = \frac{J\omega}{64\pi k} TR^4 \sin\vartheta\cos^3\varphi\, d\varphi$$

äquivalent. Da der Strom in der positiven xy-Halbebene positiv, in der positiven yz-Halbebene aber negativ ist, so fliesst er von der positiven x- gegen die positive z-Richtung. Der äquivalente Magnet wendet daher seinen positiven (Nord-) Pol der positiven y-Axe zu. Dabei ist das gegenwärtige *Maxwell*'sche (französische oder Hopfen-) Coordinatensystem vorausgesetzt. Um das Moment M des der ganzen Kugelschale äquivalenten Magnets zu finden, haben wir diesen Ausdruck von $-\frac{\pi}{2}$ bis $+\frac{\pi}{2}$ bezüglich φ zu integriren. Nun ist

$$\cos^3\varphi = \frac{1}{4}(\cos 3\varphi + 3\cos\varphi), \text{ daher}$$

$$\int_{-\frac{\pi}{2}}^{+\frac{\pi}{2}} \cos^3\varphi\, d\varphi = \frac{4}{3}, \text{ daher}$$

$$M = \frac{J\omega}{48\pi k} TR^4 \sin\vartheta.$$

Dasselbe Resultat erhalten wir nach Beispiel H in folgender Weise: Der nach einem Punkte P der Kugelschale gezogene Radius soll mit der positiven y-Axe den Winkel ϑ' machen. Dann ist die Stromdichte in P

$$j = \sqrt{a_2^2 + c_2^2} = \frac{\omega J \sin\vartheta}{16\pi k}\sqrt{x^2+z^2} = \pm\frac{\omega J \sin\vartheta}{16\pi k} R\sin\vartheta'.$$

In Beispiel H war die Stromdichte $j = -\frac{3J}{t}\sin\vartheta$ und das magnetische Moment $M = Ja^3 = -\frac{ta^3}{3}\frac{j}{\sin\vartheta}$. Um zu unsern jetzigen Buchstaben überzugehen, müssen wir R, T, ϑ' für a, t, ϑ schreiben und erhalten $M = -\frac{TR^3}{3}\frac{j}{\sin\vartheta'}$, oder nach Substitution des Werthes für j

$$M = \frac{\omega J R^4 T \sin\vartheta}{48\pi k}.$$

66) *Zu S. 94.* Aus dem Zeichen dieser Ausdrücke ist ersichtlich, dass, wenn J' positiv und φ spitz ist, der positive (Nord-)Pol des äquivalenten Magnetes vom magnetischen Momente $J'R^3$ eine algebraisch kleinere x- und y-Coordinate als der Südpol hat. Die Componenten seines magnetischen Momentes in der x- und y-Richtung sind daher mit Rücksicht auf das Zeichen $-J'R^3\cos\varphi$ und $-J'R^3\sin\varphi$, und er übt auf einen Nordpol eins in seinem Innern in der x- und y-Richtung die Kräfte $-2J'\cos\varphi$ und $-2J'\sin\varphi$ aus. Nach dem von *Maxwell* eben Gefundenen erzeugt ein Feld von der Intensität $J\sin\vartheta$, das die x-Richtung hat, in der Kugel Ströme, welche einem Magnete äquivalent sind, der das

Moment $+\frac{TR^4\omega}{48\pi k}\times J\sin\vartheta$ in der y-Richtung hat und auf einen Nordpol eins in der y-Richtung mit der Kraft $+\frac{TR^4\omega}{24\pi k}J\sin\vartheta$ wirkt. Hätte das gleiche Feld die y-Richtung, so würde in der x-Richtung ein gleiches entgegengesetzt bezeichnetes Moment erzeugt. Daher erzeugt

das Feld

$$J\sin\vartheta - 2J'\cos\varphi \parallel OX, \quad -2J'\sin\varphi \parallel OY,$$

das Moment

$$\frac{TR^4\omega}{48\pi k}(J\sin\vartheta - 2J'\cos\varphi) \parallel OY, \quad \frac{TR^4\omega}{24\pi k}J'\sin\varphi \parallel OX,$$

und die magnetische Kraft

$$\frac{TR\omega}{24\pi k}(J\sin\vartheta - 2J'\cos\varphi) \parallel OY, \quad \frac{TR\omega}{12\pi k}J'\sin\varphi \parallel OX.$$

Die beiden in der 2. Reihe stehenden Werthe müssen gleich den wirklichen Momenten $-J'R^3\sin\varphi$ und $-J'R^3\cos\varphi$ sein. Natürlich sind dann auch die gesammten magnetischen Kräfte, welche man erhält, wenn man zu den Zahlen der letzten Reihe noch die äussern magnetischen Kräfte (Null und $J\sin\vartheta$) addirt, gleich den wirklichen magnetischen Kräften, $-2J'\sin\varphi$ und $J\sin\vartheta - 2J'\cos\varphi$. Letztere Relationen benutzt *Maxwell*. Aus beiden folgt:

$$\operatorname{cotg}\varphi = -\frac{TR\omega}{24\pi k}, \quad J' = \frac{\frac{TR\omega}{48\pi k}J\sin\vartheta}{\sqrt{1+\left(\frac{TR\omega}{24\pi k}\right)^2}}.$$

Maxwell benutzt zur Berechnung der Inductionswirkung der Kugelschale auf sich selbst bloss die in deren Innern wirkenden magnetischen Kräfte. Dies wäre im Allgemeinen nicht erlaubt. Bloss die innerste Schicht der Kugelschale steht unter dem Einflusse derjenigen innern Kräfte, die an der Grenze des Innenraums wirken. Die äusserste Schicht der Kugelschale steht unter dem Einflusse derjenigen äussern Kräfte, die an der innern Grenze des Aussenraums wirken, für die gesammte Schale hätte man daher das arithmetische Mittel beider in Rechnung zu ziehen. Allein speciell für die zu findende Inductionswirkung sind bloss diejenigen Componenten der magnetischen Kräfte maassgebend, welche auf den von den Linienelementen der Leitung durchstrichenen Flächenelementen, also auf der Kugelfläche senkrecht stehen, d. h. die Radialcomponenten, und diese haben für die inneren und äusseren Kräfte in der unmittelbaren Nähe der Kugelfläche dieselben Werthe.

67) *Zu S. 95.* Um Uebereinstimmung mit dem Vorhergehenden zu erhalten, kann man die positive z-Axe von dem Orte der Erde aus, wo die Kugel rotirt, vertical abwärts (also gegen den Erdmittelpunkt zu), die positive x-Axe im magnetischen Meridiane des Ortes gegen Norden ziehen. Die Lage der positiven y-Axe ist dann bestimmt, da das Coordinatensystem ein französisches oder Hopfenrankensystem ist; sie zeigt nach dem magnetischen Westen. Dann ist ω positiv, J ist es ebenfalls, wenn $J \sin \vartheta$ und $J \cos \vartheta$ die Kräfte auf den Nordpol (positiven Pol) sind, so dass also das magnetische Potentiale nach der Definition der Anmerkung 50 gleich $-J(x \sin \vartheta + z \cos \vartheta)$ wäre. In den Formeln der letzten beiden Seiten steht bei *Maxwell* die Grösse R consequent, mit einem Potenzexponenten versehen, der mir unrichtig scheint. Auch enthalten sowohl diese als auch einige frühere Formeln manches, was ich für Druckfehler hielt. Alles das erlaubte ich mir zu ändern.

Über physikalische Kraftlinien

(1861/1862) · Band 102

Phil. Mag. 4. Ser. Bd. 21, S. 161, 281 und 338, 1861;
Bd. 23, S. 12 und 85, 1862 Scient. Pap. Vol. I, S. 451

Ueber physikalische Kraftlinien.

Von

James Clerk Maxwell.

---

1. Theil.

Anwendung der Theorie der Molekularwirbel auf die Erscheinungen des Magnetismus.

Bei allen Phänomenen, wo Anziehungen oder Abstossungen oder irgend welche von der relativen Lage der Körper abhängige Kräfte vorkommen, haben wir die Grösse und Richtung der Kraft zu bestimmen, welche auf einen gegebenen Körper wirkt, wenn er sich in einer gegebenen Lage befindet.

In dem Falle, dass eine Kugel nach dem Gravitationsgesetze auf den gegebenen Körper wirkt [1]), ist diese Kraft dem Quadrate des Abstandes vom Centrum der Kugel verkehrt proportional und gegen dieses Centrum hin gerichtet. In dem Falle, dass zwei Kugeln oder ein Körper, dessen Gestalt von der Kugelform abweicht, anziehend wirken, variirt die Grösse und Richtung der Kraft nach complicirteren Gesetzen. Die Grösse und Richtung der bei den elektrischen und magnetischen Phänomenen in irgend einem Punkte wirkenden Gesammtkraft ist der Hauptgegenstand der [folgenden] Untersuchung. Wir setzen voraus, dass die Richtung der Kraft in jedem Punkte gegeben ist. Wenn wir dann eine Linie so ziehen, dass in jedem Punkte ihres Verlaufs ihre Richtung mit der Richtung der Kraft in diesem Punkte zusammenfällt, so soll diese Linie eine Kraftlinie heissen, da sie die Richtung der Kraft in jedem Punkte ihres Verlaufs angiebt.

Wenn wir eine genügende Anzahl von Kraftlinien zeichnen, so können wir daraus die Richtung der Kraft in jedem Punkte des Raumes, wo sie wirkt, ersehen.

Wenn wir in der Nähe eines Magnetes Eisenfeilspäne auf ein Papier streuen, so wird jeder Feilspan durch Induction magnetisirt und die entgegengesetzten Pole je zweier sich folgender Feilspäne vereinigen sich, so dass diese Curven bilden, welche in jedem Punkte die Richtung der Kraftlinien anzeigen. Das schöne Bild des Verlaufs der magnetischen Kraft, welches dieses Experiment bietet, erweckt in uns unwillkürlich die Vorstellung, dass die Kraftlinien etwas Reales seien und mehr anzeigen, als bloss die Resultirende zweier Kräfte, deren unmittelbare Ursache an einem ganz anderen Orte ihren Sitz hat, und welche im Felde gar nicht existiren, bis ein Magnet an diese Stelle des Feldes gebracht wird. Wir sind unbefriedigt von einer Erklärung, welche auf die Annahme einer gegen die magnetischen Pole gerichteten Anziehung oder Abstossung gegründet ist, selbst wenn wir uns überzeugt haben, dass die Erscheinungen in vollständiger Uebereinstimmung mit dieser Annahme sind, und wir können nicht umhin zu denken, dass an jeder Stelle, wo wir diese Kraftlinien finden, ein gewisser physikalischer Zustand oder eine Wirkung von genügender Energie existiren muss, um die daselbst stattfindenden Erscheinungen hervorzubringen.

Der Zweck dieser Abhandlung ist, in dieser Hinsicht für die Speculation den Weg zu bahnen, einerseits durch Untersuchung der mechanischen Wirkungen gewisser Spannungs- und Bewegungszustände eines Mediums, andererseits durch Vergleichung derselben mit den beobachteten Erscheinungen des Magnetismus und der Elektricität. Ich hoffe, dass die folgende Untersuchung der mechanischen Consequenzen einer derartigen Hypothese denjenigen von einigem Nutzen sein wird, welche die Phänomene der Wirkung eines Mediums zuschreiben, aber im Zweifel sind, wie aus dieser Ansicht die experimentell festgestellten und bisher allgemein in der Sprache anderer Hypothesen [der Fernwirkungstheorien] ausgedrückten Gesetze zu erklären seien.

Ich habe in einer früheren Schrift*) versucht, eine klare geometrische Vorstellung von der Beziehung des Verlaufs der Kraftlinien zur Beschaffenheit des magnetischen Feldes zu geben, wo sie gezogen sind. Indem ich von der Vorstellung von Flüssigkeitsströmen Gebrauch machte, zeigte ich, wie die

---

*) Ueber *Faraday*'s Kraftlinien. Cambr. phil. Trans. 10 p. 27, 1856. *Maxw.*, scient. pap. 1, p. 155. Diese Klassiker, Nr. 69.

Kraftlinien so gezogen werden können, dass ihre Anzahl die Stärke der Kraft giebt, dass also jede einzelne Linie eine Einheitskraftlinie genannt werden kann*); ich habe ferner den Verlauf dieser Linien an denjenigen Stellen untersucht, wo sie von einem Medium in ein anderes übergehen.

In derselben Abhandlung habe ich die geometrische Bedeutung des elektrotonischen Zustandes gefunden und die mathematischen Beziehungen zwischen dem elektrotonischen Zustande, dem Magnetismus, den elektrischen Strömen und der elektromotorischen Kraft abgeleitet, indem ich mich der mechanischen Bilder bloss zur Erleichterung der Vorstellung, nicht aber zur Angabe der Ursachen der Erscheinungen bediente.

Ich beabsichtige nun die magnetischen Phänomene von einem mechanischen Gesichtspunkte aus zu betrachten und zu untersuchen, welche Spannungen oder Bewegungen eines Mediums im Stande sind, die beobachteten mechanischen Phänomene hervorzubringen. Wenn wir durch dieselbe Annahme die Phänomene der magnetischen Anziehung mit denen des Elektromagnetismus und der Inductionsströme in Verbindung bringen können, so erhalten wir dadurch eine Theorie, deren Unrichtigkeit nur durch Experimente nachgewiesen werden könnte, welche unsere Kenntniss dieses Gebietes der Physik wesentlich erweitern würden[2]).

Der mechanische Zustand eines unter dem Einfluss magnetischer Kräfte stehenden Mediums wurde bald als eine Strömung, bald als ein Schwingungszustand oder als eine durch Druck, Zug oder Drillung etc. entstandene Lagenveränderung der Theile aufgefasst.

Ströme, welche vom Nordpol eines Magnets ausgehen und in dessen Südpol wieder eintreten, oder rund um einen elektrischen Strom herumfliessen, würden den Vortheil gewähren, dass man durch sie die geometrische Anordnung der [magnetischen] Kraftlinien genau darstellen könnte, wenn man aus mechanischen Principien die Phänomene der Anziehung, die Anordnung der Ströme selbst und deren stetige Fortdauer erklären könnte.

Schwingungen, welche von einem Mittelpunkt ausgehen, würden nach den Rechnungen von Professor *Challis***) eine

---

*) Siehe *Faraday's* Experimentaluntersuchungen 3122.

**) Phil. mag. 4. ser. 20, S. 431, 1860; Bd. 21, S. 65 u. 92, 1861.

mit der Anziehung nach diesem Centrum ähnliche Wirkung erzeugen; aber selbst die Richtigkeit hiervon zugegeben, setzen sich bekanntlich zwei Reihen von Schwingungen, welche sich in demselben Raume fortpflanzen, nicht wie zwei Anziehungen zu einer Resultirenden zusammen, sondern ihre Wirkung hängt ebensowohl von ihrer Phase als von ihrer Intensität ab, und sie gehen, wenn ihr weiteres Fortschreiten nicht behindert wird, ohne irgend eine Wechselwirkung wieder auseinander[3]). In der That haben die mathematischen Gesetze der Anziehungen in keiner Weise Aehnlichkeit mit denen von Schwingungen, während sie denen der Flüssigkeitsströme, der Leitung der Wärme und Elektricität und des Verhaltens elastischer Körper auffallend analog sind.

Im mathematischen Journal von Cambridge und Dublin hat Prof. *William Thomson* im Januar 1847*) eine mechanische Darstellung der elektrischen, magnetischen und galvanischen Kräfte mittelst der Deformationen eines elastischen Körpers unter dem Einflusse elastischer Kräfte gegeben. Bei dieser Darstellung müssen wir die Winkeldrehung jedes Volumelementes der magnetischen Kraft an der entsprechenden Stelle und die Richtung der Axe dieser Drehung der Richtung der magnetischen Kraft entsprechen lassen. Die absolute Verschiebung irgend eines Theilchens entspricht dann in Grösse und Richtung dem, was ich den elektrotonischen Zustand genannt habe, und die relative Verschiebung eines Theilchens gegen die Theilchen seiner unmittelbaren Nachbarschaft entspricht in Grösse und Richtung der Quantität des elektrischen Stromes [Stromdichte] in diesem Punkte des Feldes. Diese Methode der Darstellung bezweckt nicht, den Ursprung der beobachteten Kräfte durch die Wirkung der Zugkräfte im elastischen Körper zu erklären, sondern sie benutzt bloss die mathematische Analogie der beiden Probleme, um beim Studium beider die Vorstellung zu erleichtern.

Wir aber wollen nun die magnetische Kraft als eine Art Druck oder Zug oder noch allgemeiner als eine Spannung im Medium betrachten, [welches letztere Wort wir im selben Sinne wie normale elastische Kraft gebrauchen].

Spannung ist die Wirkung und Gegenwirkung zwischen zwei unmittelbar benachbarten Theilen eines Körpers und

---

*) II, S. 61, Math. and Phys. Pap. I S. 76.

besteht im Allgemeinen aus Druck- oder Zugkräften, welche an derselben Stelle des Mediums in verschiedenen Richtungen verschieden sein können.

Die nothwendigen Beziehungen zwischen diesen Kräften wurden mathematisch untersucht und es wurde bewiesen, dass der allgemeinste Typus einer elastischen Kraft in der Superposition dreier auf einander senkrechter Hauptdruck- oder Zugkräfte besteht[4]).

Wenn zwei Hauptspannungen gleich sind, so wird die dritte zu einer Symmetrieaxe des grössten oder kleinsten Druckes, während die Spannungen in allen zur Axe senkrechten Richtungen unter einander gleich sind.

Wenn alle drei Hauptspannungen gleich sind, so ist der Druck in jeder Richtung gleich und es existiren keine bestimmten Hauptrichtungen der elastischen Kraft, wofür der gewöhnliche hydrostatische Druck ein Beispiel ist.

Der allgemeinste Typus der elastischen Kräfte ist zur Darstellung der magnetischen Kräfte nicht geeignet, weil eine magnetische Kraftlinie zwar Richtung und Intensität, aber keine dritte Eigenschaft hat, welche die verschiedenen zu ihr senkrechten Richtungen so unterscheiden würde, wie z. B. beim polarisirten Lichtstrahl die verschiedenen zu diesem senkrechten Richtungen von einander charakteristisch verschieden sind*).

Wenn wir daher die magnetische Kraft in einem Punkte durch eine Spannung darstellen, so müssen wir voraussetzen, dass in jedem Punkte eine einzige Axe des grössten oder kleinsten Druckes vorhanden ist und alle Drucke rechtwinklig zu dieser Axe gleich sind. Man könnte einwenden, dass es nicht gestattet sei, eine Kraftlinie, welche wesentlich dipolar ist[5]), durch eine Hauptaxe der elastischen Kraft darzustellen, da letztere nothwendig isotrop ist, aber wir wissen, dass jedes Phänomen von Wirkung und Gegenwirkung in seinem Gesammtresultate isotrop ist, weil die Wirkungen der Kraft auf die Körper, zwischen denen sie wirkt, gleich und entgegengesetzt gerichtet sind, während die Natur und der Ursprung der auf einen der Körper wirkenden Kraft dipolar sein kann, wie bei der Anziehung zwischen einem Nord- und einem Südpole.

---

*) *Faraday*, Experimentaluntersuchungen 3252.

Wir wollen nun den mechanischen Effekt eines Spannungszustandes betrachten, welcher symmetrisch um eine Axe ist. Wir können ihn in allen Fällen aus einem einfachen hydrostatischen Drucke und einem einfachen Drucke oder Zuge längs der Axe zusammensetzen. Wenn die Axe die eines grössten Druckes ist, so wird die Kraft in der Richtung der Axe ebenfalls ein Druck sein. Ist sie dagegen eine Axe kleinsten Druckes, so ist die Kraft längs der Axe eine Zugkraft.

Wenn wir die Kraftlinien zwischen zwei Magneten, wie sie durch Eisenfeilicht sichtbar gemacht werden können, betrachten, so sehen wir, dass jedes Mal, wenn die Linien von einem Pole zum andern gehen, zwischen beiden Polen eine Anziehung stattfindet, wenn dagegen die Kraftlinien der beiden Pole sich ausweichen und alle in den unendlichen Raum hinausgehen, so stossen sich die Pole ab, so dass sie in beiden Fällen in der Richtung gezogen werden, wohin die Kraftlinien im Durchschnitte sich hinneigen. Es ist daher offenbar, dass die Spannung in der Richtung der Axe jeder Kraftlinie eine Zugkraft ist, gleich der einer gespannten Schnur.

Wenn wir die Kraftlinien in der Nachbarschaft zweier gravitirender Körper berechnen, so finden wir dieselben in ihrem Verlaufe vollkommen gleich denen in der Nähe zweier gleichnamiger Magnetpole; aber wir wissen, dass der mechanische Effekt der einer Anziehung, nicht aber einer Abstossung ist. Die Kraftlinien laufen in diesem Falle nicht von einem Körper gegen den anderen, sondern sie fliehen einander und zerstreuen sich alle im Raume. Um den Effekt einer Anziehung zu erzeugen, muss die Spannung längs einer Linie der Gravitationskraft ein Druck sein [wie der eines verkürzten elastischen Stabes].

Wir wollen nun voraussetzen, dass die magnetischen Erscheinungen durch das Vorhandensein einer Zugkraft in der Richtung der Kraftlinien in Verbindung mit einem [nach allen Richtungen gleichen] hydrostatischen Drucke bedingt sind, oder mit anderen Worten, durch einen Druck, welcher in der äquatorialen Richtung grösser als in der axialen ist. Die nächste Frage ist dann, welche mechanische Erklärung wir für diese Druckungleichheit in einem flüssigen oder doch allseitig beweglichen Medium geben können. Die Erklärung, welche sich uns zunächst bietet, ist die, dass der Ueberschuss des Druckes in äquatorialer Richtung von der Centrifugalkraft von Wirbeln oder Strudeln im Medium herrührt, deren Axen durchaus die Richtung der Kraftlinien haben.

Diese Erklärung der Ursache der Druckungleichheit bietet zugleich ein Mittel, um den dipolaren Charakter der Kraftlinien wiederzugeben. Jeder Wirbel ist wesentlich dipolar, da die beiden Enden seiner Axe durch den Sinn unterschieden sind, in welchem für ein von dem betreffenden Ende herblickendes Auge die Umdrehung zu geschehen scheint.

Wir wissen auch, dass, wenn Elektricität einen [ringförmigen] Leiter durchfliesst, dadurch Kraftlinien erzeugt werden, welche durch die vom Ringe umschlossene Fläche hindurchgehen, und dass die Richtung der Kraftlinien von der Richtung der elektrischen Strömung abhängt. Wir wollen [willkürlich] annehmen, dass die Umdrehungsrichtung der eine beliebige Kraftlinie darstellenden Wirbel dieselbe ist, in welcher Glaselektricität einen um die Kraftlinie herumlaufenden Stromkreis durchfliessen muss, um Kraftlinien zu erzeugen, deren Richtung innerhalb des Stromkreises dieselbe ist, wie die der gegebenen Kraftlinie [6]).

Wir wollen nun voraussetzen, dass alle Wirbel in irgend einem [kleinen] Theil des Feldes im selben Sinne um nahe parallele Axen sich drehen, dass aber, wenn man von einem Theile des Feldes zu einem anderen übergeht, die Richtung der Axen, die Rotationsgeschwindigkeit und die Dichte der wirbelnden Substanz sich ändern kann. Wir wollen die resultirende mechanische Wirkung auf ein Element des Mediums untersuchen und die physikalische Bedeutung der verschiedenen Glieder des mathematischen Ausdrucks für dieselbe kennen lernen.

Satz I. Wenn in zwei geometrisch ähnlichen Systemen von Flüssigkeiten die Geschwindigkeiten in correspondirenden Punkten proportional sind und analoges von den Dichten in correspondirenden Punkten gilt, so verhalten sich die in correspondirenden Punkten durch die Bewegung erzeugten Druckdifferenzen wie die Quadrate der Geschwindigkeiten und die ersten Potenzen der Dichten [7]).

Sei l das Verhältniss der Lineardimensionen, m das der Geschwindigkeiten, n das der Dichten und p das der durch die Bewegung erzeugten Drucke; dann ist $l^3 n$ das Verhältniss der Massen correspondirender Volumelemente und m das Verhältniss der Geschwindigkeiten, welche dieselben bei Zurücklegung ähnlicher Wege erlangen, so dass $l^3 mn$ das Verhältniss der Bewegungsmomente ist, welche ähnliche Flüssigkeitstheile bei Zurücklegung ähnlicher Wegtheile erlangen.

Das Verhältniss ähnlicher Flächen ist l^2, das der darauf wirkenden Druckkräfte $l^2 p$ und das der Zeiten, während welcher sie wirken, $\frac{l}{m}$, so dass das Verhältniss der Impulse dieser Kräfte $\frac{l^3 p}{m}$ ist. Wir erhalten also:

$$l^3 mn = \frac{l^3 p}{m}$$

oder

$$m^2 n = p\,;$$

d. h. das Verhältniss der durch die Bewegung erzeugten [auf die Flächeneinheit bezogenen] Drucke (p) ist gleich dem Producte des Verhältnisses der Dichten (n) und des Quadrates des Verhältnisses der Geschwindigkeiten m^2 und hängt nicht ab von den linearen Dimensionen der bewegten Systeme.

Wenn in einem Wirbel von kreisförmigem Querschnitte, der mit gleichmässiger Winkelgeschwindigkeit sich dreht, der Druck in der Axe gleich p_0 ist, so ist der am Umfange $p_1 = p_0 + \frac{1}{2}\varrho v^2$, wobei ϱ die Dichte und v die Geschwindigkeit am Umfange ist. Der mittlere Druck parallel der Axe ist:

$$p_0 + \tfrac{1}{4}\varrho v^2 = p_2$$

Wenn eine Zahl solcher Wirbel mit parallelen Axen dicht gedrängt aneinander liegt, so würden sie ein Medium bilden, in welchem ein Druck p_2 parallel den Axen und ein Druck p_1 in irgend einer darauf senkrechten Richtung herrschen würde. Wenn die Querschnitte der Wirbel kreisförmig sind und in jedem die Winkelgeschwindigkeit und Dichte an allen Stellen dieselbe ist [vgl. was in Anmerkung 8 nach Gleichung 5 folgt], so ergiebt sich also aus dem Obigen:

$$p_1 - p_2 = \tfrac{1}{4}\varrho v^2 \,. \qquad [1a]$$

Wenn die Wirbel keinen kreisförmigen Querschnitt haben und die Winkelgeschwindigkeit und Dichte nicht in jedem Wirbel an allen Stellen dieselbe ist, aber für alle Wirbel nach demselben Gesetze variirt, [so können wir setzen]:

$$p_1 - p_2 = C\varrho v^2\,, \qquad [1b]$$

wo ϱ die mittlere Dichte und C ein numerischer Werth ist, welcher von der Vertheilung der Winkelgeschwindigkeiten und Dichten in jedem Wirbel abhängt[8]).

Wir wollen im Folgenden $\frac{\mu}{4\pi}$ statt $C\varrho$ schreiben, so dass

1) $$p_1 - p_2 = \frac{\mu v^2}{4\pi}$$

wird, wo μ eine der Dichte proportionale Grösse und v die [lineare, nicht Winkel-] Geschwindigkeit an dem Umfange jedes Wirbels ist.

Ein Medium von dieser Beschaffenheit, welches mit Molekularwirbeln erfüllt ist, deren Axen parallel sind, unterscheidet sich von einer ganz gewöhnlichen Flüssigkeit dadurch, dass es in verschiedenen Richtungen einen verschiedenen Druck ausübt. Es strebt, sich in äquatorialer Richtung auszudehnen, wenn es nicht durch einen entsprechend angeordneten Gegendruck daran verhindert wird. Wenn es sich wirklich ausdehnen würde, so würde dadurch der Querschnitt jedes Wirbels vergrössert und seine Geschwindigkeit im selben Verhältnisse verkleinert. Damit sich ein Medium, in welchem derartige Druckungleichheiten nach verschiedenen Richtungen herrschen, im Gleichgewicht befinde, müssen bestimmte Bedingungen erfüllt sein, welche wir nun untersuchen wollen.

Satz II. Die Richtungscosinus der Axe der Wirbel bezüglich der Coordinatenaxen seien l, m und n. Es sollen die normalen und tangentialen Spannungen gefunden werden, welche auf Flächen wirken, die den Coordinatenebenen parallel sind.

Die wirkliche Spannung kann zusammengesetzt werden aus einem einfachen hydrostatischen Drucke p_1, welcher nach allen Richtungen gleichmässig wirkt, und einer Zugkraft $p_1 - p_2$ oder $\frac{\mu v^2}{4\pi}$, welche nur in der Richtung der Wirbelaxen wirkt. Wir wollen mit p_{xx}, p_{yy}, p_{zz} die normalen elastischen Kräfte parallel den drei Coordinatenaxen bezeichnen, welche wir mit positivem Zeichen nehmen, wenn sie ein der betreffenden Axe paralleles Längenstück zu vergrössern streben. Mit p_{yz}, p_{zx} und p_{xy} aber bezeichnen wir die tangentialen elastischen Kräfte, welche auf drei den Coordinatenebenen parallele Flächen wirken, und nehmen sie mit positivem Zeichen, wenn sie gleichzeitig die unten angesetzten Symbole

zu vergrössern streben[9]). Dann findet m*
der elastischen Kräfte in Componenten*):

$$p_{xx} = \frac{1}{4\pi}\mu v^2 l^2 - p_1 ,$$

$$p_{yy} = \frac{1}{4\pi}\mu v^2 m^2 - p_1 ,$$

$$p_{zz} = \frac{1}{4\pi}\mu v^2 n^2 - p_1 ,$$

$$p_{yz} = \frac{1}{4\pi}\mu v^2 mn ,$$

$$p_{zx} = \frac{1}{4\pi}\mu v^2 nl ,$$

$$p_{xy} = \frac{1}{4\pi}\mu v^2 lm \quad {}^{10}).$$

Wenn wir

$$\alpha = vl , \ \beta = vm \text{ und } \gamma =$$

setzen, so wird

$$p_{xx} = \frac{1}{4\pi}\mu \alpha^2 - p_1 , \quad p_{yz} = \frac{}{4}$$

$$p_{yy} = \frac{1}{4\mu}\mu \beta^2 - p_1 , \quad p_{zx} = \frac{}{4}$$

2) $$p_{zz} = \frac{1}{4\pi}\mu \gamma^2 - p_1 , \quad p_{xy} = \frac{}{4}$$

Satz III. Berechnung der resultiren
[Volum] Element des Mediums, welche vo
keit der inneren Spannungen [von Punkt
der Wirbel] herrührt.

Für die Kraftcomponente, welche in de
auf die Volumeneinheit wirkt, findet man
des Gleichgewichts der elastischen Kräfte
Ausdruck:

3) $$X = \frac{d}{dx}p_{xx} + \frac{d}{dy}p_{xy} + \frac{d}{dz}p$$

---

*) *Rankine*'s Applied Mechanics art. 106.

**) *Rankine* l. c. art. 116, [*Lamé* l. c. 3. leç
hoff l. c. 11. Vorles. Gleich. 29, *Clebsch* l. c. § 12 Gleich. 24.].

Dieser Ausdruck kann in unserem Falle in der Form geschrieben werden:

$$4)\quad X = \frac{1}{4\pi}\left(\frac{d(\mu\alpha)}{dx}\alpha + \mu\alpha\frac{d\alpha}{dx} - 4\pi\frac{dp_1}{dx} + \frac{d(\mu\beta)}{dy}\alpha + \mu\beta\frac{d\alpha}{dy} + \frac{d(\mu\gamma)}{dz}\alpha + \mu\gamma\frac{d\alpha}{dz}\right).$$

Da

$$\frac{d\alpha}{dx} + \beta\frac{d\beta}{dx} + \gamma\frac{d\gamma}{dx} = \frac{1}{2}\frac{d}{dx}(\alpha^2 + \beta^2 + \gamma^2)$$

ist, so kann man auch schreiben

$$5)\quad X = \alpha\frac{1}{4\pi}\left(\frac{d}{dx}(\mu\alpha) + \frac{d}{dy}(\mu\beta) + \frac{d}{dz}(\mu\gamma)\right) + \frac{1}{8\pi}\mu\frac{d}{dx}(\alpha^2 + \beta^2 + \gamma^2) - \mu\beta\frac{1}{4\pi}\left(\frac{d\beta}{dx} - \frac{d\alpha}{dy}\right) + \mu\gamma\frac{1}{4\pi}\left(\frac{d\alpha}{dz} - \frac{d\gamma}{dx}\right) - \frac{dp_1}{dx}.$$

Die Ausdrücke für die in der y- und z-Richtung wirkende Kraft können daraus durch cyklische Vertauschung abgeleitet werden.

Wir haben nun jedes Glied dieses Ausdrucks zu interpretiren.

Wir setzen voraus, dass α, β, γ die Componenten der Kraft sind, welche auf einen an der betreffenden Stelle befindlichen Nordpol von der Stärke 1 wirken würde. μ stellt die magnetische inductive Capacität des Mediums an der betreffenden Stelle relativ gegen Luft dar. $\mu\alpha$, $\mu\beta$, $\mu\gamma$ stellen die Quantität der magnetischen Induction durch eine Fläche vom Flächeninhalt 1 dar, wenn diese senkrecht auf der x- resp. y- oder z-Achse steht.

Der Gesammtbetrag der magnetischen Induction durch eine geschlossene Fläche, welche den Pol eines Magnets umgiebt, hängt nur von der Stärke dieses Poles ab, so dass, wenn $dx\,dy\,dz$ ein Volumelement ist, der Ausdruck

$$6)\quad \left(\frac{d}{dx}\mu\alpha + \frac{d}{dy}\mu\beta + \frac{d}{dz}\mu\gamma\right)dx\,dy\,dz = 4\pi m\,dx\,dy\,dz,$$

welcher den Gesammtbetrag der nach aussen gerichteten magnetischen Induction durch die gesammte Oberfläche des Volumelementes $dx\,dy\,dz$ giebt, die Gesammtmenge der »fingirten magnetischen Masse« im Volumelemente darstellt, welche als Nordmagnetismus oder Südmagnetismus zu denken ist, je nachdem dieser Ausdruck positiv oder negativ ist[11]).

Das erste Glied der rechten Seite im Ausdrucke 5 für die Kraft X:

7) $$\alpha \frac{1}{4\pi}\left(\frac{d}{dx}\mu\alpha + \frac{d}{dy}\mu\beta + \frac{d}{dz}\mu\gamma\right)$$

kann also in der Form geschrieben werden:

8) $$\alpha m\,,$$

wo α die Intensität der magnetischen Kraft und m die Dichte der nordmagnetischen Masse im betreffenden Punkte ist.

Die physikalische Bedeutung dieses Gliedes ist also die folgende: die Kraft, welche einen Nordpol in der positiven Abscissenrichtung treibt, ist das Product der Intensität der Componente der magnetischen Kraft in dieser Richtung in die Stärke des betreffenden Nordpols[12]).

Es mögen die in Fig. 1 von links nach rechts gezogenen parallelen Linien ein homogenes Feld magnetischer Kraft, wie das des Erdmagnetismus darstellen, und sn mag die Richtung von Süd nach Nord sein. Die Wirbel werden dann unserer Theorie gemäss in der Richtung der kleinen Pfeile der Fig. 2 rotiren, d. h. in einer Ebene senkrecht zu den Kraftlinien im Sinne des Uhrzeigers für ein Auge, das von s her darauf blickt. Die wirbelnden Flüssigkeitstheilchen, welche sich vor [oberhalb] der Ebene der Zeichnung befinden, werden nach e [Osten], die, welche sich hinter [unterhalb] der Zeichnungsebene befinden, nach w [Westen] bewegen.

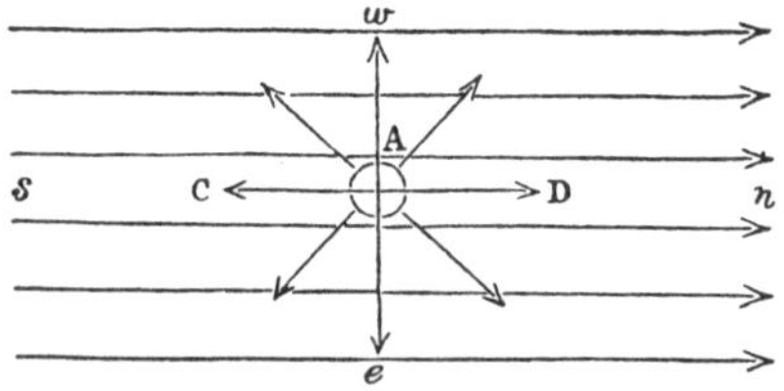

Fig. 1.

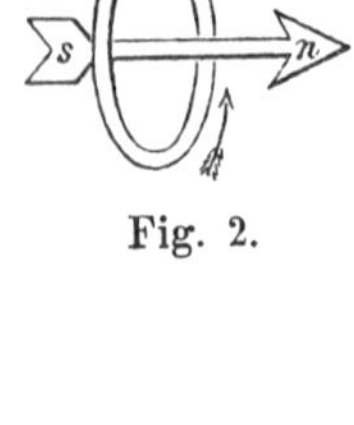

Fig. 2.

Wir wollen durch einen Pfeil immer die Richtung ausdrücken, von woher das Auge auf die Wirbel blicken muss, damit sie für dasselbe im Sinne des Uhrzeigers rotiren. Der Pfeil zeigt dann nach der Nordrichtung des Feldes, d. h. nach der Richtung, in welcher ein an diese Stelle gebrachter Nordpol gezogen wird.

Nun sei A der Nordpol eines Magnets. Da er die Nordpole anderer Magnete abstösst, so werden die Kraftlinien in A beginnen und von dort in das Medium hinein gerichtet sein. Die Kraftlinie AD auf der Nordseite von A hat den gleichen Sinn wie die des magnetischen Feldes; die Geschwindigkeit der Wirbel wird also auf dieser Seite erhöht. Die Kraftlinie AC, welche von A gegen die Südseite hin ausgeht, hat die entgegengesetzte Richtung, vermindert daher die Geschwindigkeit der Wirbel des Feldes, so dass die Kraftlinien auf der Nordseite von A stärker als auf der Südseite sind.

Wir haben gesehen, dass durch die mechanische Wirkung der Wirbel ein Zug längs ihrer Axen erzeugt wird; daher besteht die resultirende Wirkung auf den Pol A darin, dass er stärker gegen D als gegen C gezogen wird, d. h. der Pol A wird gegen Norden gezogen.

In Figur 3 sei B ein Südpol; die durch ihn bedingten Kraftlinien laufen daher von aussen gegen den Punkt B hin und verstärken die Kraftlinien des Feldes auf der Südseite E, schwächen sie aber auf der Nordseite F, so dass die Gesammtwirkung auf B eine gegen Süden ziehende Kraft ist. Man sieht daher, dass in der Theorie der Molekularwirbel das erste Glied der Gleichung 5 die mechanische Erklärung der Kräfte liefert, welche auf einen in das Feld gebrachten Nord- oder Südpol wirken.

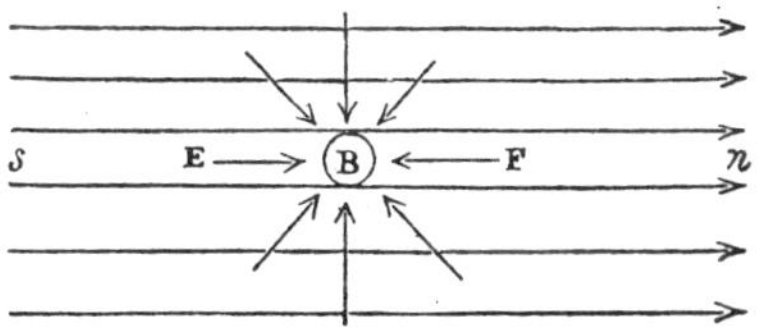

Fig. 3.

Wir gehen nun zur Prüfung des zweiten Gliedes,

$$\text{[8a]} \qquad \frac{1}{8\pi}\mu\frac{d}{dx}(\alpha^2+\beta^2+\gamma^2)$$

über. Hier ist $\alpha^2+\beta^2+\gamma^2$ das Quadrat der Intensität [Feldstärke] und μ die magnetische inductive Capacität [Magnetisirungszahl] an irgend einer Stelle des Feldes. Jeder in das

Feld gebrachte Körper wird daher nach den Stellen grösserer Feldintensität mit einer Kraft getrieben, welche dem Producte seiner eigenen magnetischen inductiven Capacität und des Differenzialquotienten des Quadrates der Feldstärke in der betreffenden Richtung proportional ist.

Wenn der Körper von einer Flüssigkeit umgeben ist, so wird dieselbe ebenso wie der Körper gegen die Orte grösserer Feldstärke hingezogen, so dass ihr hydrostatischer Druck [welcher durch das letzte Glied der Gleichung 5 dargestellt wird] in dieser Richtung wächst. Die resultirende Wirkung auf einen in eine Flüssigkeit eingetauchten Körper ist also die Differenz der Wirkungen auf den Körper und auf die von ihm verdrängte Flüssigkeit, so dass der Körper gegen Orte grösserer magnetischer Feldstärke zu- oder von diesen hinweggetrieben wird, je nachdem seine magnetische inductive Capacität grösser oder kleiner als die des umgebenden Mediums ist.

In Fig. 4 sind die Kraftlinien gegen rechts convergirend gezeichnet, so dass die magnetische Feldintensität rechts bei B grösser als links bei A ist und der Körper AB von A gegen B, also nach rechts hingetrieben wird. Wenn die specifische magnetische Inductionscapacität in dem Körper grösser ist als in dem umgebenden Medium, so bewegt er sich nach rechts, im umgekehrten Falle nach links. Den in Fig. 4 dargestellten Verlauf haben die gegen einen rechts liegenden magnetischen Nord- oder Südpol convergirenden Kraftlinien [13]).

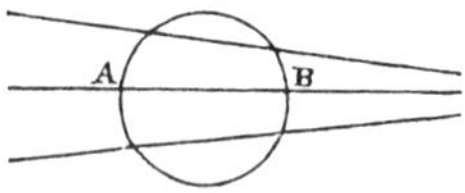

Fig. 4.

In Figur 5 verlaufen die Kraftlinien nahezu vertical, sind aber gegen rechts dichter gedrängt. Man kann beweisen, dass, wenn die Kraft nach rechts hin wächst, die Kraftlinien so gekrümmt sein müssen, dass sie ihre concave Seite nach rechts wenden [14]). Die Wirkung der magnetischen Spannung besteht dann ebenfalls darin, dass der Körper mit einer Kraft nach rechts gezogen wird, welche dem Ueberschusse seiner magnetischen inductiven Capacität über die des umgebenden Mediums proportional ist.

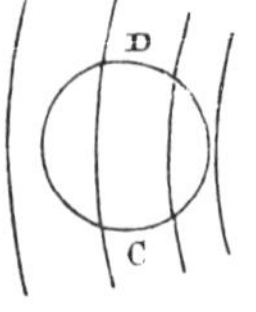

Fig. 5.

Wir können uns vorstellen, dass die in Fig. 5 gezeichneten Kraftlinien von einem zur Ebene der Zeichnung senkrechten und diese rechts vom Körper *CD* durchstechenden Strome herrühren.

Diese zwei Beispiele versinnlichen die mechanische Wirkung auf einen paramagnetischen oder diamagnetischen Körper, welcher sich in einem Felde von veränderlicher Intensität befindet, sowohl wenn die Richtung, nach welcher die magnetische Kraft zunimmt, mit der der Kraftlinien zusammenfällt, als auch wenn sie darauf senkrecht ist. Die Form des zweiten Gliedes der Gleichung 5 drückt das allgemeine Gesetz dieser Wirkung aus, welche von der Richtung der Kraftlinien vollständig unabhängig ist und nur von der Art und Weise abhängt, wie die Stärke der Kraft von einem Punkte des Feldes zum anderen sich ändert.

Wir kommen nun zu dem dritten Gliede in dem Ausdrucke für X:

[8b] $$-\mu\beta\frac{1}{4\pi}\left(\frac{d\beta}{dx}-\frac{d\alpha}{dy}\right).$$

Hier ist $\mu\beta$ wie früher die Quantität der magnetischen Induction durch eine auf der y-Axe senkrecht stehende Fläche vom Flächeninhalte 1, und

[8c] $$\frac{d\beta}{dx}-\frac{d\alpha}{dy}$$

ist ein Ausdruck, welcher verschwinden würde, wenn

$$\alpha dx+\beta dy+\gamma dz$$

ein vollständiges Differentiale wäre, d. h. wenn die auf einen Magnetpol wirkende Kraft die Bedingung erfüllen würde, dass bei einer Bewegung desselben in einer geschlossenen Bahn ihre Gesammtarbeit stets verschwindet. Der Ausdruck (8c) stellt die Arbeit dar, welche die auf einen Nordpol von der Intensität 1 wirkende Kraft leistet, wenn dieser ein ebenes, der xy-Ebene paralleles Flächenstück vom Flächeninhalte 1 in dem Sinne umkreist, in dem man den Coordinatenursprung umkreisen muss, um auf kürzestem Wege von der positiven x-Axe zur positiven y-Axe zu gelangen. Wir wollen uns die positive z-Axe nach aufwärts, die positive x-Axe nach Ost, die positive y-Axe nach Nord gezogen denken [englisches Coordinatensystem]. Wenn dann ein elektrischer Strom von der Intensität r die z-Axe von der negativen gegen die positive Richtung hin durchfliesst, so wird ein Nordpol von der Stärke 1 um dieselbe in dem Sinne herumgetrieben, in dem man von der positiven x-Axe zur positiven y-Axe auf kürzestem Wege gelangt, und die bei einem vollständigen Umlaufe gethane Arbeit ist gleich $4\pi r$. Daher ist

$$\frac{1}{4\pi}\left(\frac{d\beta}{dx}-\frac{d\alpha}{dy}\right)$$

die Intensität des in der Richtung der z-Axe durch die Flächeneinheit fliessenden elektrischen Stromes [15]), und wenn wir

9)
$$\frac{1}{4\pi}\left(\frac{d\gamma}{dy}-\frac{d\beta}{dz}\right)=p,$$
$$\frac{1}{4\pi}\left(\frac{d\alpha}{dz}-\frac{d\gamma}{dx}\right)=q, \quad \frac{1}{4\pi}\left(\frac{d\beta}{dx}-\frac{d\alpha}{dy}\right)=r$$

setzen, so sind p, q, r die Quantitäten des durch drei Flächenstücke vom Flächeninhalte 1, welche auf den drei Coordinatenaxen senkrecht sind, fliessenden elektrischen Stromes [die nach den Coordinatenrichtungen geschätzten Stromdichten].

Die physikalische Deutung des 3. Gliedes $-\mu\beta r$ im Ausdrucke für X ist daher die, dass, wenn $\mu\beta$ die Quantität der magnetischen Induction in der y-Richtung und r die Quantität des elektrischen Stromes in der z-Richtung ist, das Volumelement in der negativen x-Richtung senkrecht sowohl zu den Kraftlinien als auch zur Stromrichtung getrieben wird, d. h. ein aufsteigender elektrischer Strom wird in einem Kraftfelde, dessen magnetische Kraft nach Norden gerichtet ist, nach Westen getrieben.

Um die Wirkung der Molekularwirbel zu versinnlichen, sei in Fig. 6 sn die Richtung der magnetischen Kraft des Feldes und C der Querschnitt eines nach aufwärts [gegen den Beschauer] senkrecht zur Ebene der Zeichnung fliessenden elektrischen Stromes. Die von diesem Strome herrührenden Kraftlinien sind Kreise, welche in der der Uhrzeigerbewegung entgegengesetzten Richtung $nwse$ laufen. In e summiren sich die vom Felde und vom Strome herrührenden Kraftlinien, in w aber wirken sie sich entgegen, so dass die Wirbel auf der Ostseite [e] stärker als die auf der Westseite [w] sind. Beide Gattungen von Wirbeln wenden ihre äquatoriale Seite gegen C [ihre Axe hat die gegen C tangentiale Richtung], so dass sie gegen C hin sich

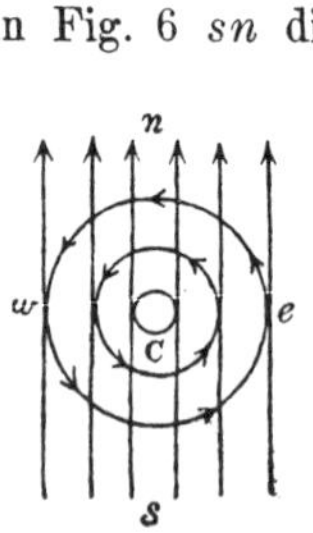

Fig. 6.

auszudehnen suchen, und da die auf der Ostseite die grösste Wirkung haben, so wird der Strom gegen Westen getrieben.

Das vierte Glied:

$$10)\qquad +\mu\gamma\frac{1}{4\pi}\left(\frac{d\alpha}{dz}-\frac{d\gamma}{dx}\right)\quad\text{oder}\quad +\mu\gamma q$$

kann in derselben Weise gedeutet werden und zeigt an, dass ein Strom q, welcher in der y-, also in der Nordrichtung fliesst, in ein magnetisches Feld γ gebracht, dessen Kraftlinien in der positiven z-Richtung, also vertical nach aufwärts verlaufen, gegen Osten getrieben wird.

Das fünfte Glied:

$$11)\qquad -\frac{dp_1}{dx}$$

drückt lediglich aus, dass das Volumelement nach der Richtung getrieben wird, in welcher der hydrostatische Druck p_1 abnimmt [16]).

Wir können jetzt die Ausdrücke für die Componenten der resultirenden Kraft auf ein Volumelement des Mediums (bezogen auf die Volumeneinheit) in der folgenden Form schreiben:

$$12)\qquad X=\alpha m+\frac{1}{8\pi}\mu\frac{d}{dx}(v^2)-\mu\beta r+\mu\gamma q-\frac{dp_1}{dx}$$

$$13)\qquad Y=\beta m+\frac{1}{8\pi}\mu\frac{d}{dy}(v^2)-\mu\gamma p+\mu\alpha r-\frac{dp_1}{dy}$$

$$14)\qquad Z=\gamma m+\frac{1}{8\pi}\mu\frac{d}{dz}(v^2)-\mu\alpha q+\mu\beta p-\frac{dp_1}{dz}$$

Das erste Glied der rechten Seite eines jeden Ausdrucks stellt die auf Magnetpole wirkende Kraft, das zweite Glied die Wirkung auf Körper, welche durch Induction magnetisirbar sind, das dritte und vierte die auf elektrische Ströme, das fünfte die des einfachen hydrostatischen Druckes dar.

Bevor wir in der allgemeinen Untersuchung weiter gehen, wollen wir die Anwendung der Gleichungen 12, 13 und 14 auf specielle Fälle betrachten, welche so vereinfachten Versuchsbedingungen entsprechen, wie wir sie zu erhalten suchen, um die Gesetze der Naturerscheinungen durch das Experiment zu bestimmen.

Wir fanden, dass die Grössen p, q, r die Componenten der Stromdichte in den drei Coordinatenrichtungen darstellen. Wir betrachten als erstes Beispiel den Fall, dass keine elektrischen Ströme vorhanden sind, dass also p, q und r verschwinden. Wir haben dann wegen der Gleichungen 9:

15)
$$\frac{d\gamma}{dy} - \frac{d\beta}{dz} = 0\,, \quad \frac{d\alpha}{dz} - \frac{d\gamma}{dx} = 0\,,$$
$$\frac{d\beta}{dx} - \frac{d\alpha}{dy} = 0\,,$$

woraus folgt, dass:

16)
$$\alpha\, dx + \beta\, dy + \gamma\, dz = d\varphi$$

ein vollständiges Differential, also

17)
$$\alpha = \frac{d\varphi}{dx}\,, \quad \beta = \frac{d\varphi}{dy}\,, \quad \gamma = \frac{d\varphi}{dz}$$

ist. μ ist der Dichte der Wirbel proportional und stellt die Capacität des Mediums für magnetische Induction dar. Es wird gleich 1 gesetzt für Luft oder für das Medium (Standardmedium), welches sonst der absoluten Messung der Stärke der Magnete, der Intensität der Ströme etc. [in magnetischem Maasse] zu Grunde gelegt wird.

Setzen wir μ constant, so wird

18)
$$m = \frac{1}{4\pi}\left(\frac{d}{dx}(\mu\alpha) + \frac{d}{dy}(\mu\beta) + \frac{d}{dz}(\mu\gamma)\right)$$
$$= \frac{1}{4\pi}\mu\left(\frac{d^2\varphi}{dx^2} + \frac{d^2\varphi}{dy^2} + \frac{d^2\varphi}{dz^2}\right),$$

welcher Ausdruck die Dichte der hypothetischen magnetischen Masse darstellt. Damit auf das betreffende Volumelement keine durch das erste Glied [der rechten Seiten der Gleichungen 12, 13 und 14] herrührende Kraft wirke, muss $m = 0$ oder

19)
$$\frac{d^2\varphi}{dx^2} + \frac{d^2\varphi}{dy^2} + \frac{d^2\varphi}{dz^2} = 0$$

sein.

Es lässt sich nun zeigen, dass die Gültigkeit der Gleichung 19 in einem gegebenen Raume bedingt, dass die magnetischen Kräfte in diesem Raume solche sind, wie sie sich durch die

Wirkung von ausserhalb des Raumes liegenden Kraftcentren ergeben, welche eine dem Quadrate der Entfernung verkehrt proportionale Anziehung oder Abstossung ausüben.

Daher müssen die Kraftlinien in einem Raume, wo μ constant ist und nirgends elektrische Ströme fliessen, so verlaufen, wie dies aus der Hypothese der Existenz magnetischer Massen folgt, welche nach diesem Gesetze in die Ferne wirken. Die Voraussetzungen dieser Theorie sind von den unsrigen völlig verschieden, aber die Resultate sind identisch.

Wir wollen nun zuerst den Fall eines einzigen Magnetpols betrachten, d. h. des einen Endes eines [gleichförmig magnetisirten] Magnets, welcher so lang ist, dass dessen anderes Ende zu weit entfernt ist, um eine bemerkbare Wirkung auf den betrachteten Theil des Feldes auszuüben. Wir erhalten dann die Bedingung, dass die Gleichung 18 für den Magnetpol [in dem klein vorausgesetzten Raume, wo wahrer Magnetismus auftritt] und die Gleichung 19 an allen anderen Stellen des Feldes erfüllt sein muss. Die einzig mögliche Lösung unter diesen Bedingungen ist

20) $$\varphi = -\frac{m}{\mu}\frac{1}{r},$$

wobei r die Entfernung vom Pole und m die Stärke des Pols ist. Die Abstossung auf einen gleichnamigen Pol von der Stärke 1 ist

21) $$\frac{d\varphi}{dr} = \frac{m}{\mu}\frac{1}{r^2}$$

Im Standardmedium ist $\mu = 1$, so dass darin die Abstossung einfach gleich $\frac{m}{r^2}$ ist, wie *Coulomb* gezeigt hat[17]).

In einem Medium, wo μ einen grösseren Werth hat, wie in Sauerstoff, in den Lösungen der meisten Eisensalze etc., müsste unserer Theorie gemäss die Anziehung derselben Magnetpole kleiner als in Luft, in einem diamagnetischen Medium, wie Wasser, geschmolzenem Wismuth etc., aber grösser als in Luft sein[18]). Der experimentelle Nachweis des Unterschiedes der Anziehung zweier Magnete, je nach der magnetischen oder diamagnetischen Eigenschaft des umgebenden Mediums, würde grosse Genauigkeit der Beobachtung erfordern wegen der geringen Unterschiede in der magnetischen Capacität der uns bekannten Flüssigkeiten und Gase und wegen der Kleinheit der gesuchten Differenz im Vergleich zur Gesammtanziehung.

Wir wollen nun den Fall betrachten, dass ein elektrischer Strom von der Quantität [im gleichen Maasse wie α, β, γ gemessenen Gesammtintensität] C durch einen cylindrischen Leiter vom Radius R und von gegen die Dimensionen des betrachteten Feldes unendlicher Länge fliesst.

Die Axe des Cylinders wählen wir zur z-Axe und die Stromrichtung als deren positive Richtung. Dann ist die Stromdichte im Innern des Leiters

22) $$r = \frac{C}{\pi R^2} = \frac{1}{4\pi}\left(\frac{d\beta}{dx} - \frac{d\alpha}{dy}\right),$$

so dass im Innern des Leiters

23) $$\alpha = -2\frac{C}{R^2}y, \quad \beta = 2\frac{C}{R^2}x, \quad \gamma = 0,$$

ausserhalb des Leiters aber in dem ihn umgebenden Raume

24) $$\varphi = 2C \operatorname{tang}^{-1}\frac{y}{x},$$

25) $$\alpha = \frac{d\varphi}{dx} = -2C\frac{y}{x^2+y^2}, \quad \beta = \frac{d\varphi}{dy} = 2C\frac{x}{x^2+y^2}, \quad \gamma = \frac{d\varphi}{dz} = 0$$

ist. Wenn $\varrho = \sqrt{x^2+y^2}$ der senkrechte Abstand irgend eines Punktes von der Axe des Leiters ist, so wirkt auf einen Nordpol von der Stärke 1 die Kraft $\frac{2C}{\varrho}$, welche ihn um den Conductor herum in der Uhrzeigerrichtung zu drehen sucht, wenn der Beobachter in der Stromrichtung blickt.

Wir wollen nun einen zweiten Strom betrachten, welcher parallel der z-Achse in der xz-Ebene in der Entfernung ϱ von dem ersten Strome fliesst. Die Quantität des zweiten Stromes sei c', die Länge des betrachteten Theiles l und sein Querschnitt s, so dass $\frac{c'}{s}$ seine Stromdichte ist. Wenn wir diesen Werth für r in die Gleichung 12 [19]) substituiren, so finden wir für die auf die Volumeneinheit des vom zweiten

Strome durchflossenen Drahtes in der Abscissenrichtung wirkende Kraft den Ausdruek

$$X = -\mu\beta\frac{c'}{s}$$

und indem wir mit dem Volumen ls des betrachteten Stückes des Drahtes multipliciren, ergiebt sich für die gesammte darauf wirkende Kraft der Werth

26) $$Xls = -\mu\beta c'l = -2\mu\frac{Cc'l}{\varrho},$$

woraus ersichtlich ist, dass der zweite Leiter gegen den ersten mit einer ihrem Abstande verkehrt proportionalen Kraft hingezogen wird. Wir sehen ferner, dass auch in diesem Falle die Stärke der Anziehung von dem Werthe des μ abhängt, aber sie ist ihm nicht umgekehrt, sondern direct proportional, so dass die Anziehung derselben beiden stromführenden Drähte in Sauerstoff grösser als in Luft und in Luft grösser als in Wasser ist.

Wir wollen nun die Natur der elektrischen Ströme und elektromotorischen Kräfte vom Standpunkte der Theorie der Molekularwirbel aus betrachten.

2. Theil.

Anwendung der Theorie der Molekularwirbel auf elektrische Ströme.

Wir haben bisher gesehen, dass man sich von allen Kräften, welche zwischen Magneten, magnetisirbaren Substanzen und elektrischen Strömen wirken, mittelst der Vorstellung Rechenschaft geben kann, dass das umgebende Medium sich in einem solchen Zustande befindet, dass daselbst in jedem Punkte der Druck in verschiedenen Richtungen verschieden ist, und zwar muss die Richtung des kleinsten Druckes die der Kraftlinien und der Unterschied zwischen dem grössten und kleinsten Drucke der Feldintensität in diesem Punkte proportional sein.

In einem solchen genau den bekannten Gesetzen des Verlaufs der Kraftlinien entsprechend angeordneten Spannungszustande wird das Medium auf die Magnete, Ströme etc. im

Felde genau dieselbe resultirende Wirkung ausüben, wie sie aus der gewöhnlichen Fernwirkungshypothese folgt. Es ist dies richtig unabhängig von irgend einer besonderen Theorie über die Ursache dieses Spannungszustandes oder über die Mittel, durch welche er im Medium unterhalten werden kann. Die Frage, ob es einen durch die Kraftlinien bestimmten Spannungszustand im Medium giebt, welcher von den beobachteten resultirenden Kräften eine befriedigende mechanische Erklärung zu geben vermag, muss daher bejaht werden. Die Antwort ist, dass die Kraftlinien die Richtung des kleinsten Druckes in jedem Punkte des Mediums angeben.

Es ist nun die nächste Frage, was die mechanische Ursache dieser Druckunterschiede nach verschiedenen Richtungen sei. Wir haben im ersten Theile dieser Abhandlung vorausgesetzt, dass die Druckdifferenz durch Molekularwirbel erzeugt wird, deren Axen parallel den Kraftlinien sind.

Wir bestimmten den Umdrehungssinn der Wirbel völlig willkürlich so, dass diese für ein Auge, welches nach der Richtung blickt, nach welcher ein Nordpol gezogen wird, im Sinne des Uhrzeigers rotiren.

Wir fanden, dass die Geschwindigkeit am Umfange jedes Wirbels proportional der Stärke der magnetischen Kraft und die Dichte der wirbelnden Substanz proportional der magnetischen inductiven Capacität des Mediums sein muss.

Wir haben bisher keine Antwort auf die Frage gegeben, wie diese Wirbel in Rotation versetzt wurden und warum sie nach den bekannten, durch die Kraftlinien bestimmten Gesetzen in der Umgebung von Magneten und elektrischen Strömen vertheilt sind. Letztere Fragen sind sicher von einer höheren Ordnung der Schwierigkeit als irgend eine der ersteren, und man thut wohl, wenn man die Vorstellungen, welche ich als vorläufige Antwort auf die letzteren Fragen hier vorschlage, von der mechanischen Annahme [elastischer Spannungen im Medium], durch welche ich die erste Frage löste, und von der Hypothese der Molekularwirbel, welche eine plausible Antwort auf die zweite Frage [nach der mechanischen Erklärung der Spannungen] gab, trennt.

Wir müssen uns in der That jetzt auf eine Untersuchung über den physikalischen Zusammenhang dieser Wirbel mit den elektrischen Strömen einlassen, während wir noch über die Natur der Elektricität vollkommen im Unklaren sind, ob sie eine Substanz oder zwei Substanzen oder gar keine Substanz ist, und in welcher Weise sie sich von der Materie unterscheidet und wie sie damit verknüpft ist.

Wir wissen, dass die Kraftlinien durch elektrische Ströme beeinflusst werden, und wir kennen die Vertheilung der Kraftlinien um einen elektrischen Strom, so dass wir aus den magnetischen Kräften den Strom [dessen Dichte und Richtung in jedem Punkte] bestimmen können. Warum zeigt nun unter der Voraussetzung der Richtigkeit unserer Erklärung der Kraftlinien durch Molekularwirbel eine bestimmte Vertheilung der magnetischen Kräfte immer einen elektrischen Strom an? Eine befriedigende Antwort auf diese Frage würde ein bedeutender Schritt zur Beantwortung der anderen wichtigen Frage sein, was ein elektrischer Strom ist.

Ich habe eine grosse Schwierigkeit in der Vorstellung der Existenz von Wirbeln in einem Medium gefunden, welche sich unmittelbar neben einander um parallele Axen in derselben Richtung drehen [20]. Die an einander grenzenden Partien zweier benachbarter Wirbel müssen sich in entgegengesetzter Richtung bewegen, und es ist schwer zu verstehen, wie die Bewegung eines Theiles des Mediums mit einer gerade entgegengesetzten Bewegung des unmittelbar daran stossenden Theiles zusammen bestehen und letztere sogar hervorrufen kann.

Die einzige Annahme, welche mir über die Schwierigkeiten der Vorstellung einer Bewegung von dieser Art hinweghalf, ist die, dass die Wirbel durch eine Lage von Theilchen getrennt sind, welche sich alle in der entgegengesetzten Richtung wie die Wirbel um ihre Axe drehen, so dass die sich berührenden Oberflächen der Theilchen und der Wirbel dieselbe Bewegungsrichtung haben. Wenn man wünscht, dass sich in einem Mechanismus zwei Räder in derselben Richtung drehen, so fügt man ein Rad dazwischen so ein, dass es in beide eingreift, und nennt dieses Rad ein Zwischenrad. [Rollen, welche in gleicher Weise wirken, aber nur Reibungscontact haben, heissen Frictionsrollen.] Auch bezüglich unseres Mediums mache ich die Annahme, dass sich eine Lage von Theilchen zwischen je zwei Wirbeln befindet, welche wie Frictionsrollen wirken, so dass jeder Wirbel [die seiner Oberfläche anliegenden Frictionsrollen zur Drehung in entgegengesetztem Sinne und dadurch] die umgebenden Wirbel zur Drehung in dem Sinne, in dem er sich selbst dreht, anregt.

In den gebräuchlichen Mechanismen drehen sich die Zwischenräder oder Frictionsrollen im Allgemeinen um eine fixe Axe, aber bei Differentialräderwerken und anderen Vorrichtungen, wie *Siemens'* Regulator für Dampfmaschinen *), finden sich Zwischenräder oder Frictionsrollen, deren Axen beweglich sind[21]). In allen diesen Fällen ist die Geschwindigkeit des Mittelpunktes der Frictionsrolle das arithmetische Mittel der Geschwindigkeiten der Peripherien der Räder, zwischen denen sie sich befindet. Wir wollen nun die Beziehungen zwischen den Bewegungen unserer Wirbel und denen der Theilchen untersuchen, welche sich als Frictionsrollen dazwischen befinden.

Satz IV. Berechnung der Bewegung einer Lage von Theilchen, welche sich zwischen zwei Wirbeln befindet.

Die drei Producte der Richtungscosinus der Axe eines der Wirbel in seine Umfangsgeschwindigkeit seien, wie im Satz II, gleich α, β, γ. Ferner seien l, m, n die Richtungscosinus der zu irgend einem Element der Oberfläche dieses Wirbels nach aussen gezogenen Normalen. Dann sind die Componenten der Geschwindigkeit der diesem Oberflächenelemente anliegenden Volumelemente des Wirbels

$$[26a] \quad \begin{cases} n\beta - m\gamma & \text{in der Richtung der } x\text{-Axe,} \\ l\gamma - n\alpha & \text{in der Richtung der } y\text{-Axe,} \\ m\alpha - l\beta & \text{in der Richtung der } z\text{-Axe}^{22}). \end{cases}$$

Wenn dieses Oberflächenelement des Wirbels mit einem anderen Wirbel in Berührung ist, für welchen die Grössen α, β, γ die Werthe α', β', γ' haben, so wird die Schicht der kleinen Theilchen, welche wie Laufrollen oder Frictionsrollen dazwischen liegen, [und welche deshalb im Folgenden die Frictionstheilchen heissen sollen], eine Geschwindigkeit haben, welche das arithmetische Mittel der Umfangsgeschwindigkeiten der beiden Wirbel ist, welche sie trennt, so dass die Geschwindigkeitscomponente der Frictionstheilchen in der Abscissenrichtung

$$27) \quad u = \tfrac{1}{2} m(\gamma' - \gamma) - \tfrac{1}{2} n(\beta' - \beta)$$

ist, da die zum anliegenden Flächenelement des zweiten Wirbels gegen die Aussenseite des zweiten Wirbels gezogene Normale die entgegengesetzte Richtung wie die in gleicher Weise für den ersten Wirbel construirte Normale hat[23]).

*) Siehe *Goodeve*'s Elements of Mechanism p. 118.

Satz V. Bestimmung der Gesammtmenge der Frictionstheilchen, welche in der Zeiteinheit in der Abscissenrichtung durch die Flächeneinheit hindurch gehen.

Seien x_1, y_1, z_1 die Coordinaten des Mittelpunktes des ersten Wirbels, x_2, y_2, z_2 die des zweiten u. s. f.; V_1, V_2 etc. die Volumina des ersten, zweiten Wirbels etc.[24]) und $\overline{V}$ die Summe dieser Volumina. Ferner sei dS ein Element der Oberfläche, welche den ersten und zweiten Wirbel trennt, x, y, z dessen Coordinaten und ϱ die Menge[25]) der der Flächeneinheit anliegenden Frictionstheilchen. Wenn dann p die Gesammtmenge der in der Zeiteinheit durch die Flächeneinheit in der Abscissenrichtung hindurchgehenden Frictionstheilchen ist, so ist das gesammte in der Abscissenrichtung geschätzte Bewegungsmoment der Frictionstheilchen, welche sich in dem Raume vom Volumen $\overline{V}$ befinden, $\overline{V}p$ und wir erhalten

$$28)\qquad \overline{V}p = \Sigma u \varrho \, dS,$$

wobei die Summation über alle Oberflächenelemente zu erstrecken ist, welche im Volum n $\overline{V}$ irgend zwei Wirbel trennen[26]).

Wir wollen wieder die Fläche betrachten, welche den ersten und zweiten Wirbel trennt. dS sei ein Element derselben. Die Richtungscosinus der darauf errichteten Normalen seien l_1, m_1, n_1, wenn dieselbe bezüglich des ersten Wirbels, l_2, m_2, n_2 aber, wenn sie bezüglich des zweiten Wirbels nach aussen gezogen wird. Dann ist bekanntlich

$$29)\qquad l_1 + l_2 = 0, \quad m_1 + m_2 = 0, \quad n_1 + n_2 = 0.$$

Die Werthe von α, β, γ sind Functionen der Lage des Mittelpunktes des Wirbels und wir erhalten, wenn wir sie nach der *Taylor*'schen Reihe entwickeln und bei den Gliedern erster Ordnung stehen bleiben:

$$30)\quad \alpha_2 = \alpha_1 + \frac{d\alpha}{dx}(x_2 - x_1) + \frac{d\alpha}{dy}(y_2 - y_1) + \frac{d\alpha}{dz}(z_2 - z_1)$$

mit zwei analogen Gleichungen für β und γ[27]).

Der Werth 27 für u nimmt daher die Form an:

31)
$$u = \tfrac{1}{2}\frac{d\gamma}{dx}(m_1(x-x_1)+m_2(x-x_2))$$
$$+\tfrac{1}{2}\frac{d\gamma}{dy}(m_1(y-y_1)+m_2(y-y_2))+\tfrac{1}{2}\frac{d\gamma}{dz}(m_1(z-z_1)+m_2(z-z_2))$$
$$-\tfrac{1}{2}\frac{d\beta}{dx}(n_1(x-x_1)+n_2(x-x_2))-\tfrac{1}{2}\frac{d\beta}{dy}(n_1(y-y_1)+n_2(y-y_2))$$
$$-\tfrac{1}{2}\frac{d\beta}{dz}(n_1(z-z_1)+n_2(z-z_2)).$$

Bei Berechnung der Summe $\Sigma u\varrho\, dS$ müssen wir bedenken, dass $\Sigma l\, dS$ und alle analog gebauten Glieder verschwinden, wenn man die Summirung über alle Flächenelemente einer beliebigen geschlossenen Fläche erstreckt. Ebenso verschwinden Ausdrücke von der Form $\Sigma l y\, dS$, wenn sich l und y auf verschiedene Coordinatenrichtungen beziehen; nur die Ausdrücke von der Form $\Sigma l x\, dS$, in denen sich l und x auf dieselbe Coordinatenrichtung beziehen, verschwinden nicht, sondern sind gleich dem von der Fläche eingeschlossenen Volumen. Daher folgt:

32)
$$\overline{V}p = \tfrac{1}{2}\varrho\left(\frac{d\gamma}{dy}-\frac{d\beta}{dz}\right)(V_1+V_2+\cdots)\ ^{28)},$$

oder, wenn man durch $\overline{V} = V_1 + V_2 + \cdots$ dividirt,

33)
$$p = \tfrac{1}{2}\varrho\left(\frac{d\gamma}{dy}-\frac{d\beta}{dz}\right)$$

Wenn wir

34)
$$\varrho = \frac{1}{2\pi}\ ^{29)}$$

setzen, so wird die Gleichung 33 identisch mit der ersten der Gleichungen 9, welche die Beziehungen zwischen der Quantität eines elektrischen Stromes und der Stärke [und Anordnung] der ihn umgebenden Kraftlinien ausdrückt. Es ist daher offenbar, dass nach unserer Hypothese ein elektrischer Strom durch eine fortschreitende Bewegung der Frictionstheilchen dargestellt wird, welche zwischen je zwei benachbarten Wirbeln liegen. Wir wollen uns vorstellen, dass diese Frictionstheilchen sehr klein im Vergleich zu den Dimensionen eines Wirbels sind, dass die Masse*) aller zwischen zwei Wirbeln liegenden Frictionstheilchen im Vergleich zu der eines Wirbels verschwindet und dass eine sehr grosse Anzahl von Wirbeln sammt den sie umgebenden Frictionstheilchen in einem einzigen vollständigen Moleküle [30]) enthalten sind. Es muss vorausgesetzt werden, dass die Frictionstheilchen ohne Gleitung und ohne sich unter einander zu berühren zwischen den beiderseits anliegenden Wirbeln rollen und dass kein Energieverlust durch irgend welche Widerstandskräfte eintritt, so lange sie in demselben vollständigen Moleküle bleiben. Wenn aber ein stetiges Fortschreiten der Frictionstheilchen in einer bestimmten Richtung stattfindet, so müssen diese von einem Moleküle zum anderen übergehen; hierbei erfahren sie einen Widerstand, so dass elektrische Energie verloren geht und Wärme erzeugt wird.

Die Wirbel mögen nun in irgend einer ganz beliebigen Weise im Medium vertheilt sein. Die Grössen $\frac{d\gamma}{dy} - \frac{d\beta}{dz}$ etc. werden dann im Allgemeinen von Null verschiedene Werthe haben, es werden also zu Anfang elektrische Ströme im Medium vorhanden sein. Diesen aber setzt sich der elektrische Widerstand des Mediums entgegen, so dass sie, wenn sie nicht durch eine continuirlich wirkende elektromotorische Kraft unterhalten werden, rasch verschwinden und dann die Gleichungen $\frac{d\gamma}{dy} - \frac{d\beta}{dz} = 0$ etc. bestehen, also $\alpha dx + \beta dy + \gamma dz$ ein vollständiges Differentiale ist (vergl. die Gleichungen 15 und 16). Unsere Annahme erklärt also das mechanische Zustandekommen der Vertheilung der Kraftlinien [bei Abwesenheit elektromotorischer Kräfte].

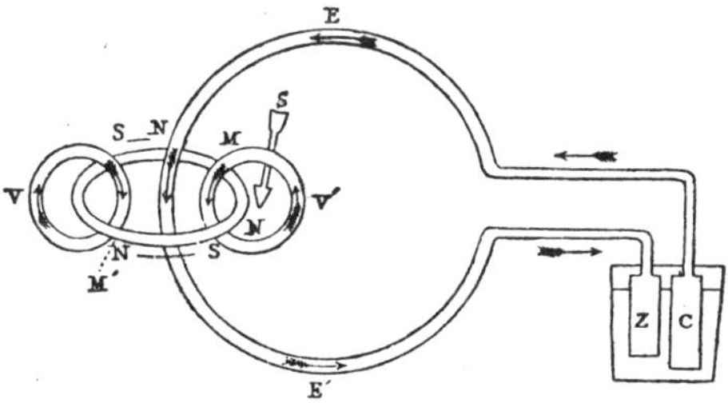

Fig. 7.

In Figur 7 stelle der verticale Kreis EE' einen elektrischen Strom dar, welcher vom Kupfer C zum Zink Z

*) [Der Trägheitswiderstand im Sinne der Mechanik.]

durch den Leiter EE' in der Richtung der kleinen Pfeile fliesst.

Der horizontale Kreis MM' stelle eine magnetische Kraftlinie dar, welche den elektrischen Strom umfasst. Die Nord- und Südrichtung derselben soll durch die kleinen Geraden SN und NS angezeigt werden.

Die kleinen verticalen Kreise V und V' stellen die [Bahn eines Wirbeltheilchens in den] Molekularwirbeln dar, deren Axe die magnetische Kraftlinie ist. V kreist im Sinne des Uhrzeigers, V' im entgegengesetzten (für den Beschauer der Zeichnung).

Es ist aus der Figur ersichtlich, dass, wenn V und V' an einander grenzende Wirbel wären, die zwischen ihnen liegenden Theilchen sich nach abwärts bewegen würden, und dass umgekehrt die Frictionstheilchen, wenn sie aus irgend einer Ursache abwärts getrieben würden, Wirbel hervorrufen würden, welche so rotiren wie die in der Figur gezeichneten. Von unserem gegenwärtigen Gesichtspunkte aus erscheint also die Beziehung eines elektrischen Stromes zu seinen Kraftlinien analog der eines Zahnrades oder einer Zahnstange zu den Rädern, in welche sie eingreift.

Im ersten Theile dieser Abhandlung haben wir die Relationen zwischen den statischen Kräften des Systems untersucht. Im zweiten Theile haben wir bisher die Beziehungen der [stationären] Bewegungen der verschiedenen Bestandtheile des Systems behandelt, indem wir dieses als einen Mechanismus betrachteten. Es erübrigt noch die Dynamik des Systems zu untersuchen und die Kräfte zu bestimmen, welche erforderlich sind, um gegebene Aenderungen der [stationären] Bewegungen der verschiedenen Theile zu erzeugen.

Satz VI. Berechnung der lebendigen Kraft der Wirbelbewegung in einem gegebenen Theile des Mediums.

Wenn α, β, γ wie in Satz II die Componenten der Umfangsgeschwindigkeit sind, so ist die lebendige Kraft der in der Volumeneinheit befindlichen Wirbel jedenfalls der Dichte und dem Quadrate der Geschwindigkeit proportional. Da uns aber die Vertheilung der Dichte und Geschwindigkeit innerhalb der einzelnen Wirbel unbekannt ist, so können wir den numerischen Werth der lebendigen Kraft nicht direct berechnen. Nun steht aber μ ebenfalls in einem constanten, wenn auch unbekannten Verhältnisse zur mittleren Dichte; daher wollen wir voraussetzen, dass die lebendige Kraft in der Volumeneinheit

$$E = C\mu(\alpha^2 + \beta^2 + \gamma^2)$$

ist, wo C eine Constante vorstellt. Um diese zu bestimmen, genügt es, einen speciellen Fall zu betrachten. Es sei

35) $$\alpha = \frac{d\varphi}{dx}, \quad \beta = \frac{d\varphi}{dy}, \quad \gamma = \frac{d\varphi}{dz}.$$

Ferner

36) $$\varphi = \varphi_1 + \varphi_2$$

und

37) $$\frac{\mu}{4\pi}\left(\frac{d^2\varphi_1}{dx^2} + \frac{d^2\varphi_1}{dy^2} + \frac{d^2\varphi_1}{dz^2}\right) = m_1$$
$$\frac{\mu}{4\pi}\left(\frac{d^2\varphi_2}{dx^2} + \frac{d^2\varphi_2}{dy^2} + \frac{d^2\varphi_2}{dz^2}\right) = m_2.$$

Dann ist φ_1 das von dem magnetischen System m_1 und φ_2 das vom magnetischen System m_2 herrührende Potential. Die lebendige Kraft aller Wirbel ist

38) $$E = \Sigma C\mu(\alpha^2 + \beta^2 + \gamma^2)\,dV,$$

wobei die Summation über den gesammten unendlichen Raum zu erstrecken ist. Durch partielle Integration*) lässt sich dieser Ausdruck in folgende Form bringen:

39) $$E = -4\pi C\Sigma(\varphi_1 m_1 + \varphi_2 m_2 + \varphi_1 m_2 + \varphi_2 m_1)\,dV,$$

oder da

$$\Sigma\,\varphi_1 m_2\,dV = \Sigma\,\varphi_2 m_1\,dV$$

ist**)[31],

40) $$E = -4\pi C\Sigma(\varphi_1 m_1 + \varphi_2 m_2 + 2\,\varphi_1 m_2)\,dV.$$

Nun soll das magnetische System m_1 in Ruhe bleiben, m_2 sich aber parallel zu sich selbst in der Abscissenrichtung um das Stück δx verschieben. Da φ_1 nur von m_1 abhängt, so behält es seinen früheren Werth, so dass $\varphi_1 m_1$ constant bleibt. Da ferner φ_2 nur von m_2 abhängt, so behält es in Punkten, deren

*) Vergl. *Green*'s Essay on Electricity p. 10. Diese Klassiker 61, S. 24.

**) *Green* l. c.

relative Lage gegen die magnetischen Massen m_2 gleich bleibt, denselben Werth, so dass das Product $\varphi_2 m_2$ durch die Verschiebung der Massen m_2 seinen Wert ebenfalls nicht ändert. Das einzige Glied in dem Ausdrucke für E, dessen Werth sich ändert, ist das, welches von dem Addenden $2\varphi_1 m_2$ in der Klammer im Ausdrucke 40 herrührt, da φ_1 durch die Verschiebung der magnetischen Massen m_2 in

$$\varphi_1 + \frac{d\varphi_1}{dx}\delta x$$

übergeht. Die Zunahme der lebendigen Kraft in Folge jener Verschiebung ist daher

41) $$\delta E = -4\pi C \Sigma \left(2\frac{d\varphi_1}{dx} m_2\right) dV \delta x .$$

Vermöge der Gleichungen 12 ist aber die bei der Verschiebung von den auf m_2 wirkenden mechanischen Kräften geleistete Arbeit

42) $$\delta W = \Sigma \left(\frac{d\varphi_1}{dx} m_2 dV\right) \delta x .$$

Da unsere Hypothese eine rein mechanische ist, so muss nach dem Energieprincipe

43) $$\delta E + \delta W = 0$$

sein, d. h. der Verlust der lebendigen Kraft der Wirbel muss durch eine gleiche bei der Bewegung der Magnetismen geleistete Arbeit ersetzt werden. Die Gleichung 43 verwandelt sich mit Rücksicht auf die Gleichungen 41 und 42 in

$$-4\pi C \Sigma \left(2\frac{d\varphi_1}{dx} m_2 dV\right) \delta x + \Sigma \left(\frac{d\varphi_1}{dx} m_2 dV\right) \delta x = 0 ,$$

daher folgt:

44) $$C = \frac{1}{8\pi} ,$$

so dass die lebendige Kraft der Wirbel in der Volumeneinheit

45) $$\frac{1}{8\pi} \mu (\alpha^2 + \beta^2 + \gamma^2)$$

und die eines Wirbels vom Volumen V

46) $$\frac{1}{8\pi}\mu(\alpha^2+\beta^2+\gamma^2)V$$

ist[32]). Um diese Energie zu erzeugen oder zu zerstören, muss dem Wirbel lebendige Kraft zugeführt oder entzogen werden, sei es durch eine Tangentialkraft, welche auf die der Oberfläche des Wirbels anliegenden Frictionstheilchen wirkt, oder durch Aenderung der Gestalt des Wirbels. Wir wollen zuerst die Tangentialkräfte zwischen den Wirbeln und den Schichten der sie berührenden Frictionstheilchen untersuchen.

Satz VII. Berechnung der Energie, welche an einen Wirbel in der Zeiteinheit von den ihn umgebenden Frictionstheilchen abgegeben wird.

Seien P, Q, R die Kräfte, welche auf die Mengeneinheit der Frictionstheilchen in den drei Coordinatenrichtungen wirken und offenbar Functionen von x, y, z sind[33]). Da jedes Frictionstheilchen zwei Wirbel an den Enden eines und desselben Durchmessers berührt, so wird sich die Rückwirkung des Theilchens auf beide Wirbel gleichmässig vertheilen und die Mengeneinheit der Theilchen wird auf jeden Wirbel eine Kraft ausüben, deren Componenten in den Coordinatenrichtungen

$$-\tfrac{1}{2}P, \quad -\tfrac{1}{2}Q, \quad -\tfrac{1}{2}R$$

sind. Da ferner die Flächendichte der Frictionstheilchen $\frac{1}{2\pi}$ ist (vergl. Gleichung 34), so hat die Kraft, welche auf die Flächeneinheit jedes Wirbels wirkt, in den Coordinatenrichtungen die Componenten

$$-\frac{1}{4\pi}P, \quad -\frac{1}{4\pi}Q, \quad -\frac{1}{4\pi}R.$$

Sei dS ein Element der Oberfläche eines Wirbels, l, m, n seien die Richtungscosinus der dazu [gegen die Aussenseite des Wirbels hin] gezogenen Normalen, x, y, z die Coordinaten des Elements und u, v, w die Componenten der Geschwindigkeiten [der diesem Flächenelement anliegenden Volumtheile des Wirbels]. Dann ist die diesem Flächenelement [den anliegenden Volumtheilen des Wirbels] mitgetheilte Arbeit

47) $$\frac{dE}{dt} = -\frac{1}{4\pi}(Pu+Qv+Rw)\,dS.$$

Wir wollen mit [der Transformation des] ersten Addenden in

der Klammer, also des Ausdrucks $PudS$ beginnen. P kann in der Form geschrieben werden:

48) $$P_0 + \frac{dP}{dx}x + \frac{dP}{dy}y + \frac{dP}{dz}z\,.$$

Ferner ist

[48a] $$u = n\beta - m\gamma$$ [34]).

Da die Oberfläche des Wirbels eine geschlossene ist, so hat man

[48b] $$\left\{\begin{aligned} &\Sigma nxdS = \Sigma mxdS = \Sigma nydS = \Sigma mzdS = 0\,,\\ &\Sigma mydS = \Sigma nzdS = V\,.\end{aligned}\right.$$

Man findet daher

49) $$\Sigma PudS = \left(\frac{dP}{dz}\beta - \frac{dP}{dy}\gamma\right)V$$

und die gesammte auf den Wirbel in der Zeiteinheit übertragene Arbeit ist:

50) $$\frac{dE}{dt} = -\frac{1}{4\pi}\Sigma(Pu + Qv + Rw)dS$$
$$= \frac{V}{4\pi}\left[\alpha\left(\frac{dQ}{dz} - \frac{dR}{dy}\right) + \beta\left(\frac{dR}{dx} - \frac{dP}{dz}\right) + \gamma\left(\frac{dP}{dy} - \frac{dQ}{dx}\right)\right].$$

Satz VIII. Aufstellung der Gleichungen zwischen den Veränderungen der Bewegung der Wirbel und den Kräften P, Q, R, welche auf die Schichten der zwischen ihnen befindlichen Frictionstheilchen wirken.

Sei V das Volumen eines Wirbels, dann ist nach Gleichung 46 seine Energie

51) $$E = \frac{1}{8\pi}\mu(\alpha^2 + \beta^2 + \gamma^2)V,$$

woraus folgt:

52) $$\frac{dE}{dt} = \frac{1}{4\pi}\mu V\left(\alpha\frac{d\alpha}{dt} + \beta\frac{d\beta}{dt} + \gamma\frac{d\gamma}{dt}\right).$$

Wenn wir diesen Werth mit dem in Gleichung 50 gegebenen vergleichen, so finden wir:

$$[52a]\quad \left\{ \begin{aligned} &\alpha\left(\frac{dQ}{dz}-\frac{dR}{dy}-\mu\frac{d\alpha}{dt}\right)+\beta\left(\frac{dR}{dx}-\frac{dP}{dz}-\mu\frac{d\beta}{dt}\right)\\ &\qquad+\gamma\left(\frac{dP}{dy}-\frac{dQ}{dx}-\mu\frac{d\gamma}{dt}\right)=0\,. \end{aligned} \right.$$

Da diese Gleichung für alle Werthe von α, β und γ gelten muss [35]), so können wir darin β und γ gleich Null setzen und durch α dividiren, wodurch sich ergiebt:

$$53)\qquad \frac{dQ}{dz}-\frac{dR}{dy}=\mu\frac{d\alpha}{dt}\,.$$

In analoger Weise folgt:

$$54)\qquad \frac{dR}{dx}-\frac{dP}{dz}=\mu\frac{d\beta}{dt} \quad\text{und}\quad \frac{dP}{dy}-\frac{dQ}{dx}=\mu\frac{d\gamma}{dt}$$

Aus diesen Gleichungen können wir die Beziehung zwischen den Veränderungen der Drehgeschwindigkeiten der Wirbel $\frac{d\alpha}{dt}$ etc. und den Kräften finden, welche auf die zwischen den Wirbeln liegenden Frictionstheilchen wirken. Im Sinne unserer Hypothese sind dies die Beziehungen zwischen den Veränderungen des magnetischen Feldes und den dadurch in demselben hervorgebrachten elektromotorischen Kräften.

In einer Abhandlung über die dynamische Theorie der Beugung*) hat Professor *Stokes* eine Methode angegeben, durch welche die Gleichungen 54 aufgelöst und die Grössen P, Q und R durch die Grössen, welche auf der rechten Seite dieser Gleichungen stehen, ausgedrückt werden können. Ich habe diese Methode schon in einer früheren Abhandlung auf Probleme der Lehre der Elektricität und des Magnetismus angewendet**).

Wir müssen da drei Grössen F, G, H aus den Gleichungen

---

*) Cambr. Phil. Trans. vol. IX part I section 6. Math. and phys. pap. II S. 243.

**) Cambr. Phil. Trans. vol. X part I art. 3 oder Scient. pap. I. On *Faraday*'s Lines of Force. Diese Klassiker, Nr. 69, S. 70.

$$\frac{dG}{dz} - \frac{dH}{dy} = \mu\alpha,$$

55)
$$\frac{dH}{dx} - \frac{dF}{dz} = \mu\beta,$$

$$\frac{dF}{dy} - \frac{dG}{dx} = \mu\gamma$$

mit den Bedingungen

56) $$\frac{1}{4\pi}\left(\frac{d}{dx}\mu\alpha + \frac{d}{dy}\mu\beta + \frac{d}{dz}\mu\gamma\right) = m = 0$$ [36]

und

57) $$\frac{dF}{dx} + \frac{dG}{dy} + \frac{dH}{dz} = 0$$

bestimmen. Wenn wir 55 nach t differentiiren und mit 53 und 54 vergleichen, so finden wir:

58) $$P = \frac{dF}{dt}, \quad Q = \frac{dG}{dt}, \quad R = \frac{dH}{dt}.$$

Wir haben also drei Grössen F, G, H bestimmt, aus denen wir P; Q und R einfach durch Differentiation nach der Zeit finden können. In der soeben angeführten Abhandlung habe ich die Gründe dafür angegeben, weshalb man die Grössen F, G, H als die Componenten eines Zustandes betrachten kann, dessen Existenz *Faraday* vermuthete und den er als den elektrotonischen bezeichnet hat. In jener Abhandlung habe ich die mathematischen Beziehungen zwischen diesem Zustande einerseits und den durch

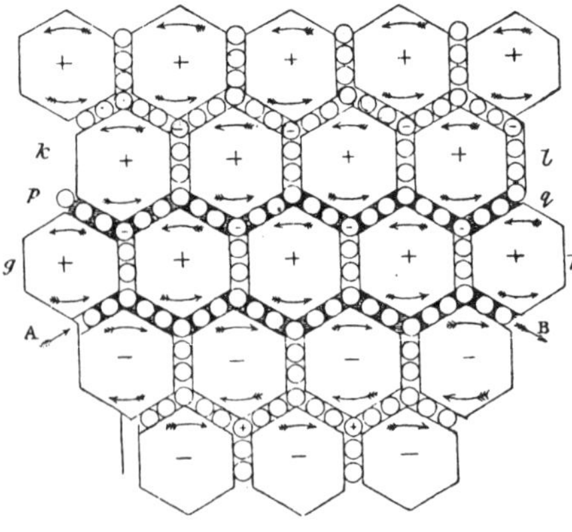

Fig. 8.

die Gleichungen 55 gegebenen magnetischen Kraftlinien, sowie den durch die Gleichungen 58 ausgedrückten elektromotorischen Kräften andererseits erläutert. Wir müssen jetzt versuchen, dieselben mittelst unserer Hypothese von einem mechanischen Gesichtspunkte aus zu deuten.

Wir wollen an erster Stelle den Vorgang in's Auge fassen, durch welchen magnetische Kraftlinien von einem elektrischen Strome erzeugt werden. *AB* in Fig. 8 stelle einen in der Richtung von *A* gegen *B* fliessenden elektrischen Strom dar. Die sechseckigen grösseren Felder oberhalb und unterhalb *AB* sollen die Wirbel, die kleinen Kreise zwischen denselben aber die Frictionstheilchen darstellen, welche nach unserer Hypothese die Elektricität repräsentiren.

Nun soll ein elektrischer Strom von der linken gegen die rechte Hand in der Richtung *AB* zu fliessen beginnen. Die Reihe *gh* der Wirbel oberhalb *AB* wird in dem der Uhrzeigerrichtung entgegengesetzten Sinne in Bewegung gesetzt werden, welchen wir den positiven nennen wollen, wogegen wir den des Uhrzeigers als den negativen bezeichnen. Wir setzen voraus, dass die Wirbelreihe *kl* noch in Ruhe ist; dann wird die Wirbelreihe *gh* auf die untere Seite der zwischen beiden Reihen befindlichen Frictionstheilchen wirken, wogegen ihre obere Seite in Ruhe bleibt. Wenn sie [die Frictionstheilchen] frei beweglich sind, so werden sie also im negativen Sinne rotiren und sich gleichzeitig von rechts nach links progressiv bewegen, also in der dem elektrischen Strome [*AB*] entgegengesetzten Richtung, wodurch der Inductionsstrom zu Stande kommt. Wenn dieser Strom durch den elektrischen Widerstand des Mediums zum Stillstand gebracht wird, so wirken die rotirenden Frictionstheilchen [der Reihe *pq*] auf die Wirbelreihe *kl* und versetzen sie in eine Drehung im positiven Sinne, deren Geschwindigkeit so lange wächst, bis die Progressivbewegung der Frictionstheilchen verschwindet und nur ihre Rotation übrig bleibt, also der Inductionsstrom verschwindet. Wenn nun der primäre Strom *AB* plötzlich aufhört, so kommen die Wirbel in der Reihe *gh* zum Stillstande, während die in der Reihe *kl* ihre Drehung noch fortsetzen und hierdurch die Reihe *pq* der Frictionstheilchen von links nach rechts, d. h. in der Richtung des primären Stromes in Bewegung zu setzen suchen; wenn nun das Medium dieser Bewegung einen Widerstand entgegensetzt, so wird die Bewegung der Wirbel oberhalb *pq* allmählich vernichtet.

Es ist daher offenbar, dass die Erscheinungen der Inductionsströme Glieder des Processes der Uebertragung der Drehungsgeschwindigkeit der Wirbel von einem Ort des Feldes zum anderen sind.

Als Beispiel für die Erzeugung von Inductionsströmen durch die Wirkung der Wirbel wollen wir noch den folgenden Fall betrachten. In Figur 9 sei *B* ein kreisförmiger Ring von überall gleichem Querschnitte, welcher gleichförmig mit übersponnenem Draht bewickelt ist. Es kann gezeigt werden, dass ein im Innern der Drahtspule befindlicher Magnet eine starke Einwirkung erfährt, wenn durch den Draht ein elektrischer Strom geschickt wird, dass aber keine magnetische Wirkung auf irgend einen äusseren Punkt ausgeübt wird. Die Drahtspule wirkt wie ein Magnet, dessen Mittellinie eine geschlossene Curve bildet, so dass sich seine beiden Pole berühren.

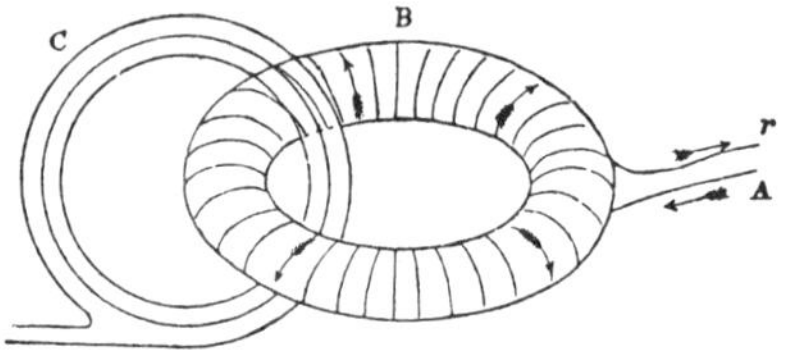

Fig. 9.

Wenn die Spule genau gemacht ist, so tritt nicht die mindeste Wirkung auf einen ausserhalb befindlichen Magneten ein, weder wenn der Strom constant erhalten wird, noch wenn sich seine Stärke ändert. Wenn aber ein leitender Draht *C* den Ring ein- oder mehrmals umfasst, so wird in demselben jedes Mal eine elektromotorische Kraft wirksam, sobald der Strom in der Spule seine Stärke ändert, und wenn der Leiter *C* geschlossen ist, so tritt in diesen Fällen daselbst in der That ein Strom auf.

Dieses Experiment zeigt, dass es nicht nothwendig ist, dass sich ein leitender Draht selbst in dem magnetischen Kraftfelde befindet, oder dass die magnetischen Kraftlinien durch die Substanz desselben hindurch oder in nächster Nähe davon vorübergehen, damit bei Aenderung des Feldes im Drahte eine elektromotorische Kraft durch Induction entstehe. Es ist bloss erforderlich, dass die Kraftlinien durch die vom Stromleiter umschlossene Fläche hindurchgehen und während des Versuchs sich in ihrer Stärke verändern.

In dem früher betrachteten Falle sind die Wirbel, welche nach unserer Hypothese die Kraftlinien darstellen, alle in dem

Hohlraume enthalten, der sich innerhalb der Spule befindet, und ausserhalb der Spule ist alles in Ruhe. Wenn kein geschlossener Stromleiter vorhanden ist, welcher die Spule umfasst, so findet, sobald der Primärstrom geschlossen oder geöffnet wird, keine Wirkung ausserhalb der Spule statt mit Ausnahme eines kurz dauernden Druckes zwischen den Frictionstheilchen und den anliegenden Wirbeln. Wenn aber ein zusammenhängender leitender Drahtkreis vorhanden ist, welcher die Spule umfasst, so entsteht daselbst bei Schluss des Primärstromes ein diesem entgegengesetzt gerichteter Inductionsstrom, bei Oeffnung des Primärstromes aber ein gleich gerichteter. Wir ersehen somit, dass der Inductionsstrom dadurch hervorgerufen wird, dass die Elektricität der elektromotorischen Kraft nachgiebt, diese elektromotorische Kraft aber auch besteht, wenn die Bildung eines bemerkbaren Stromes durch den Widerstand des [secundären] Stromkreises verhindert wird.

Die elektromotorische Kraft, deren Componenten P, Q, R seien, entsteht durch die Wirkung zwischen den Wirbeln und den dazwischen liegenden Frictionstheilchen, wenn die Wirbelgeschwindigkeit in irgend einem Theile des Feldes verändert wird. Sie entspricht dem Drucke auf die Axe eines Rades in einer Maschine, wenn die Geschwindigkeit des dasselbe treibenden Rades erhöht oder vermindert wird.

Der elektrotonische Zustand, dessen Componenten F, G, H seien, ist die elektromotorische Kraft, welche erforderlich wäre, wenn die Ströme etc., denen diese Kraftlinien entsprechen, plötzlich aus dem Ruhezustande des ganzen Feldes bis zu ihren wirklichen Werthen ansteigen würden, welche sie bei den Versuchen immer erst allmählich erreichen. Er entspricht der Momentankraft, welche auf die Axe eines Rades in einer Maschine wirken würde, wenn die Maschine früher in Ruhe wäre und dem Treibrade plötzlich seine wirkliche Geschwindigkeit ertheilt würde.

Wenn die Maschine durch plötzliche Hemmung der Bewegung des Treibrades momentan zur Ruhe gebracht würde, so würde jedes Rad einen Anstoss erfahren, welcher gleich, aber entgegengesetzt gerichtet ist dem, den es hätte erfahren müssen, wenn der Maschine plötzlich ihre Bewegung ertheilt worden wäre.

Diese Momentankraft kann für jeden beliebigen Theil des Mechanismus berechnet werden und mag das reducirte Moment der Maschine für diesen Punkt heissen[37]). Bei Veränderung der Bewegung der Maschine findet man die Kraft im gewöhnlichen Sinne des Wortes, welche auf irgend einen Theil in Folge dieser Veränderung der Bewegung wirkt, indem man das reducirte Moment nach der Zeit differentiirt, gerade so, wie dem früher Gefundenen gemäss die elektromotorische Kraft aus dem elektrotonischen Zustande durch die gleiche Rechnungsoperation abgeleitet wird.

Nachdem wir die Beziehung zwischen den Geschwindigkeiten der Wirbel und den elektromotorischen Kräften in dem Falle gefunden haben, wo die Mittellinien der Wirbel ruhen, müssen wir unsere Theorie auf den Fall ausdehnen, dass die Wirbel in einer flüssigen Substanz enthalten sind und alle Bewegungen dieser flüssigen Substanz mitmachen. Wenn wir unser Augenmerk auf irgend ein Volumelement der flüssigen Substanz richten, so finden wir, dass dasselbe nicht allein von einer Stelle des Raumes zu einer anderen wandert, sondern auch seine Gestalt und Orientirung[38]) verändert, so dass es sich nach gewissen Richtungen verlängert, nach anderen verkürzt und gleichzeitig im allgemeinsten Falle eine Lagenänderung erfährt, welche einer Drehung um irgend eine Axe gleichkommt.

Diese Aenderungen der Gestalt und Orientirung des Volumelements erzeugen Aenderungen der Drehungsgeschwindigkeit der darin enthaltenen Wirbel, welche wir nun aufzusuchen haben.

Die Veränderung der Gestalt und Orientirung eines Volumelements kann immer durch drei einfache Dehnungen oder Compressionen in drei auf einander senkrechten Richtungen vereint mit drei Winkeldrehungen um drei beliebige [nicht in eine Ebene fallende] Axen ersetzt werden. Wir wollen zuerst die Wirkung der drei Dehnungen oder Compressionen untersuchen.

Satz IX. Berechnung der Variationen der im Parallelepipede [mit den Kanten] x, y, z herrschenden Werthe von α, β, γ, welche dadurch hervorgerufen werden, dass x in $x+\delta x$, y in $y+\delta y$ und z in $z+\delta z$ übergeht, während das Volumen des rechtwinkligen Parallelepipedes gleich bleibt. [Die Flüssigkeit wird also als unzusammendrückbar betrachtet.]

Nach Satz II finden wir für die von den Wirbeln bei Ueberwindung des Druckes geleistete Arbeit den Werth:

$$59)\quad \delta W = p_1 \delta(xyz) - \frac{\mu}{4\pi}(\alpha^2 yz\delta x + \beta^2 zx\delta y + \gamma^2 xy\delta z),$$

während wir für die Veränderung der Energie nach Satze VI den Werth finden:

$$60)\qquad \delta E = \frac{\mu}{4\pi}(\alpha\delta\alpha + \beta\delta\beta + \gamma\delta\gamma)xyz\,.$$

Die Summe $\delta W + \delta E$ muss nach dem Energieprincipe gleich Null sein; ebenso muss $\delta(xyz) = 0$ sein, da das Volumen xyz constant ist. Mit Rücksicht hierauf folgt aus 59 und 60:

$$61)\quad \alpha\left(\delta\alpha - \alpha\frac{\delta x}{x}\right) + \beta\left(\delta\beta - \beta\frac{\delta y}{y}\right) + \gamma\left(\delta\gamma - \gamma\frac{\delta z}{z}\right) = 0\,.$$

Damit dies unabhängig von irgend einer Beziehung von α, β und γ richtig sei, müssen wir haben:

$$62)\qquad \delta\alpha = \alpha\frac{\delta x}{x}, \quad \delta\beta = \beta\frac{dy}{y}, \quad \delta\gamma = \gamma\frac{\delta z}{z}$$ [39]).

Satz X. Berechnung der Veränderungen von α, β, γ, welche durch eine Winkeldrehung ϑ_1 um die x-Axe von der [positiven] y-Axe [auf kürzestem Wege] zur [positiven] z-Axe, durch eine Winkeldrehung ϑ_2 um die y-Achse von der z- zur x-Axe und durch eine Winkeldrehung ϑ_3 um die z-Axe von der x- zur y-Axe erzeugt werden.

Die Axe von β entfernt sich von der x-Axe um den Winkel ϑ_3, so dass der [Werth der] Componente von β in der Abscissenrichtung von Null bis $-\beta\vartheta_3$ wächst.

Die Axe von γ nähert sich der Abscissenaxe um den Winkel ϑ_2, so dass der [Werth der] Componente der Drehung γ in der Abscissenrichtung von Null bis zu $\gamma\vartheta_2$ wächst [40]).

Der Werth der Componente von α in der Abscissenrichtung wächst um eine Grösse, welche vernachlässigt werden kann, da sie von der Grössenordnung der zweiten Potenz der Winkeldrehungen ist. Die Veränderungen von α, β, γ vermöge dieser Ursache sind daher:

$$63)\quad \delta\alpha = \gamma\vartheta_2 - \beta\vartheta_3\,, \quad \delta\beta = \alpha\vartheta_3 - \gamma\vartheta_1\,, \quad \delta\gamma = \beta\vartheta_1 - \alpha\vartheta_2\,.$$

Die allgemeinsten Ausdrücke für die Gestalt- und Orientirungsänderung eines Volumelements durch die Lagenänderung seiner verschiedenen Theile hängen von den neun Grössen

$$\frac{d}{dx}\delta x, \frac{d}{dy}\delta x, \frac{d}{dz}\delta x; \frac{d}{dx}\delta y, \frac{d}{dy}\delta y, \frac{d}{dz}\delta y;$$
$$\frac{d}{dx}\delta z, \frac{d}{dy}\delta z, \frac{d}{dz}\delta z$$ [41)]

ab und diese können jedes Mal durch neun andere Grössen ausgedrückt werden, nämlich durch drei einfache Dehnungen oder Compressionen

$$\frac{\delta x'}{x'}, \frac{\delta y'}{y'}, \frac{\delta z'}{z'}$$

um drei passend gewählte Axen x', y', z', die neun Richtungscosinus dieser Axen, welche aber wegen der sechs zwischen ihnen bestehenden Gleichungen nur drei unabhängige Variable darstellen, und die drei Drehungen ϑ_1, ϑ_2, ϑ_3 um die drei Axen x, y und z. Die Richtungscosinus von x' bezüglich x, y und z seien l_1, m_1, n_1, die von y' aber l_2, m_2, n_2, die von z' endlich l_3, m_3, n_3. Dann ist

64) $$\begin{aligned} \frac{d}{dx}\delta x &= l_1^2\frac{\delta x'}{x'} + l_2^2\frac{\delta y'}{y'} + l_3^2\frac{\delta z'}{z'}, \\ \frac{d}{dy}\delta x &= l_1 m_1\frac{\delta x'}{x'} + l_2 m_2\frac{\delta y'}{y'} + l_3 m_3\frac{\delta z'}{z'} - \vartheta_3, \\ \frac{d}{dz}\delta x &= l_1 n_1\frac{\delta x'}{x'} + l_2 n_2\frac{\delta y'}{y'} + l_3 n_3\frac{\delta z'}{z'} + \vartheta_2 \end{aligned}$$ [42]),

mit zwei analogen Gleichungen für die Differentialquotienten von δy und δz.

Seien α', β', γ' die Werthe von α, β, γ, bezogen auf die Axen x', y', z'. Dann ist.

65) $$\begin{aligned} \alpha' &= l_1\alpha + m_1\beta + n_1\gamma, \\ \beta' &= l_2\alpha + m_2\beta + n_2\gamma, \\ \gamma' &= l_3\alpha + m_3\beta + n_3\gamma. \end{aligned}$$

Wir finden daher:

66) $$\delta\alpha = l_1\delta\alpha' + l_2\delta\beta' + l_3\delta\gamma' + \gamma\vartheta_2 - \beta\vartheta_3$$

67) $$= l_1\alpha'\frac{\delta x'}{x'} + l_2\beta'\frac{\delta y'}{y'} + l_3\gamma'\frac{\delta z'}{z'} + \gamma\vartheta_2 - \beta\vartheta_3.$$

Substituiren wir hier für α', β', γ' die Werthe 65 und vergleichen wir die so erhaltene Gleichung mit 64, so finden wir:

68) $$\delta\alpha = \alpha\frac{d}{dx}\delta x + \beta\frac{d}{dy}\delta x + \gamma\frac{d}{dz}\delta x$$ [43])

als die durch die Veränderung der Gestalt und Orientirung des Volumelements bewirkte Veränderung von α. Die Veränderungen von β und γ werden durch ähnliche Ausdrücke gegeben.

Satz XI. Berechnung der auf einen bewegten Leiter wirkenden elektromotorischen Kraft.

Die Veränderung der Geschwindigkeit der Wirbel in einem bewegten Volumelemente setzt sich zusammen aus der, welche durch die Wirkung der elektromotorischen Kräfte entsteht, und aus der durch die Gestalt und Lagenänderung des Volumelementes bewirkten. Daher ist die gesammte Veränderung von α

69) $$\delta\alpha = \frac{1}{\mu}\left(\frac{dQ}{dz} - \frac{dR}{dy}\right)\delta t + \alpha\frac{d}{dx}\delta x + \beta\frac{d}{dy}\delta x + \gamma\frac{d}{dz}\delta x.$$

Da aber α eine Function von x, y, z und t ist, so können wir seine Veränderung auch in der Form schreiben:

70) $$\delta\alpha = \frac{d\alpha}{dx}\delta x + \frac{d\alpha}{dy}\delta y + \frac{d\alpha}{dz}\delta z + \frac{d\alpha}{dt}\delta t$$ [44]).

Indem wir die beiden Werthe von $\delta\alpha$ gleich setzen, durch δt dividiren und bedenken, dass wegen der Unzusammendrückbarkeit des Mediums

71) $$\frac{d}{dx}\frac{dx}{dt} + \frac{d}{dy}\frac{dy}{dt} + \frac{d}{dz}\frac{dz}{dt} = 0,$$

und wegen der Abwesenheit von freiem Magnetismus

72) $$\frac{d\alpha}{dx} + \frac{d\beta}{dy} + \frac{d\gamma}{dz} = 0$$

ist, so finden wir:

73) $$\frac{1}{\mu}\left(\frac{dQ}{dz} - \frac{dR}{dy}\right) + \gamma\frac{d}{dz}\frac{dx}{dt} - \alpha\frac{d}{dz}\frac{dz}{dt} - \alpha\frac{d}{dy}\frac{dy}{dt} + \beta\frac{d}{dy}\frac{dx}{dt}$$
$$+ \frac{d\gamma}{dz}\frac{dx}{dt} - \frac{d\alpha}{dz}\frac{dz}{dt} - \frac{d\alpha}{dy}\frac{dy}{dt} + \frac{d\beta}{dy}\frac{dx}{dt} - \frac{d\alpha}{dt} = 0.$$

Setzen wir:

74)
$$\alpha = \frac{1}{\mu}\left(\frac{dG}{dz} - \frac{dH}{dy}\right)$$

und

75)
$$\frac{d\alpha}{dt} = \frac{1}{\mu}\left(\frac{d^2G}{dz\,dt} - \frac{d^2H}{dy\,dt}\right),$$

wo F, G, H die Werthe der elektrotonischen Componenten in einem festen Punkte des Raumes sind, so verwandelt sich unsere Gleichung 73 in

76)
$$\frac{d}{dz}\left(Q + \mu\gamma\frac{dx}{dt} - \mu\alpha\frac{dz}{dt} - \frac{dG}{dt}\right)$$
$$- \frac{d}{dy}\left(R + \mu\alpha\frac{dy}{dt} - \mu\beta\frac{dx}{dt} - \frac{dH}{dt}\right) = 0$$ [45]).

Die Ausdrücke für die Veränderungen von β und γ liefern uns zwei andere Gleichungen, welche durch cyklische Vertauschungen aus der obigen entstehen. Die vollständige Lösung dieser drei Gleichungen ist:

77)
$$\begin{cases} P = \mu\gamma\dfrac{dy}{dt} - \mu\beta\dfrac{dz}{dt} + \dfrac{dF}{dt} - \dfrac{d\Psi}{dx} \\ Q = \mu\alpha\dfrac{dz}{dt} - \mu\gamma\dfrac{dx}{dt} + \dfrac{dG}{dt} - \dfrac{d\Psi}{dy} \\ R = \mu\beta\dfrac{dx}{dt} - \mu\alpha\dfrac{dy}{dt} + \dfrac{dH}{dt} - \dfrac{d\Psi}{dz} \end{cases}$$

Das erste und zweite Glied der rechten Seite jeder Gleichung drückt die Wirkung der Bewegung eines Körpers im magnetischen Felde aus; das dritte Glied bezieht sich auf die Veränderungen des elektrotonischen Zustandes durch die Intensitäts- oder Lagenveränderungen von Magneten oder Strömen, die sich im Felde befinden. Ψ ist eine Function von x, y, z und t, welche durch die von uns ursprünglich aufgestellten Gleichungen unbestimmt gelassen wird, aber in jedem gegebenen Falle durch die Bedingungen des Problems bestimmt werden kann. Die physikalische Bedeutung von Ψ ist die, dass es die elektrische Spannung [das elektrostatische Potential] in jedem Punkte des Raumes bestimmt.

Die physikalische Bedeutung der Glieder, welche die durch die Bewegung des Körpers bedingte elektromotorische Kraft ausdrücken, wird einfacher, wenn wir uns das magnetische Feld homogen denken. Die Feldintensität sei α und die Richtung der magnetischen Kraft die der positiven Abscissenaxe. Wenn dann l, m, n die Richtungscosinus irgend eines Stückes eines linearen Leiters und S dessen Länge sind, so ist die Componente der elektromotorischen Kraft in der Richtung des Leiters

$$e = S(Pl + Qm + Rn) \tag{78}$$

oder

$$e = S\mu\alpha\left(m\frac{dz}{dt} - n\frac{dy}{dt}\right). \tag{79}$$

Dieselbe ist also das Product der Quantität $\mu\alpha$ der magnetischen Induction durch die Flächeneinheit und der Projection

$$S\left(m\frac{dz}{dt} - n\frac{dy}{dt}\right)$$ [46])

der vom Leiter S in der Zeiteinheit durchstrichenen Fläche auf eine Ebene, die senkrecht auf der Richtung der magnetischen Kraft steht[47]).

Die elektromotorische Kraft an irgend einer Stelle des Leiters, welche durch dessen Bewegung erzeugt wird, ist also gemessen durch die Anzahl der magnetischen Kraftlinien, welche er in der Zeiteinheit durchschneidet, und die gesammte elektromotorische Kraft in einem geschlossenen Leiter ist gemessen durch die Veränderung der Zahl der Kraftlinien [in der Zeiteinheit], welche durch ihn hindurchgehen. Letzteres gilt, ob diese Veränderung durch die Bewegung des Leiters oder durch irgend eine äussere Ursache [Bewegung oder Intensitätsänderung ausserhalb befindlicher Magnetismen oder elektrischer Ströme] erzeugt wird.

Um den Mechanismus zu verstehen, welcher bei Bewegung eines Leiters quer durch die magnetischen Kraftlinien in diesem eine elektromotorische Kraft erzeugt, müssen wir uns erinnern, dass wir in Satz X bewiesen haben, dass die Gestaltänderung eines Theiles des Mediums, welches Wirbel enthält, eine Aenderung in der Geschwindigkeit dieser Wirbel bedingt, speciell dass eine Ausdehnung des Mediums in der Richtung der Wirbelaxen verbunden mit einer Zusammenziehung in allen darauf senkrechten Richtungen eine Zunahme der Geschwindigkeit der Wirbel bewirkt, während eine Verkürzung der Axe und seitliche Dilatation eine Verminderung der Geschwindigkeit der Wirbel nach sich zieht.

Diese Veränderung der Geschwindigkeit der Wirbel rührt von inneren Wirkungen der Gestaltänderung her und ist unabhängig von der durch äussere elektromotorische Kräfte bewirkten [superponirt sich mit der letzteren]. Wenn nun die Aenderung der Geschwindigkeit verhindert oder plötzlich aufgehalten wird, so entsteht eine elektromotorische Kraft, weil jeder Wirbel die umgebenden Frictionstheilchen in der Richtung drückt, welche der angestrebten Aenderung seiner Bewegung entspricht.

Stelle in Fig. 10 der Kreis den Querschnitt eines verticalen

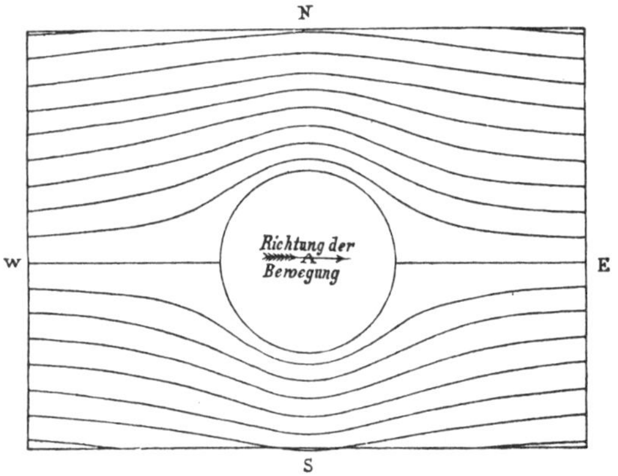

Fig. 10.

[senkrecht zur Ebene der Zeichnung gedachten] Drahtes dar, welcher sich in der Richtung des Pfeiles von West nach Ost quer durch ein System magnetischer Kraftlinien bewegt, die von Süd nach Nord gerichtet sind. Die krummen Linien der Figur 10 stellen die Strömungslinien des als flüssig gedachten Mediums in der Umgebung des Drahtes dar, wenn dieser als ruhend und das umgebende Medium als relativ gegen ihn bewegt gedacht wird. Es ist klar, dass wir diese Voraussetzung bei Berechnung der Formänderung der Volumelemente des Mediums machen können, da diese nicht von der absoluten Bewegung des ganzen Systems, sondern nur von der relativen Bewegung seiner Theile abhängen kann. Man sieht, dass vor dem Drahte, also auf dessen Ostseite, jedes Volumelement des Mediums, wenn sich der Draht nähert, mehr und mehr in der Ost-West-Richtung zusammengedrückt und in der Nord-Süd-Richtung ausgedehnt wird. Da nun die Axen der Wirbel die Nord-Süd-Richtung haben, so hat ihre Geschwindigkeit nach Satz X fortwährend das Bestreben zu wachsen [und wächst wirklich], wenn dies nicht durch elektromotorische Kräfte verhindert oder plötzlich gehemmt wird, welche auf den Umfang jedes Wirbels wirken.

Wir wollen eine elektromotorische Kraft als positiv bezeichnen, wenn die Wirbel die dazwischen liegenden Frictionstheilchen senkrecht zur Ebene der Zeichnung nach aufwärts zu bewegen suchen.

Die Wirbel scheinen sich in der Uhrzeigerrichtung zu drehen, wenn wir von Süden gegen Norden auf sie blicken, so dass sich jeder Wirbel an der Westseite nach aufwärts, an der Ostseite nach abwärts bewegt. Vor dem Drahte also, wo jeder Wirbel seine Geschwindigkeit zu vermehren strebt, muss die nach aufwärts gerichtete elektromotorische Kraft auf der Westseite des Wirbels grösser als auf dessen Ostseite sein. Die nach aufwärts gerichtete elektromotorische Kraft wird also von einem gegen Osten hin sehr weit entfernt liegenden Punkte, wo sie Null ist, bis zur Vorderseite des Drahtes wachsen, wo die aufwärts gerichtete Kraft am stärksten ist. Hinter dem Drahte spielt sich der entgegengesetzte Vorgang ab. Indem sich der Draht von den verschiedenen Partien des Mediums entfernt, werden diese in der Ost-West-Richtung ausgedehnt und in der Nord-Süd-Richtung zusammengepresst, so dass sich die Geschwindigkeit der Wirbel zu vermindern und eine nach aufwärts gerichtete elektromotorische Kraft zu erzeugen strebt, welche auf der Ostseite jedes Wirbels grösser als auf der Westseite ist. Die aufwärts gerichtete elektromotorische Kraft wird daher von einem sehr entfernt gegen Westen gelegenen Punkt, wo sie gleich Null ist, bis zur Hinterseite des bewegten Drahtes, wo sie am grössten ist, continuirlich zunehmen.

Hieraus ist ersichtlich, dass auf einen verticalen, ostwärts bewegten Draht eine elektromotorische Kraft wirkt, welche in ihm einen aufwärts gerichteten Strom zu erzeugen strebt. Wenn der Draht kein Theil eines geschlossenen Stromkreises ist, so wird sich kein Strom entwickeln und die magnetische Kraft nicht geändert werden. Wenn dagegen ein solcher geschlossener Stromkreis vorhanden ist, so entsteht ein Strom und die magnetischen Kraftlinien sowie die Geschwindigkeit der Wirbel erfährt eine Veränderung gegenüber dem Zustande, welcher vor der Bewegung des Drahtes vorhanden war. Diese Veränderung der Kraftlinien ist in Fig. 11 dargestellt. Die Geschwindigkeit der Wirbel vor dem Drahte wächst in der That, anstatt nur Druckkräfte auf die Frictionstheilchen zu erzeugen, während sich die der Wirbel hinter dem Drahte vermindert und die Wirbel zu beiden Seiten des Drahtes eine Aenderung der Richtung ihrer Rotationsaxe erfahren. Die resultirende Wirkung auf den Draht ist daher eine der Bewegung desselben entgegengesetzte Kraft.

Wir wollen nun die Annahmen, welche wir gemacht, und die Resultate, welche wir erhalten haben, recapituliren:

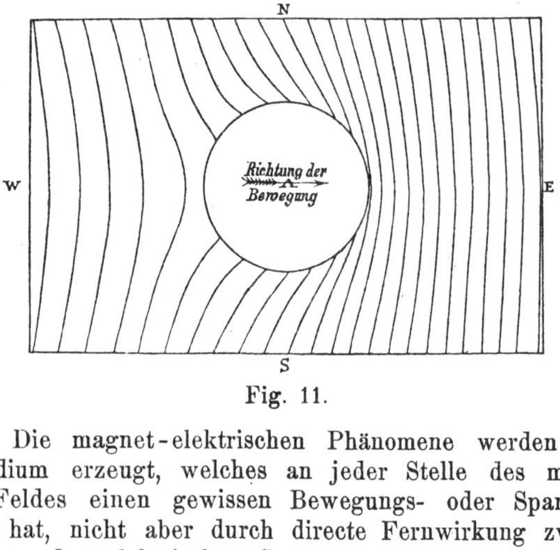

Fig. 11.

1. Die magnet-elektrischen Phänomene werden durch ein Medium erzeugt, welches an jeder Stelle des magnetischen Feldes einen gewissen Bewegungs- oder Spannungszustand hat, nicht aber durch directe Fernwirkung zwischen Magneten oder elektrischen Strömen. Die Substanz, welche diese Wirkungen hervorbringt, kann irgend ein Bestandtheil der gewöhnlichen Materie oder ein diese durchdringender Aether sein. Ihre Dichte ist am grössten im Eisen und am geringsten in diamagnetischen Substanzen; aber sie muss in allen ausser dem Eisen [und Nickel, Kobalt etc.] sehr gering sein, da das Verhältniss der magnetischen inductiven Capacität keiner anderen Substanz zu der des sogenannten Vacuums erheblich von eins verschieden ist.

2. An jeder Stelle des Feldes, welche von magnetischen Kraftlinien durchsetzt wird, herrscht eine Ungleichheit des Druckes in verschiedenen Richtungen; die Richtung der Kraftlinien ist die des geringsten Druckes, so dass die Kraftlinien als die Richtungen einer [dem Drucke superponirten] Spannung betrachtet werden können.

3. Diese Druckungleichheit wird durch das Vorhandensein von Wirbeln oder Strudeln hervorgebracht, deren Axen die Richtung der Kraftlinien haben und für welche der Sinn der Rotation durch den Sinn der Kraftlinien bestimmt ist.

Wir setzten voraus, dass der Sinn der Rotation für einen Beobachter, der von Süden gegen Norden blickt, der des Uhrzeigers ist. Soweit unsere bisherige Kenntniss der Thatsachen reicht, hätten wir mit gleichem Rechte den entgegengesetzten Umdrehungssinn wählen können, wenn wir die Harzelektricität an Stelle der Glaselektricität als die positive gewählt hätten. Die Wirkung dieser Wirbel hängt von ihrer Dichte und von der Geschwindigkeit an ihrem Umfange ab, ist aber unabhängig von ihrem Durchmesser. Die Dichte muss der Capacität der Substanz für magnetische Induction [Magnetisirungszahl] proportional sein; [daher gleich,] wenn sie in Luft gleich 1 gesetzt wird. Die Geschwindigkeit muss sehr gross sein, um in einem Medium von so geringer Dichte so mächtige Wirkungen hervorzurufen.

Die Grösse der Wirbel ist unbestimmt, aber wahrscheinlich sehr klein im Vergleich zu der eines vollständigen Moleküls der gewöhnlichen Materie*) [vergl. Anm. 30].

4. Die Wirbel sind von einander durch einfache Lagen runder Theilchen [der Frictionstheilchen] getrennt, so dass ein System von Zellen entsteht, deren Wände durch die Lagen dieser Frictionstheilchen gebildet werden, während die Substanz innerhalb jeder Zelle wie ein Wirbel zu rotiren vermag.

5. Die Frictionstheilchen jeder Lage rollen an den beider-

---

*) Das Drehungsmoment des Systems der Wirbel hängt von deren mittlerem Durchmesser ab. Wenn daher dieser Durchmesser messbar wäre, so wäre zu erwarten, dass sich ein Magnet so verhalten würde, als ob er in seinem Innern einen rotirenden Körper enthielte [ein rotirendes Gyroskop wäre], und dass das Vorhandensein dieser Rotation durch Experimente über die freie Rotation von Magneten entdeckt werden könnte. Ich habe Experimente gemacht, um dieser Frage näher zu treten, habe aber den Apparat noch nicht genügend durchgeprüft.

seits anliegenden Wirbeln ohne Reibung und ohne zu gleiten. Sie können zwischen den Wirbeln vollkommen frei rollen und dabei in beliebiger Richtung fortschreiten, vorausgesetzt, dass sie dabei das Innere eines vollständigen Moleküls der Substanz nicht verlassen. Wenn sie aber von einem Molekül zu einem anderen übergehen, so erfahren sie einen Widerstand und erzeugen unregelmässige Bewegungen, welche sich als Wärme kundgeben. Diese Frictionstheilchen spielen in unserer Theorie die Rolle der Elektricität. Ihr Fortschreiten in einer Richtung bedingt einen elektrischen Strom, ihre Drehungen dienen, um die Bewegung der Wirbel von Stelle zu Stelle im Felde fortzupflanzen. Die hierbei entstehenden tangentialen Druckkräfte sind die elektromotorischen Kräfte.

Die Vorstellung von Theilchen, deren Bewegung durch die Bedingung bestimmt ist, dass sie an den beiderseits anliegenden Wirbeln ohne Gleitung rollen, mag einigermaassen unbefriedigend scheinen. Ich will sie nicht als die richtige Ansicht über das, was in der Natur existirt, oder als eine Hypothese über das Wesen der Elektricität im bisherigen Sinne dieses Wortes angesehen wissen. Diese Art der Verbindung ist jedoch mechanisch denkbar, leicht zu untersuchen und geeignet, die wirklichen mechanischen Beziehungen zwischen den bekannten elektromagnetischen Erscheinungen darzustellen. Ich stehe daher nicht an zu glauben, dass jeder, der den provisorischen Charakter dieser Hypothese richtig aufgefasst hat, durch dieselbe bei Untersuchungen über die wahre Deutung der Phänomene mehr gefördert als gehemmt werden wird[48]). Die Wirkung zwischen den Wirbeln und den Frictionstheilchen ist zum Theil eine tangentiale, so dass, wenn irgend ein Gleiten oder eine Relativbewegung zwischen den Berührungsflächen statt hätte, ein Verlust der Energie des Kraftfeldes und eine allmähliche Verwandlung derselben in Wärme eintreten müsste. Nun wissen wir aber, dass sich die Kraftlinien in der Umgebung eines Magnets ohne jeden Energieaufwand durch unbegrenzte Zeit hindurch erhalten. Wir müssen daher schliessen, dass, wo immer eine tangentiale Wirkung zwischen den verschiedenen Theilen des Mediums stattfindet, keine Gleitung zwischen diesen Theilen eintritt. Wir müssen uns also vorstellen, dass die Wirbel und Frictionstheilchen ohne Gleitung an einander rollen und dass die inneren Schichten jedes Wirbels die ihnen eigenthümliche Geschwindigkeit von der äussersten Schichte ohne Gleitung erhalten d. h. dass die Winkelgeschwindigkeit an allen Stellen eines und desselben Wirbels dieselbe ist[49]).

Der einzige Vorgang, bei welchem Energie verloren geht und in Wärme verwandelt wird, ist der Uebergang der Elektricität von Molekül zu Molekül. In allen anderen Fällen kann die Energie der Wirbel sich nur vermindern, wenn durch die [ponderomotorische] Wirkung von Magneten [oder elektrischen Strömen] eine äquivalente Menge von mechanischer Arbeit erzeugt wird.

6. Die Wirkung eines elektrischen Stromes auf das umgebende Medium besteht darin, dass er den Wirbeln, welche mit ihm in Berührung stehen, eine solche Rotation ertheilt, dass sich die dem Strome zugewandten Theile derselben in der gleichen Richtung wie der Strom bewegen. Die vom Strome abgewandten Theile derselben werden sich dann in der entgegengesetzten Richtung bewegen, und wenn das Medium ein Leiter der Elektricität ist, so dass die Frictionstheilchen in jeder Richtung frei beweglich sind, so werden die die Aussenseite dieser Wirbel berührenden Frictionstheilchen in einer dem Strome entgegengesetzten Richtung zur Bewegung angeregt werden; es entsteht also dort zunächst ein dem primären Strome entgegengesetzt gerichteter Inductionsstrom.

Wenn die Frictionstheilchen bei ihrer Bewegung keinen Widerstand zu überwinden hätten, so würde der Inductionsstrom dem primären gleich und entgegengesetzt gerichtet sein und er würde so lange andauern, als der primäre Strom fliesst, so dass er alle Fernwirkung des Primärstromes aufheben würde. Wenn aber dieser inducirte Strom einen Widerstand findet, so wirken dessen Frictionstheilchen auf die jenseits liegenden Wirbel und pflanzen die Wirbelbewegung zu diesen fort, bis schliesslich alle Wirbel des Mediums sich mit solchen Geschwindigkeiten bewegen, dass die Frictionstheilchen keine fortschreitende Bewegung haben, sondern nur Drehungen um ihre Mittelpunkte ausführen und daher alle Inductionsströme aufgehört haben.

Bei der Uebertragung der Bewegung von einem Wirbel zum anderen sind Kräfte zwischen den Frictionstheilchen und den Wirbeln thätig, durch welche die Frictionstheilchen in der einen, die Wirbel in der entgegengesetzten Richtung gedrückt werden. Wir nennen jede Kraft, welche auf die Frictionstheilchen wirkt, eine elektromotorische Kraft. Die Gegenwirkung auf die Wirbel ist derselben gleich, aber entgegengesetzt gerichtet, so dass sie niemals einen Theil des Mediums als Ganzes bewegen, sondern nur elektrische Ströme hervorbringen kann[50]). Wenn der primäre Strom aufgehalten wird, so wirken alle elektromotorischen Kräfte genau in der entgegengesetzten Richtung.

7. Wenn ein elektrischer Strom oder Magnet in der Nähe eines Leiters bewegt wird, so wird die Geschwindigkeit der Drehung der Wirbel an jeder Stelle des Feldes durch diese Bewegung geändert. Die Kraft, mit welcher der jedem Wirbel zukommende Betrag von Drehgeschwindigkeit auf diesen übertragen wird, stellt in diesem Falle ebenfalls eine elektromotorische Kraft dar und kann elektrische Ströme erzeugen, wenn sie geschlossene Stromkreise findet.

8. Wenn ein Leiter in einem magnetischen Kraftfelde bewegt wird, so werden die Wirbel in seinem Innern und in seiner Nachbarschaft von ihren Plätzen wegbewegt und erleiden dabei Formänderungen. Die Kraft, welche von diesen Formänderungen herrührt, stellt die auf einen beweglichen Leiter wirkende elektromotorische Kraft dar, und wir fanden durch Rechnung, dass sie mit der experimentell bestimmten übereinstimmt.

Wir haben nun gezeigt, in welcher Weise die elektromagnetischen Erscheinungen durch die Fiction eines Systems von Molekularwirbeln nachgeahmt werden können. Wer bereits zur Annahme einer derartigen Hypothese geneigt ist, findet hier die Bedingungen, welche erfüllt sein müssen, um ihr mathematische Folgerichtigkeit zu verleihen und eine hinlänglich befriedigende Vergleichung zwischen ihren logischen Consequenzen und den Thatsachen, soweit sie gegenwärtig bekannt sind, zu gestatten. Wer aber die Thatsachen auf einem anderen Wege zu erklären sucht, dem möge diese Schrift den Vergleich der Theorie eines die Kräfte vermittelnden Mediums mit der von Strömen, welche frei durch die Körper fliessen, und mit der Hypothese ermöglichen, dass die Elektricität mit einer von ihrer Geschwindigkeit abhängenden Kraft direct in die Ferne wirkt und daher nicht dem Gesetze von der Erhaltung der Energie unterworfen ist[51]).

Die Thatsachen des Elektromagnetismus sind so complicirt und mannigfaltig, dass die Erklärung irgend einer Gruppe derselben durch mehrere verschiedene Hypothesen von Interesse sein muss, und zwar nicht bloss für die Physiker, sondern für alle, welche zu beurtheilen wünschen, inwieweit die zutreffende Erklärung gewisser Erscheinungen ein sicheres Zeichen der Richtigkeit einer Theorie ist und inwieweit wir die Uebereinstimmung des mathematischen Ausdrucks zweier Reihen von Erscheinungen als einen Beweis betrachten dürfen, dass diese Erscheinungen von derselben Art sind. Wir wissen, dass theilweise Uebereinstimmungen von dieser Art [schon oft] entdeckt worden sind. Die Thatsache, dass sie nur theilweise sind, wurde dann durch die Verschiedenheit der Gesetze der beiden Erscheinungsreihen in anderen Beziehungen bewiesen. Wir können erwarten, dass sich in der weiteren Entwicklung der Physik Beispiele einer vollständigeren Uebereinstimmung finden werden, bei denen tiefgehende Untersuchungen erforderlich sind, um ihre wesentliche Verschiedenheit aufzudecken.

Anmerkung. Nachdem der erste Theil dieser Abhandlung geschrieben war, sah ich in *Crelle*'s Journal*) eine Abhandlung von Prof. *Helmholtz* über Flüssigkeitsbewegung, in welcher dieser ausführt, dass die magnetischen Kraftlinien nach denselben Gesetzen wie die Strömungslinien der Flüssigkeitsbewegung verlaufen, wenn die des elektrischen Stromes den Drehungsaxen derjenigen Volumelemente der Flüssigkeit entsprechen, welche sich im Zustande einer Rotation befinden. Dies ist ein neuer Beweis einer »physikalischen Analogie«, welche zur gleichzeitigen Veranschaulichung zweier verschiedener Erscheinungsgebiete, des Elektromagnetismus und der Hydrodynamik, dienen kann.

3. Theil.

Anwendung der Theorie der Molekularwirbel auf die statische Elektricität.

Im ersten Theile der vorliegenden Untersuchung habe ich gezeigt, wie die zwischen Magneten, elektrischen Strömen und magnetisirbaren Körpern wirkenden Kräfte aus der Hypothese erklärt werden können, dass das Feld mit unzähligen Wirbeln erfüllt ist, deren Drehungsaxen in jedem Punkte des Feldes mit der Richtung der magnetischen Kraft zusammenfallen.

---

*) Bd. 55, S. 25, 1858. Ges. Abh. I S. 101. Diese Klass. 79.

Die Centrifugalkraft dieser Wirbel bringt Druckkräfte hervor, welche so im Felde vertheilt sind, dass ihr schliesslicher Effekt in einer Kraft besteht, welche in Grösse und Richtung mit der beobachteten identisch ist.

Im zweiten Theile beschrieb ich einen Mechanismus, durch welchen bewirkt werden kann, dass alle diese Rotationen gleichzeitig neben einander bestehen und sich nach den bekannten Gesetzen der magnetischen Kraftlinien anordnen.

Ich nahm an, dass die rotirende Materie den Inhalt von Zellen bildet, welche von einander durch Zellwände getrennt sind; letztere aber aus Theilchen zusammengesetzt sind, welche sehr klein im Vergleich mit den Zellen sind, und dass durch die Bewegung dieser Theilchen und ihre tangentiale Wirkung auf die in den Zellen enthaltene Substanz die Drehung von Zelle zu Zelle fortgepflanzt wird.

Ich machte keinen Versuch, eine Erklärung dieser tangentialen Wirkung zu geben. Um aber die Uebertragung der Drehung von den äusseren zu den inneren Theilen jedes Wirbels zu erklären, ist es nothwendig, vorauszusetzen, dass die Substanz der Zellen Elasticität besitzt, welche dem Wesen nach gleich, wenn auch dem Grade nach verschieden ist von der, welche wir an festen Körpern beobachten. Die Undulationstheorie des Lichtes zwingt uns ohnedies, dem Lichtäther eine derartige Elasticität beizulegen, um uns von den transversalen Schwingungen desselben Rechenschaft geben zu können. Wir werden daher um so mehr geneigt sein, auch dem magnet-elektrischen Medium dieselbe Eigenschaft zuzuschreiben.

Nach unserer Theorie bilden die Frictionstheilchen, welche die Wirbel von einander trennen, die Materie der Elektricität, die Bewegung dieser Frictionstheilchen stellt den elektrischen Strom dar. Die tangentiale Kraft, mit welcher die Frictionstheilchen von dem Zellinhalte gedrückt werden, ist die elektromotorische Kraft und der [durch die Elasticität der Wirbel vermittelte scheinbare] Druck der Frictionstheilchen auf einander [siehe Anm. 57, § 5] entspricht der Spannung oder dem Potentiale der Elektricität.

Wenn wir nun das Verhalten eines Körpers in Bezug auf das umgebende Medium auch in den Fällen angeben können, wo wir den Körper als elektrostatisch geladen bezeichnen, und wenn wir uns von den Kräften Rechenschaft geben können, welche zwischen derartig geladenen Körpern wirksam sind, so haben wir eine Verbindung zwischen allen grundlegenden Erscheinungen der Elektricitätslehre hergestellt.

Wir wissen aus Versuchen, dass die elektrische Spannung dieselbe Erscheinung ist, ob sie an statischer oder strömender Elektricität beobachtet wird, so dass eine elektromotorische Kraft, welche durch Magnetismus erzeugt wird (wie die eines magnetelektrischen Inductionsapparates), eine Leydenerflasche statisch zu laden im Stande ist.

Wenn ein Spannungsunterschied in den verschiedenen Theilen irgend eines Körpers besteht, so fliesst die Elektricität von den Stellen grösserer Spannung zu denen geringerer oder sucht wenigstens so zu fliessen. Wenn der Körper ein Leiter ist, so findet wirkliche Elektricitätsbewegung statt, und wenn die Spannungsdifferenz dauernd unterhalten wird, so dauert auch der elektrische Strom mit einer Geschwindigkeit an, welche dem Widerstande verkehrt oder der Leitungsfähigkeit des Körpers direct proportional ist.

Die Werthe des elektrischen Widerstandes liegen innerhalb sehr weiter Grenzen; der der Metalle ist der kleinste, der von Glas aber so gross, dass die elektrische Ladung in einer Leydenerflasche aus Glas durch Jahre aufbewahrt werden konnte, ohne die geringe Dicke des Glases zu durchdringen*).

Körper, welche dem elektrischen Strome den Durchgang durch ihr Inneres nicht gestatten, nennt man Isolatoren, aber obwohl die Elektricität nicht durch sie hindurchfliesst, so werden doch elektrische Wirkungen durch sie hindurch fortgepflanzt, und zwar in verschiedenem Grade je nach der Natur der Körper, so dass gleich gute Isolatoren als Dielektrika verschiedene Wirkungen ausüben können**).

Wir haben also hier zwei von einander unabhängige Eigenschaften der Körper. Die eine, vermöge deren sie den Durchgang der Elektricität durch ihr Inneres gestatten, und die andere, vermöge deren eine elektrische Wirkung durch sie hindurch fortgepflanzt wird, ohne dass irgend ein elektrischer Strom durch ihr Inneres hindurchgeht. Ein Leiter kann mit einer porösen Membran verglichen werden, welche dem Durchgange der Elektricität mehr oder weniger Widerstand entgegensetzt, während ein Dielektrikum einer elastischen Membran gleicht, welche für die Flüssigkeit vollkommen undurchdringlich sein

---

*) Durch Professor *W. Thomson*.

**) *Faraday's* Exp.-Unters. Ser. 11.

kann und doch deren Druck von der einen Seite zur anderen überträgt.

So lange eine elektromotorische Kraft auf einen Leiter wirkt, erzeugt dieselbe einen elektrischen Strom, welcher, da er Widerstand findet, eine fortwährende Verwandlung elektrischer Energie in Wärme veranlasst, die nicht wieder durch eine irgendwie beschaffene Umkehrung des Processes in die Form von elektrischer Energie rückverwandelt werden kann.

Wenn eine elektromotorische Kraft auf ein Dielektrikum wirkt, so erzeugt sie in den Volumelementen desselben einen Polarisationszustand, dessen Gesetze analog denen der Polarisation der Volumelemente des Eisens unter dem Einflusse magnetischer Kräfte sind*) und der ähnlich der magnetischen Polarisation als ein Zustand beschrieben werden kann, bei welchem jedes Theilchen an seinen entgegengesetzten Enden entgegengesetzte Pole besitzt.

Wir können uns denken, dass in einem Dielektrikum unter Wirkung der Induction [Influenz] in jedem Moleküle die Elektricität so verschoben wird, dass eine Seite desselben positiv, die andere negativ elektrisch wird, ohne dass aber die in einem Moleküle einmal vorhandene Elektricität dieses Molekül verlässt und so von Molekül zu Molekül fortwandert.

Das Resultat dieser Wirkung auf die elektrischen Körper als Ganzes ist eine allgemeine Verschiebung der darin enthaltenen Elektricität in einer bestimmten Richtung. Diese Verschiebung ist selbst kein [dauernder] elektrischer Strom, da sie, sobald sie einen bestimmten Werth erreicht hat, constant bleibt, aber sie ist der Beginn eines Stromes und ihre Veränderungen stellen einen Strom in der positiven oder negativen Richtung dar, je nachdem die Verschiebung wächst oder abnimmt. Der Betrag der Verschiebung hängt von der Natur des Körpers und von der Stärke der elektromotorischen Kraft ab. Wenn daher h die Verschiebung, R die elektromotorische Kraft und E ein von der Natur des Dielektrikums abhängiger Coefficient ist, so hat man

$$R = -4\pi E^2 h \,.$$

Wenn ferner r die Stärke des dieser Verschiebung entsprechenden elektrischen Stromes ist, so ist

*) Siehe Prof. *Mossotti*, »Discussione analitica«. Memoria della Soc. Italiana (Modena), vol. XXIV part. 2 p. 49.

$$r = \frac{dh}{dt}.$$

Diese Relationen sind unabhängig von jeder Theorie über den inneren Mechanismus der Dielektrika. Wenn wir aber finden, dass elektromotorische Kräfte in einem Dielektrikum elektrische Verschiebungen erzeugen und dass beim Aufhören der elektromotorischen Kräfte das Dielektrikum seinem ursprünglichen Zustande mit einer gleichen Kraft wieder zustrebt, so springt die Analogie mit dem Verhalten eines elastischen Körpers, welcher durch Druck deformirt wird und beim Aufhören des Druckes seine alte Form wieder annimmt, in die Augen.

Nach unserer Hypothese ist das magnetische Medium in Zellen getheilt, welche durch die von den Frictionstheilchen gebildeten Schichten getrennt werden. Letztere spielen die Rolle der Elektricität. Wenn die Frictionstheilchen nach irgend einer Richtung gedrückt werden, so deformiren sie den Inhalt jeder Zelle durch ihre tangentiale Wirkung auf die elastische Substanz desselben und rufen gleiche, entgegengesetzte Kräfte wach, welche von der Elasticität des Zellinhaltes herrühren. Wenn die Kraft aufhört, so nehmen die Zellen ihre alte Gestalt wieder an und die Frictionstheilchen, welche die Elektricität vorstellen, kehren in ihre alte Lage zurück. In der folgenden Untersuchung will ich die Beziehung zwischen der Verschiebung der letzteren und der sie erzeugenden Kraft unter der Annahme berechnen, dass die Zellen Kugelgestalt haben. Die wirkliche Gestalt der Zellen ist vermuthlich von der einer Kugel nicht so weit verschieden, dass dadurch ein erheblicher Unterschied in dem numerischen Resultate erzeugt würde. Aus dem sich ergebenden Resultate werde ich dann das Verhältniss zwischen dem elektrostatischen und elektrodynamischen Maasse der Elektricität ableiten und durch den Vergleich der elektromagnetischen Experimente von *Kohlrausch* und *Weber* mit dem von *Fizeau* gefundenen Werthe der Lichtgeschwindigkeit zeigen, dass die Elasticität des den Magnetismus vermittelnden Mediums in Luft gleich der des Lichtäthers ist, wenn diese zwei überall existirenden, einander durchdringenden und mit gleicher Elasticität begabten Medien nicht vielmehr ein und dasselbe Medium sind.

In Satz XV wird sich auch zeigen, dass die Anziehung zwischen zwei elektrisirten Körpern dem Werthe von E^2

proportional ist und dass sie daher in Terpentinöl kleiner als in Luft ist, wenn die Quantität der Elektricität auf den anziehenden Körpern dieselbe bleibt. Wenn dagegen die Potentiale auf den beiden Körpern gegeben wären, so wäre die Anziehung zwischen denselben dem E^2 verkehrt proportional und grösser in Terpentinöl als in Luft. (Vergl. Anm. 18.)

Satz XII. Berechnung der Bedingungen des Gleichgewichts einer elastischen Kugel, deren Oberfläche normalen und tangentialen Kräften ausgesetzt ist, wenn die tangentialen Kräfte dem Sinus des Winkelabstandes von einem gegebenen Punkte der Kugel proportional sind.

Es sei die z-Axe die Axe sphärischer Coordinaten, ξ, η, ζ seien die Verschiebungen irgend eines Theilchens der Kugel in den drei Coordinatenrichtungen, p_{xx}, p_{yy}, p_{zz} die normalen elastischen Kräfte in den drei Coordinatenrichtungen, p_{yz}, p_{zx} und p_{xy} aber die elastischen Schuboder Torsionskräfte in der yz-, zx- und xy-Ebene und μ der kubische Elasticitätscoefficient, so dass man, wenn

$$p_{xx} = p_{yy} = p_{zz} = p$$

ist, hat

80) $$p = \mu\left(\frac{d\xi}{dx} + \frac{d\eta}{dy} + \frac{d\zeta}{dz}\right).$$

Endlich sei m der Torsionscoefficient, so dass

81) $$p_{xx} - p_{yy} = m\left(\frac{d\xi}{dx} - \frac{d\eta}{dy}\right) \text{ etc.}$$

ist. Dann haben wir, wenn die Kugel aus isotroper Substanz besteht, die folgenden Elasticitätsgleichungen:

82) $$p_{xx} = (\mu - \tfrac{1}{3}m)\left(\frac{d\xi}{dx} + \frac{d\eta}{dy} + \frac{d\zeta}{dz}\right) + m\frac{d\xi}{dx},$$

83) $$p_{yz} = \frac{m}{2}\left(\frac{d\eta}{dz} + \frac{d\zeta}{dy}\right),$$

jede mit zwei analogen Gleichungen für die beiden übrigen Coordinatenaxen [52]). Wir nehmen nun an, die betrachtete Kugel habe den Radius a und es sei

84) $$\xi = exz, \quad \eta = ezy, \quad \zeta = f(x^2 + y^2) + gz^2 + d.$$

Dann folgt:

$$85)\quad \begin{cases} p_{xx} = 2(\mu - \frac{1}{3}m)(e+g)z + mez = p_{yy}\,, \\ p_{zz} = 2(\mu - \frac{1}{3}m)(e+g)z + 2mgz\,, \\ p_{yz} = \frac{m}{2}(e+2f)y\,, \\ p_{zx} = \frac{m}{2}(e+2f)x\,, \\ p_{xy} = 0\,. \end{cases}$$

Die Bedingungsgleichung für das Gleichgewicht der in der z-Richtung auf ein im Innern liegendes Volumelement wirkenden Kräfte ist

$$86)\quad \frac{d}{dx}p_{zx} + \frac{d}{dy}p_{yz} + \frac{d}{dz}p_{zz} = 0\,.$$

Dieselbe ist in unserem Falle erfüllt, sobald

$$87)\quad m(e+2f+2g) + 2(\mu - \tfrac{1}{3}m)(e+g) = 0$$

ist. Die auf die Oberfläche der Kugel vom Radius a in der Winkeldistanz ϑ von der z-Axe in der xz-Ebene wirkende Tangentialkraft ist [wie immer bezogen auf die Flächeneinheit]

$$88)\quad T = (p_{xx} - p_{zz})\sin\vartheta\cos\vartheta + p_{xz}(\cos^2\vartheta - \sin^2\vartheta)$$ [53])

$$89)\quad = 2m(e+f-g)a\sin\vartheta\cos^2\vartheta - \frac{ma}{2}(e+2f)\sin\vartheta\,.$$

Damit T dem Sinus von ϑ proportional sei, muss das erste Glied verschwinden. Es muss also sein:

$$90)\quad g = e + f\,,$$

$$91)\quad T = -\frac{ma}{2}(e+2f)\sin\vartheta\,.$$

Der normale Zug auf die Oberfläche in irgend einem Punkte ist:

$$92)\quad N = p_{xx}\sin^2\vartheta + p_{zz}\cos^2\vartheta + 2p_{xz}\sin\vartheta\cos\vartheta$$

$$= 2(\mu - \tfrac{1}{3}m)(e+g)a\cos\vartheta + 2ma\cos\vartheta[(e+f)\sin^2\vartheta + g\cos^2\vartheta].$$

Daher ist nach 87 und 90

$$93)\quad N = -ma(e+2f)\cos\vartheta\,.$$

Die tangentiale Verschiebung in irgend einem Punkte ist:

94) $$t = \xi \cos\vartheta - \zeta \sin\vartheta = -(a^2 f + d) \sin\vartheta\,,$$

die normale Verschiebung aber ist:

95) $$n = \xi \sin\vartheta + \zeta \cos\vartheta = [a^2(e+f)+d]\cos\vartheta\,.$$

Wenn wir

96) $$a^2(e+f)+d = 0$$

setzen, so findet keine normale Verschiebung statt, die Verschiebungen sind rein tangential und wir haben:

97) $$t = a^2 e \sin\vartheta\,.$$

Die gesammte von den auf die Kugeloberfläche wirkenden Kräften geleistete Arbeit ist

$$U = \tfrac{1}{2}\Sigma(Tt)\,dS\,,$$

wobei die Summation über die ganze Oberfläche der Kugel zu erstrecken ist. Die elastische Energie der Substanz der Kugel ist:

[97a] $$U = \tfrac{1}{2}\Sigma\left[\frac{d\xi}{dx}p_{xx} + \frac{d\eta}{dy}p_{yy} + \frac{d\zeta}{dz}p_{zz} + \left(\frac{d\eta}{dz}+\frac{d\zeta}{dy}\right)p_{yz} + \left(\frac{d\zeta}{dx}+\frac{d\xi}{dz}\right)p_{zx} + \left(\frac{d\xi}{dy}+\frac{d\eta}{dx}\right)p_{xy}\right]dV\,,$$

wobei die Summation über das ganze Volumen der Kugel zu erstrecken ist. Für beide Grössen finden wir, wie es auch sein muss, denselben Werth, nämlich:

98) $$U = -\tfrac{2}{3}\pi a^5 m e(e+2f)\,.$$

Wir können voraussetzen, dass die tangentiale Wirkung auf die Oberfläche von der Schicht der sie berührenden Frictionstheilchen herrührt, welche unter dem Einflusse ihres gegenseitigen Druckes [vergl. aber Anm. 57 § 5] auf die Oberflächen der beiden Zellen wirken, mit denen sie in Berührung stehen.

Wir wählen die Richtung der grössten Aenderung des Druckes auf die Frictionstheilchen zur z-Axe und wollen die Relation zwischen der auf die Frictionstheilchen in dieser Richtung wirkenden elektromotorischen Kraft R und der sie begleitenden elektrischen Verschiebung h berechnen.

Satz XIII. Berechnung der Gleichung zwischen der elektromotorischen Kraft und der elektrischen Verschiebung, wenn eine gleichförmige elektromotorische Kraft parallel der z-Axe wirkt.

Wir betrachten irgend ein Element δS der Oberfläche der nun kugelförmig gedachten Zelle. ϱ sei die [Flächen-] Dichte der dasselbe bedeckenden Schicht von Frictionstheilchen; die zu δS nach aussen gezogene Normale bilde mit der z-Axe den Winkel ϑ. Die darauf wirkende tangentiale Kraft ist

99) $$\varrho R \delta S \sin\vartheta = 2T\delta S,$$

wobei T wie früher die tangentiale Kraft auf die jeder Seite der Fläche anliegenden Wirbeltheilchen ist[54]). Setzen wir wie in Gleichung 34 S. 28 $\varrho = \frac{1}{2\pi}$, so erhalten wir

100) $$R = -2\pi m a(e + 2f).$$

Die Verschiebung der Elektricität in Folge der durch die Kraft R erzeugten Lagenänderung der Theilchen der Kugel ist

101) $$\Sigma \delta S \tfrac{1}{2} \varrho t \sin\vartheta,$$

wobei die Summation über die ganze Oberfläche zu erstrecken ist. Wenn ferner h die elektrische Verschiebung bezogen auf die Volumeinheit ist, so erhalten wir

102) $$\tfrac{4}{3}\pi a^3 h = \tfrac{2}{3} a^4 e,$$

oder

103) $$h = \frac{1}{2\pi} a e$$ [55]),

so dass

104) $$R = 4\pi^2 m \frac{e+2f}{e} h$$

wird, wofür wir auch schreiben können

105) $$R = -4\pi E^2 h,$$

wenn wir setzen:

106) $$E^2 = -\pi m \frac{e+2f}{e},$$

oder vermöge der Werthe 87 und 90 für e und f:

107) $$E^2 = \pi m \frac{3}{1 + \frac{5m}{3\mu}}.$$

Das Verhältniss von m zu μ ist in verschiedenen Substanzen verschieden. In einer Substanz, deren Elasticität nur durch Centralkräfte zwischen Paaren materieller Punkte bewirkt wird, ist dieses Verhältniss gleich 6 : 5, und in diesem Falle wird

108) $$E^2 = \pi m.$$

Wenn der Widerstand gegen allseitige Zusammendrückung unendlich gross gegenüber dem gegen Torsion [Schiebung] ist, wie in einer durch Gummi oder Gelatine schwach elastisch gemachten Flüssigkeit [oder in Kautschuk], so ist

109) $$E^2 = 3\pi m.$$

Der Werth von E^2 muss jedenfalls zwischen diesen Grenzen liegen [56]). Es ist wahrscheinlich, dass die Substanz unserer Zellen von der ersteren Art ist, so dass E^2 den ersteren Werth hat, welcher einem hypothetischen, vollkommen festen Körper *) entspricht, in welchem

110) $$5m = 6\mu$$

ist, so dass die Gleichung 108 gilt.

Satz XIV. Correction der Gleichungen 9 Seite 18 der elektrischen Ströme wegen der Wirkung der Elasticität des Mediums.

Wir sahen, dass elektromotorische Kraft und elektrische Verschiebung durch die Gleichungen 105 verbunden sind. Durch Differentiation dieser Gleichungen nach [der Zeit] t finden wir:

111) $$\frac{dR}{dt} = -4\pi E^2 \frac{dh}{dt}.$$

Jede Veränderung der elektromotorischen Kraft ist daher mit einer Veränderung der elektrischen Verschiebung verbunden, aber eine Veränderung der Verschiebung ist einem Strome äquivalent und dieser Strom muss in den Gleichungen 9 berücksichtigt und zu r addirt werden, so dass diese drei Gleichungen die Form annehmen:

---

*) Siehe *Rankine*, »On Elasticity«. Camb. and Dub. Math. Journ. 1851.

$$112)\quad \begin{cases} p = \dfrac{1}{4\pi}\left(\dfrac{d\gamma}{dy} - \dfrac{d\beta}{dz} - \dfrac{1}{E^2}\dfrac{dP}{dt}\right), \\ q = \dfrac{1}{4\pi}\left(\dfrac{d\alpha}{dz} - \dfrac{d\gamma}{dx} - \dfrac{1}{E^2}\dfrac{dQ}{dt}\right)^{57}), \\ r = \dfrac{1}{4\pi}\left(\dfrac{d\beta}{dx} - \dfrac{d\alpha}{dy} - \dfrac{1}{E^2}\dfrac{dR}{dt}\right), \end{cases}$$

wo p, q, r die Componenten [der Dichte] des [galvanisch geleiteten] elektrischen Stromes, α, β, γ die der magnetischen Kraft und P, Q, R die der elektromotorischen Kraft in den Coordinatenrichtungen sind. Nun besteht aber, wenn e die Menge der freien Elektricität in der Volumeneinheit ist, die Continuitätsgleichung

$$113)\quad \frac{dp}{dx} + \frac{dq}{dy} + \frac{dr}{dz} + \frac{de}{dt} = 0 .$$

Berechnen wir die drei ersten Glieder des Ausdrucks links, indem wir die erste der Gleichungen 112 nach x, die zweite nach y, die dritte nach z ableiten, so folgt:

$$114)\quad \frac{de}{dt} = \frac{1}{4\pi E^2}\frac{d}{dt}\left(\frac{dP}{dx} + \frac{dQ}{dy} + \frac{dR}{dz}\right),$$

was

$$115)\quad e = \frac{1}{4\pi E^2}\left(\frac{dP}{dx} + \frac{dQ}{dy} + \frac{dR}{dz}\right)$$

liefert, wenn man die Constante gleich Null setzt, da jedenfalls $e = 0$ sein muss, wenn keine elektrischen Kräfte vorhanden sind[58]).

Satz XV. Berechnung der [ponderomotorischen] Kraft, welche zwischen zwei elektrisirten Körpern wirkt.

Die Energie, welche im Medium vermöge der elektrischen Verschiebungen vorhanden ist, hat den Werth

$$116)\quad U = -\Sigma \tfrac{1}{2}(Pf + Qg + Rh)\,\delta V,$$

wobei P, Q, R die Componenten der elektrischen Kräfte, f, g, h die der elektrischen Verschiebungen sind. Wenn nun keine Bewegung der Körper und keine Veränderung der Kräfte stattfindet, so ist vermöge der Gleichungen 77 Seite 44

$$117)\quad P = -\frac{d\Psi}{dx},\quad Q = -\frac{d\Psi}{dy},\quad R = -\frac{d\Psi}{dz}.$$

Nach Gleichung 105 aber ist

118) $P = -4\pi E^2 f,\quad Q = -4\pi E^2 g,\quad R = -4\pi E^2 h.$

[Mit Rücksicht auf 117 und 118] folgt [aus Gleichung 116]

119) $$U = \frac{1}{8\pi E^2}\Sigma\left[\left(\frac{d\Psi}{dx}\right)^2 + \left(\frac{d\Psi}{dy}\right)^2 + \left(\frac{d\Psi}{dz}\right)^2\right]\delta V.$$

Die Integration ist über den ganzen Raum auszudehnen. Wenn wir das erste Glied bezüglich x, das zweite bezüglich y, das dritte bezüglich z partiell integriren und bedenken, dass Ψ in unendlicher Entfernung verschwindet, so erhalten wir:

120) $$U = -\frac{1}{8\pi E^2}\Sigma\Psi\left(\frac{d^2\Psi}{dx^2} + \frac{d^2\Psi}{dy^2} + \frac{d^2\Psi}{dz^2}\right)\delta V,$$

oder nach 115

121) $$U = \tfrac{1}{2}\Sigma(\Psi e)\delta V.$$

Es sollen sich nun im Felde zwei elektrisirte Körper befinden. Ψ_1 sei die durch den ersten bewirkte elektrische Spannung und e_1 die Dichte der Elektricität in einem Volumelemente desselben, so dass man hat:

122) $$e_1 = \frac{1}{4\pi E^2}\left(\frac{d^2\Psi_1}{dx^2} + \frac{d^2\Psi_1}{dy^2} + \frac{d^2\Psi_1}{dz^2}\right).$$

Ferner seien Ψ_2 und e_2 dieselben Grössen für den zweiten Körper. Dann ist die gesammte Spannung in irgend einem Punkte $\Psi_1 + \Psi_2$ und der Ausdruck für U wird

123) $$U = \tfrac{1}{2}\Sigma(\Psi_1 e_1 + \Psi_2 e_2 + \Psi_1 e_2 + \Psi_2 e_1)\delta V.$$

Es soll nun der erste Körper sich in irgend einer Weise bewegen, wobei sich seine elektrische Ladung mitbewegt. Dadurch wird der Werth von $\Psi_1 e_1$ nicht geändert werden, da sich auch die Vertheilung der Spannung Ψ_1 mit dem Körper mitbewegt.

Auch $\Psi_2 e_2$ ändert seinen Werth nicht, und *Green* hat gezeigt*), dass $\Psi_1 e_2 = \Psi_2 e_1$ ist, so dass die von dem bewegten Körper geleistete Arbeit

124) $$W = \delta U = \delta\Sigma(\Psi_2 e_1)\delta V$$

---

*) Essay on electricity p. 10. [Vergl. S. 31 und Anm. 31.]

ist. Wenn e_1 auf einen kleinen Körper beschränkt ist, so wird

$$W = e_1 \delta \Psi_2$$

oder

125) $$F dr = e_1 \frac{d\Psi_2}{dr} dr,$$

wo dr der vom ersten Körper zurückgelegte Weg und F die Componente der ponderomotorischen Kraft in der diesem Wege entgegengesetzten Richtung ist.

Wenn auch der zweite Körper klein ist und r die Entfernung von demselben bezeichnet, so liefert die Gleichung 122:

126) $$\psi_2 = E^2 \frac{e_2}{r}$$ [59]

und die Substitution dieses Werthes in 125:

127) $$F = -E^2 \frac{e_1 e_2}{r^2},$$

d. h. die Kraft ist eine Abstossung, welche dem Quadrate der Entfernung verkehrt proportional ist.

Es seien nun η_1 und η_2 dieselben Elektricitätsmengen in statischem Maasse gemessen[60]. Dann muss vermöge der Definition des elektrostatischen Maasses

128) $$F = -\frac{\eta_1 \eta_2}{r^2}$$

sein, was erfüllt ist, sobald

129) $$\eta_1 = E e_1 \quad \text{und} \quad \eta_2 = E e_2$$

ist, so dass die früher in Satz XIII definirte Grösse E der Factor ist, mit welchem man die Zahl multipliciren muss, durch welche eine Elektricitätsmenge bei Anwendung des magnetischen Maasses ausgedrückt wird, um die Zahl zu erhalten, welche dieselbe Elektricitätsmenge elektrostatisch gemessen ausdrückt.

Derjenige elektrische Strom, welcher die Flächeneinheit umkreisend dieselbe Wirkung auf einen entfernten Magnet ausüben würde wie ein auf der Ebene des Stromes senkrechter Magnet vom magnetischen Momente 1, hat [elektromagnetisch gemessen] die Intensität 1 und E elektrostatisch gemessene Elektricitätseinheiten durchfliessen den Querschnitt dieses Stromes in einer Secunde, wobei eine elektrostatisch gemessene Elektricitätseinheit diejenige ist, welche eine gleiche in der Distanz 1 mit der Kraft 1 abstösst. Wir können entweder 1. annehmen, dass E Einheiten positiver Elektricität in der positiven Richtung, oder 2. dass E Einheiten negativer Elektricität in der negativen Richtung, oder 3. dass gleichzeitig $\frac{1}{2}E$ Einheiten positiver Elektricität in der positiven und $\frac{1}{2}E$ Einheiten negativer Elektricität in der negativen Richtung in der Secunde durch jeden Querschnitt des Drahtes fliessen.

Von der letzteren Annahme gehen die Herren *Weber* und *Kohlrausch* *) aus und finden

130) $$\tfrac{1}{2}E = 155\,370\,000\,000\,,$$

wobei der Millimeter die Längeneinheit und die Secunde die Zeiteinheit ist. Hieraus folgt:

131) $$E = 310\,740\,000\,000\,.$$

Satz XVI. Bestimmung der Fortpflanzungsgeschwindigkeit der Transversalwellen in dem elastischen Medium, aus dem die Zellen bestehen, unter der Voraussetzung, dass dessen Elasticität lediglich von Centralkräften herrührt, welche zwischen Paaren materieller Punkte wirken.

Durch die gewöhnlichen Methoden der Elasticitätslehre findet man für diese Fortpflanzungsgeschwindigkeit bekanntlich den Werth:

132) $$V = \sqrt{\frac{m}{\varrho}}\,,$$

wobei m [wie in Satz XII] der Coefficient der Torsionselasticität und ϱ die Dichte ist. Vergleichen wir die Formeln des ersten Theiles, so sehen wir, dass, wenn ϱ die Dichte der Substanz der Wirbel und μ der Coefficient der magnetischen Induction ist, die Gleichung

133) $$\mu = \pi\varrho$$ [61])

besteht, woraus folgt

134) $$\pi m = V^2 \mu\,,$$

---

*) Abhandlungen der Königl. Sächs. Gesellsch. d. Wissensch. Bd. 3 (1857) S. 260.

oder nach Gleichung 108

135) $$E = V\sqrt{\mu}\,.$$

In Luft oder im leeren Raume ist $\mu = 1$; daher

136) $$V = E = 310\,740\,000\,000\ \frac{\text{mm}}{\text{sec.}}$$

$$= 193\,088\ \frac{\text{engl. Meilen}}{\text{sec.}}\,.$$

Die Geschwindigkeit des Lichtes ist nach den Messungen von *Fizeau* *) 70 843 französische Meilen, von denen 25 auf einen Grad kommen. Dies ergiebt:

137) $$V = 314\,858\,000\,000\ \frac{\text{mm}}{\text{sec.}} = 195\,647\ \frac{\text{engl. Meilen}}{\text{sec.}}\,.$$

Die Geschwindigkeit der Transversalschwingungen, welche sich für unser hypothetisches Medium aus den elektromagnetischen Experimenten von *Kohlrausch* und *Weber* ergiebt[62]), stimmt so genau mit der von *Fizeau* aus optischen Experimenten berechneten Geschwindigkeit des Lichtes, dass wir kaum den Gedanken zurückweisen können, dass das Licht aus Transversalschwingungen desselben Mediums besteht, welches auch die Ursache der elektrischen und magnetischen Erscheinungen ist.

Satz XVII. Berechnung der Capacität einer Leydenerflasche, welche aus zwei parallelen leitenden Flächen besteht, zwischen denen sich irgend ein gegebenes Dielektrikum befindet.

Es seien Ψ_1 und Ψ_2 die elektrischen Spannungen oder Potentiale auf den beiden Flächen, S der Flächeninhalt jeder derselben, θ deren Entfernung und e die Elektricitätsmenge auf der einen, $-e$ die auf der anderen der beiden Flächen; dann ist die Capacität

138) $$C = \frac{e}{\Psi_1 - \Psi_2}\,.$$

---

*) Comptes Rendus der Par. Akad. Bd. **29** (1849) p. 90. In dem Handbuche der Astronomie von *Galbraith* und *Haughton* wird die von *Fizeau* gefundene Lichtgeschwindigkeit als 169 944 geographische Meilen zu 1000 Faden angegeben, was 193 118 engl. Meilen giebt; der aus der Aberration des Lichtes abgeleitete Werth ist 192 000 engl. Meilen.

Der Differentialquotient von Ψ senkrecht zu den Flächen ist im Dielektrikum $\frac{\Psi_1 - \Psi_2}{\theta}$, jenseits jeder der Flächen aber gleich Null. Wenden wir daher die Formel 115 auf eine der Flächen an[63]), so ergiebt sich die Flächendichte der Elektricität auf derselben gleich

139) $$\frac{\Psi_1 - \Psi_2}{4\pi E^2 \theta},$$

für die Capacität des ganzen Apparates aber folgt der Werth

140) $$C = \frac{S}{4\pi E^2 \theta},$$

so dass die Elektricitätsmenge, welche nothwendig ist, um eine der Flächen zu einem gegebenen Potential zu laden, [während die andere mit der gleichen Menge entgegengesetzter Elektricität geladen resp., wenn θ klein ist, mit der Erde verbunden gedacht wird,] dem Flächeninhalte der geladenen Fläche direct, der Dicke des Dielektrikums und dem Quadrate der Grösse E verkehrt proportional ist.

Nun ist der Inductionscoefficient D eines Dielektrikums [Dielektricitätsconstante] durch die Capacität eines daraus formirten Inductionsapparates [eines Condensators, dessen Zwischenschicht dieses Dielektrikum ist], definirt [nämlich durch das Verhältniss der Capacität desselben zu der eines gleich gestalteten Luftcondensators]. Es ist daher D der Grösse E^2 verkehrt proportional und für Luft $= 1$, woraus [nach Formel 135] folgt

141) $$D = \frac{V^2}{V_1^2 \mu},$$

wobei V und V_1 die Lichtgeschwindigkeiten in Luft und in dem Dielektrikum sind. Nun ist aber der optische Brechungsexponent des Dielektrikums $i = \frac{V}{V_1}$, daher

142) $$D = \frac{i^2}{\mu},$$

so dass die inductive Capacität des Dielektrikums dem Quadrate des optischen Brechungsexponenten direct und der magnetischen inductiven Capacität verkehrt proportional ist.

In ponderabeln Substanzen können jedoch die optischen, elektrischen und magnetischen Erscheinungen durch die Theilchen der ponderablen Materie in verschiedenem Maasse beeinflusst werden; auch kann deren Gruppirung diese Erscheinungen in verschiedenen Richtungen verschieden modificiren. Die Axen der optischen, magnetischen und elektrischen Eigenschaften fallen vermuthlich zusammen, aber vermöge der unbekannten und wahrscheinlich complicirten Natur der Rückwirkung der ponderablen Theilchen auf den Aether ist es vielleicht unmöglich, irgend welche allgemeine numerische Beziehungen zwischen den Werthen der diesen Axen entsprechenden optischen, elektrischen und magnetischen Constanten zu finden.

Es scheint jedoch wahrscheinlich, dass der Werth von E, [also bei gleichem μ die reciproke Wurzel aus der Dielektricitätsconstante für Dielektrisirung in einer bestimmten Richtung], von der Geschwindigkeit des Lichtes abhängt, dessen Schwingungen dieser Richtung parallel, dessen Polarisationsebene also darauf senkrecht ist[64]).

In einem einaxigen Krystalle wird daher der Werth des E [also die reciproke Dielektricitätsconstante] für die Axe von der Fortpflanzungsgeschwindigkeit des ausserordentlichen Strahles, der in einer darauf senkrechten Richtung von der des ordentlichen Strahles abhängen. In positiven Krystallen wird der Werth des E in der Richtung der Axe am kleinsten, in negativen am grössten sein.

Der Werth von D, welcher der Grösse E^2 verkehrt proportional ist, wird unter sonst gleichen Umständen in positiven Krystallen für die Richtung der Axe, in negativen, wie dem isländischen Doppelspathe, in den darauf senkrechten Richtungen am grössten sein.

Wenn eine aus einem Krystalle geschliffene Kugel vom Radius a in einem elektrischen Felde von der Feldintensität I [um eine zu den Kraftlinien senkrechte Axe drehbar] aufgehängt ist; wenn ferner D_1 und D_2 die Coefficienten der dielektrischen Induction längs den zwei Hauptaxen sind, welche in der auf der Drehungsaxe der Kugel senkrechten Ebene liegen, und die Richtung, welcher der grössere dielektrische Inductionscoefficient D_1 entspricht, mit der Richtung der elektrischen Kraft den Winkel ϑ bildet, so ist das Moment, welches die Kugel zu drehen sucht,

143) $$\frac{3}{2}\frac{D_1 - D_2}{(2D_1 + 1)(2D_2 + 1)} I^2 a^3 \sin 2\vartheta$$ [65]),

und zwar sucht sich die Axe der grössten dielektrischen Induction den Kraftlinien parallel zu stellen.

4. Theil.

Anwendung der Theorie der Molekularwirbel auf die Wirkung des Magnetismus auf polarisirtes Licht.

Die Wechselbeziehung der Vertheilung der Linien der magnetischen Kraft und der elektrischen Stromlinien kann durch die Aussage vollständig beschrieben werden, dass die Arbeit, welche geleistet wird, wenn die Einheit des Magnetismus in einer geschlossenen Curve herumgeführt wird, der Quantität des elektrischen Stromes proportional ist, welcher durch diese geschlossene Curve fliesst. Die mathematische Form dieses Gesetzes ist durch die Gleichungen 9) ausgedrückt, welche hier wiederholt werden mögen, und in denen α, β, γ die Componenten der magnetischen Intensität [Feldstärke], p, q, r die des stationären elektrischen Stromes [der Stromdichte] sind:

9) $$\begin{cases} p = \frac{1}{4\pi}\left(\frac{d\gamma}{dy} - \frac{d\beta}{dz}\right) \\ q = \frac{1}{4\pi}\left(\frac{d\alpha}{dz} - \frac{d\gamma}{dx}\right) \\ r = \frac{1}{4\pi}\left(\frac{d\beta}{dx} - \frac{d\alpha}{dy}\right) \end{cases}$$

Dieselbe mathematische Beziehung wurde für eine Reihe von anderen Erscheinungen in der physikalischen Wissenschaft gefunden.

1. Wenn α, β, γ Verschiebungen, Geschwindigkeiten oder Kräfte darstellen, so sind p, q, r die Componenten der gesammten Winkeldrehung, der Winkelgeschwindigkeit oder des Momentes des drehenden Kräftepaares in einem Volumelemente der Masse.

2. Wenn α, β, γ die Drehungen der Volumelemente einer homogenen continuirlichen Substanz darstellen, so sind

p, q, r die relativen linearen Verschiebungen eines Theilchens relativ gegen diejenigen seiner unmittelbaren Nachbarschaft. (Vergl. die S. 6 citirte Abhandlung von Professor *William Thomson.*)

3. Sind α, β, γ die Drehungsgeschwindigkeiten von Wirbeln, deren Mittelpunkte unbeweglich sind, so stellen p, q, r die Geschwindigkeiten dar, mit denen sich bewegliche, zwischen ihnen rollende Frictionstheilchen fortbewegen. (Siehe den zweiten Theil der vorliegenden Abhandlung.)

Aus allen diesen Beispielen ist ersichtlich, dass die Beziehung zwischen Magnetismus und Elektricität dieselbe mathematische Form hat wie die zwischen gewissen Paaren von Erscheinungen, von denen die eine einen linearen, die andere einen rotatorischen Charakter hat. Professor *Challis* nimmt in der S. 5 citirten Abhandlung an, dass der Magnetismus durch Ströme eines Fluidums bedingt ist, deren Richtung der der Kraftlinien entspricht; nach dieser Theorie sind elektrische Ströme begleitet von oder bestehen geradezu aus einer drehenden Bewegung um die Richtung der elektrischen Ströme. Professor *Helmholtz* hat die Bewegung einer unzusammendrückbaren Flüssigkeit untersucht, in derselben Linien gezogen, welche in jedem Punkte mit der augenblicklichen Drehungsaxe des betreffenden Volumelementes der Flüssigkeit zusammenfallen (vergl. das Citat S. 53), und gezeigt, dass die Strömungslinien der Flüssigkeit nach denselben Gesetzen relativ gegen diese Wirbellinien angeordnet sind, wie die magnetischen Kraftlinien relativ gegen die elektrischen Strömungslinien. Andererseits betrachtete ich in dieser Abhandlung den Magnetismus als ein rotatorisches Phänomen, die elektrischen Ströme aber als eine lineare Fortbewegung von Theilchen, nahm also die entgegengesetzte Beziehung zwischen den beiden Gruppen von Erscheinungen an.

Nun scheint es natürlich, zu vermuthen, dass alle directen Wirkungen einer beliebigen Ursache, welche selbst longitudinalen Charakters ist, auch wieder longitudinal sein müssen, die einer rotatorischen Ursache aber rotatorisch. Eine fortschreitende Bewegung längs einer Geraden kann niemals eine Drehung um diese Gerade als Axe erzeugen ohne irgend einen besonderen Mechanismus, wie den einer Schraube, welcher die Bewegung in einer bestimmten Richtung der Drehung in einem bestimmten Sinne [und die in der entgegengesetzten Richtung der Drehung im entgegengesetzten Sinne] zuordnet.

Umgekehrt kann eine Drehung, obwohl sie eine Spannung längs der Drehungsaxe erzeugt, für sich allein nicht bewirken, dass ein Strom längs der Drehungsaxe eher in dem einen als in dem anderen Sinne fliesst[66].

Es ist bekannt, dass elektrische Ströme Fortbewegungen in der Stromrichtung bewirken. Sie übertragen elektrische Ladungen von einem Körper zum anderen und bewegen auch die Ionen der Elektrolyte in entgegengesetzten Richtungen, aber sie bewirken keine Drehung der Polarisationsebene des Lichtes, wenn dieses sich in der Richtung der Stromlinien fortpflanzt*). Andererseits ist der magnetische Zustand durch keine im eigentlichen Sinne des Wortes longitudinale Erscheinung charakterisirt. Der Nord- und Südpol unterscheiden sich nur durch ihre Namen, welche ohne Veränderung des sonstigen Wortlautes der Gesetze sämmtlicher magnetischer Erscheinungen vertauscht werden können. Der positive und negative Pol einer Batterie aber sind materiell unterscheidbar durch die verschiedenen chemischen Elemente des Wassers, welche sich an jedem derselben entwickeln. Hinwiederum ist der magnetische Zustand durch eine von *Faraday* entdeckte ausgesprochen rotatorische Erscheinung**) charakterisirt, nämlich die Drehung der Polarisationsebene von polarisirtem Lichte, welches sich längs der Kraftlinien fortpflanzt.

Wenn sich ein Strahl linear polarisirten Lichtes in einer Substanz fortpflanzt, welche sich in einem durch die Wirkung von Magneten oder elektrischen Strömen erzeugten Magnetfelde befindet, so findet man die Polarisationsebene nach dem Durchgange durch die Substanz um einen Winkel gedreht, welcher von der Intensität der magnetischen Kraft in der Substanz abhängt.

Der Sinn dieser Drehung ist in diamagnetischen Substanzen derselbe wie der, in welchem positive Elektricität die Substanz umkreisen muss, um darin die thatsächlich wirkende magnetische Kraft zu erzeugen. Mit anderen Worten, wenn die Horizontalcomponente des Erdmagnetismus die auf die Substanz wirkende magnetische Kraft wäre, so würde die Polarisationsebene in der Richtung der wirklichen Erdrotation, d. h. also von West über aufwärts nach Osten gedreht.

---

*) *Faraday*, »Experimentaluntersuchungen« 951—954 und 2216—2220.

**) Ibid., Series XIX.

Für paramagnetische Substanzen wird, wie *Verdet**) fand, die Polarisationsebene in der entgegengesetzten Richtung gedreht, d. h. in der Richtung, in welcher negative Elektricität eine die Substanz umschliessende Spirale durchfliessen müsste, um darin eine gleichgerichtete Magnetisirung zu erzeugen[67]).

In beiden Fällen ist der absolute Sinn der Drehung derselbe, ob sich das Licht von Norden gegen Süden oder in der umgekehrten Richtung fortpflanzt, eine Thatsache, welche einen wesentlichen Unterschied zwischen dieser Erscheinung und der Drehung der Polarisationsebene durch Quarz, Terpentinöl etc. bildet, wo sich der Drehungssinn umkehrt, wenn der der Fortpflanzung des Lichtes umgekehrt wird. Im letzteren Falle existirt, ob die Drehung wie im Quarze an eine bestimmte Axe geknüpft ist oder ob dies wie in Flüssigkeiten nicht der Fall ist, ein Zusammenhang zwischen der Fortpflanzungsrichtung des Strahles und dem Drehungssinne der Polarisationsebene, welcher sich in derselben Form ausdrückt wie der zwischen der fortschreitenden Bewegung und der Drehung einer Rechtsschraube oder Linksschraube; derselbe weist auf irgend eine Eigenschaft der Substanz hin, zu deren mathematischem Ausdrucke Rechtsschrauben- oder Linksschraubenbeziehungen erforderlich sind, [d. h. Beziehungen zwischen dem Sinne einer geradlinigen Fortbewegung und einer Drehung], wie dieselben bekanntlich schon in der äusseren Form der Krystalle zur Erscheinung kommen, welche diese Eigenschaften haben. Bei der magnetischen Drehung der Polarisationsebene existiren solche Beziehungen nicht. Der Sinn der Drehung ist vielmehr direct mit dem der magnetischen Kraftlinien in einer Weise verbunden, welche anzuzeigen scheint, dass der Magnetismus thatsächlich eine Drehungserscheinung ist.

Die Fortbewegung der Ionen durch den elektrischen Strom in bestimmt gegebenen Richtungen und die Drehung der Polarisationsebene des Lichtes durch die magnetische Kraft in einem bestimmt gegebenen Sinne sind die Thatsachen, deren Erwägung mich veranlasst hat, den Magnetismus als eine Drehungserscheinung, die elektrischen Ströme aber als Fortbewegungserscheinung aufzufassen, anstatt der von *Helmholtz* ausgeführten Analogie zu folgen oder die vom Professor *Challis* vorgeschlagene Theorie anzunehmen.

---

*) Comptes Rendus vol. **43** p. 529, vol. **44** p. 1209.

Die Theorie, dass elektrische Ströme lineare, magnetische Kräfte aber Drehungserscheinungen seien, ist in dieser Beziehung mit denen *Ampère*'s und *Weber*'s in Uebereinstimmung, und die Annahme, dass die magnetischen Drehungen überall existiren, wohin sich die magnetische Kraft erstreckt, und dass man sich durch die Centrifugalkraft dieser Drehungen von den magnetischen Fernwirkungen und durch die Trägheit der betreffenden Wirbel von den Inductionsströmen Rechenschaft geben könne, wird durch die Autorität Prof. *William Thomson*'s gestützt*). In der That bot sich mir die Idee der in dieser Abhandlung entwickelten Theorie der Molekularwirbel durch genaue Verfolgung des Weges, auf dem jene Forscher die elektromagnetischen Erscheinungen zu erklären suchen, welche dieselben der Wirkung eines Mediums zuschreiben.

Professor *Thomson* hat gezeigt, dass die Ursache der Wirkung des Magnetismus auf das polarisirte Licht in einer wirklichen, im Magnetfeld vor sich gehenden drehenden Bewegung liegen muss. Ein rechts circular polarisirter Lichtstrahl wandert, wie das Experiment zeigt, längs einer Kraftlinie von Nord nach Süd mit einer anderen Geschwindigkeit als von Süd nach Nord. Von welcher Theorie über die Schwingungsrichtung im linear polarisirten Lichte wir aber nun immer ausgehen mögen, jedenfalls ist die geometrische Anordnung der Theilchen des Mediums, durch welches sich der rechts circular polarisirte Lichtstrahl fortpflanzt, genau dieselbe, ob sich der Strahl von Nord nach Süd oder umgekehrt fortpflanzen mag. Der einzige Unterschied ist der, dass die Theilchen ihre Kreise im entgegengesetzten Sinne durchlaufen. Da nun die Configuration in den beiden Fällen dieselbe ist, so müssen auch die Kräfte zwischen den Theilchen dieselben sein, und die durch diese Kräfte bewirkte Fortpflanzungsgeschwindigkeit muss ebenfalls dieselbe sein, wenn das Medium sich ursprünglich in Ruhe befand. Wenn sich aber das Medium bereits in einem Zustande der Drehung befand, sei es als Ganzes oder sei es, dass dessen Volumelemente Molekularwirbel enthalten, so kann die Fortpflanzungsgeschwindigkeit des circular polarisirten Lichtstrahles verschieden sein, je nachdem sein Drehungssinn mit der im Medium

---

*) Siehe *Nichol*'s Encyclopaedie art. »Magnetism, Dynamical Relations of«, edition 1860. Proceedings of Royal Society, June 1856 and June 1861; Phil. Mag. 4. ser. vol. 13, p. 198, März 1857.

bereits vorhandenen Drehung übereinstimmt, oder ihr entgegengesetzt ist.

Wir haben nun zu untersuchen, ob die in dieser Abhandlung entwickelte Hypothese, dass die magnetische Kraft durch die Centrifugalkraft kleiner Wirbel bewirkt wird und dass diese Wirbel aus derselben Substanz bestehen, deren Schwingungen auch die Lichterscheinungen bilden, zu irgend welchen Schlüssen auf die Wirkung des Magnetismus auf polarisirtes Licht führt. Wir setzen voraus, dass sich transversale Schwingungen durch ein magnetisirtes Medium fortpflanzen, und fragen uns, wie die Fortpflanzungsgeschwindigkeit dieser Schwingungen durch den Umstand afficirt wird, dass die Volumtheile dieses Mediums Wirbel enthalten[68]).

Aus der folgenden Untersuchung ergiebt sich, dass die einzige Wirkung, welche die Rotation der Volumtheile auf das Licht ausübt, darin besteht, dass dessen Polarisationsebene im selben Sinne, in welchem sich die Wirbel drehen, um einen Winkel gedreht wird, welcher proportional ist:

(A) der Dicke der Substanz;

(B) der in die Richtung des Strahles fallenden Componente der magnetischen Kraft [Feldintensität];

(C) dem Brechungsquotienten des Strahles;

(D) verkehrt dem Quadrate der Wellenlänge in Luft;

(E) [direct] dem mittleren Radius eines Wirbels und

(F) der Capacität für magnetische Induction.

A und B wurden vollständig von *Verdet* *) bestätigt, welcher gezeigt hat, dass die Drehung der Schichtdicke und der magnetischen Kraft genau proportional ist, und wenn der Lichtstrahl gegen die magnetische Kraft geneigt ist, im Verhältniss des Cosinus dieses Neigungswinkels zur Einheit abnimmt. D wurde oft für die richtige Beziehung zwischen der Drehung der Lichtstrahlen und der Wellenlänge gehalten; aber es ist wahrscheinlich, dass C mit berücksichtigt werden muss, um diese Beziehung vollkommen exact zu erhalten. Jedenfalls ändert sich die Drehung nicht genau verkehrt proportional dem Quadrate der Wellenlänge, sondern etwas rascher, so dass für die brechbarsten Strahlen die Drehung grösser ist, als sie durch die einfache verkehrte Proportionalität mit dem Quadrate der Wellenlänge gegeben würde, und mit grösserer Annäherung

*) Annales de Chimie et de Physique. sér. 3, vol. **41**, p. 370; vol. **43** p. 37.

dem Quotienten des Quadrats der Wellenlänge in den Brechungsexponenten proportional ist.

Die Beziehung E zwischen der Drehung der Polarisationsebene und der Grösse der Molekularwirbel zeigt, dass sich verschiedene Substanzen in Bezug auf ihr Drehungsvermögen unabhängig von jedem anderen beobachtbaren Unterschiede verschieden verhalten können. Wir wissen nichts über die absolute Grösse der Wirbel und nach unserer Hypothese sind wahrscheinlich die optischen Phänomene die einzigen Daten, aus denen deren relative Grösse in verschiedenen Substanzen abgeleitet werden kann. Nach unserer Theorie hängt die Drehung der Polarisationsebene von dem mittleren Moment der Momente oder Winkelmoment der Wirbel ab[69]). Da nun *Verdet* gefunden hat, dass magnetische Substanzen auf das Licht den entgegengesetzten Effect haben als diamagnetische, so folgt, dass die Molekularwirbel in beiden Klassen von Substanzen den entgegengesetzten Rotationssinn haben müssen.

Wir können [auf diese Erfahrung hin] die diamagnetischen Körper nicht mehr als solche betrachten, in denen der magnetische Inductionscoefficient kleiner ist als in dem von ponderabler Materie leeren Raume. Wir müssen vielmehr annehmen, dass sich diamagnetische Substanzen in einem Zustande befinden, welcher dem der paramagnetischen entgegengesetzt ist, und dass die Wirbel oder wenigstens die ausschlaggebende Majorität derselben in diamagnetischen Substanzen in dem Sinne rotiren, in welchem die positive Elektricität die Magnetisirungsspirale durchfliesst, während sie in paramagnetischen Substanzen sich im entgegengesetzten Sinne drehen.

Dieses Resultat stimmt auch mit der *Weber*'schen Theorie*), insofern sich diese auf den paramagnetischen und diamagnetischen Zustand bezieht. *Weber* setzt voraus, dass die Elektricität [in den Molekularströmen] bei paramagnetischen Körpern in demselben Sinne wie in der umgebenden Spule, bei diamagnetischen aber im entgegengesetzten Sinne herumfliesst. Wenn wir also negative oder Harzelektricität als eine Substanz betrachten, deren Mangel die positive oder die Glaselektricität bedingt, so stimmt das Resultat mit dem erfahrungsmässig beobachteten[70]). Dies gilt unabhängig von irgend einer sonstigen Hypothese ausser der *Weber*'schen über den Magne-

---

*) *Taylor*'s Scientific Memoirs, vol. **5** p. 477. El. dyn. Maassbestimm. **3**. S. 545.

tismus und Diamagnetismus. Es gilt also, sowohl wenn wir *Weber's* Theorie über die Abhängigkeit der Fernwirkung der elektrischen Theilchen von ihrem Bewegungszustande, als auch wenn wir unsere Theorie von den Zellen und Zellwänden annehmen.

Ich bin geneigt zu glauben, dass Eisen sich von den übrigen Substanzen ebenso in der Art seiner Wirkung wie in der Intensität seines Magnetismus unterscheidet, und ich glaube, dass sich sein Verhalten nach unserer Hypothese der Molekularwirbel erklären lässt, wenn man voraussetzt, dass die Moleküle des Eisens selbst durch die tangentiale Wirkung der Wirbel in dem entgegengesetzten Sinne wie diese in Drehung versetzt werden. Diese grossen, schweren Theilchen würden sich dann genau so drehen, wie sich nach unserer Voraussetzung die weit kleineren Frictionstheilchen, welche die Elektricität bilden, drehen, aber ohne dass sie, wie die letzteren, fähig sind, ihren Platz zu wechseln, [fortzuwandern] und Ströme zu bilden.

Die ganze Energie der Drehung im Magnetfelde wird in dieser Weise ausserordentlich vermehrt, wie dies erfahrungsmässig im Eisen stattfindet, aber das Drehungsmoment der Eisenmoleküle ist dem der Aetherzellen entgegengesetzt und bedeutend grösser, so dass das gesammte Drehungsmoment der Substanz den Sinn der Drehung der Eisenmoleküle, also den der Drehung der Wirbel entgegengesetzten hat[71]). Obwohl daher das Drehungsmoment von der absoluten Grösse der rotirenden Partien der Substanz abhängt, so kann es doch ausser von der Natur der einfachen Bestandtheile der Substanz auch von der Art der Aggregation und chemischen Gruppirung derselben abhängen. Andere Naturerscheinungen scheinen zur Schlussfolgerung zu führen, dass alle Substanzen aus einer endlichen Zahl von Theilen von endlicher Grösse aufgebaut sind, und dass die jene Theile zusammensetzenden kleineren Theilchen selbst einer inneren Bewegung fähig sind, [einer relativen Bewegung gegen einander im Innern der grösseren Theile.]

Satz XVIII. Berechnung des Winkelmomentes eines Wirbels.

Das Winkelmoment irgend eines materiellen Systems um eine Axe ist die Summe der Producte der Masse dm jedes Theilchens in die doppelte Fläche, welche dasselbe in der Zeiteinheit um diese Axe beschreibt[72]); d. h. das Winkelmoment A um die x-Axe ist durch den Ausdruck gegeben:

$$A = \Sigma dm\left(y\frac{dz}{dt} - z\frac{dy}{dt}\right).$$

Da wir die Vertheilung der Dichte innerhalb des Wirbels nicht kennen, so können wir nur die Beziehung zwischen dem Winkelmomente und der im Satze VI gefundenen lebendigen Kraft des Wirbels bestimmen. Da die Dauer einer Umdrehung innerhalb des ganzen Wirbels dieselbe ist, so ist die mittlere Winkelgeschwindigkeit ω im ganzen Wirbel überall dieselbe und gleich $\frac{\alpha}{r}$, wo α die Geschwindigkeit am Umfange und r der Radius ist. Daher ist:

$$A = \Sigma dm r^2 \omega.$$

Die durch die Componente der Drehung um eine der x-Axe parallele Axe bedingte lebendige Kraft aber ist

$$E = \tfrac{1}{2}\Sigma dm r^2 \omega^2 = \tfrac{1}{2} A\omega.$$

In Satz VI aber fanden wir

$$E = \frac{1}{8\pi}\mu\alpha^2 V,$$

woraus für die x-Axe folgt:

144) $$A = \frac{1}{4\pi}\mu r\alpha V.$$

Analoge Ausdrücke gelten für die anderen Coordinatenaxen. V ist hierbei das Volumen und r der Radius eines Wirbels.

Satz XIX. Ableitung der Gleichungen für diejenige Wellenbewegung in einem Wirbel enthaltenden Medium, bei welcher die Schwingungen senkrecht auf der Fortpflanzungsrichtung stehen.

Wir wollen Planwellen betrachten, welche sich in der z-Richtung fortpflanzen. Die Richtungen der grössten und kleinsten Elasticität in der darauf senkrechten Ebene sollen als x- resp. y-Axe gewählt werden; x und y sollen die Verschiebungen [eines Theilchens des Mediums] parallel den letzteren Axen sein, welche für die gesammte [ebene] Wellenfläche dieselben Werthe haben, so dass x und y nur Functionen von z und t sind.

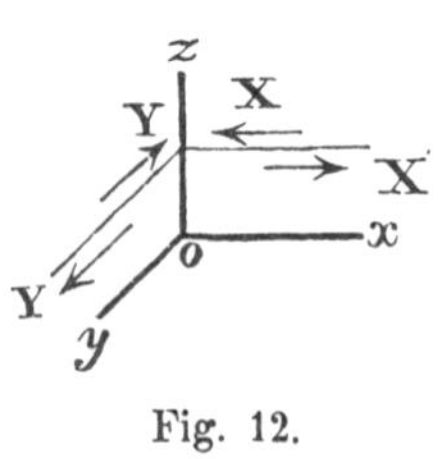

Fig. 12.

Ferner sei X die in der Abscissenrichtung auf ein der xy-Ebene paralleles Flächenelement wirkende elastische Kraft, bezogen auf die Flächeneinheit, Y die entsprechende, in der y-Richtung wirkende tangentiale elastische Kraft; k_1 und k_2 seien die Elasticitätscoefficienten bezüglich dieser beiden elastischen Kräfte. Dann hat man, wenn das Medium ruht:

$$X = k_1 \frac{dx}{dz}, \quad Y = k_2 \frac{dy}{dz} \text{ }^{73)}.$$

Nun setzen wir voraus, dass in dem Medium Wirbel vorhanden sind, deren Drehungsrichtung und Geschwindigkeit wir in der bisherigen Weise durch die Symbole α, β, γ bezeichnen. $\frac{d\alpha}{dt}$ sei der Differentialquotient nach der Zeit, welcher durch die Wirkung der tangentialen elastischen Kräfte allein hervorgebracht werden soll, da elektromotorische Kräfte im Felde nicht vorhanden sein sollen. Der Differentialquotient des Winkelmomentes einer über der Flächeneinheit aufstehenden Schicht von der Dicke dz nach der Zeit ist daher

[144a] $$\frac{1}{4\pi} \mu r \frac{d\alpha}{dt} dz\,.$$

Wenn ferner derjenige Theil der Kraft Y, welcher diesen Zuwachs des Flächenmomentes bewirkt, Y' ist, so ist das Moment von Y' gleich $-Y'dz$, so dass also

$$Y' = -\frac{1}{4\pi} \mu r \frac{d\alpha}{dt}$$

ist.

Der vollständige Werth von Y ist, wenn sich die Wirbel mit dem Medium mitbewegen,

145)
$$Y = k_2 \frac{dy}{dz} - \frac{1}{4\pi} \mu r \frac{d\alpha}{dt}\,.$$

Unter gleichen Bedingungen ist

$$X = k_1 \frac{dx}{dz} + \frac{1}{4\pi} \mu r \frac{d\beta}{dt} \text{ }^{74)}.$$

Die gesammte Kraft, welche auf eine über der Flächeneinheit aufstehende Schicht von der Dicke dz wirkt, hat in der Abscissenrichtung die Componente $\frac{dX}{dz} dz$, in der y-Richtung aber die Componente $\frac{dY}{dz}dz$. Die Masse dieser Schicht ist ϱdz, so dass man für dieselbe folgende Bewegungsgleichung erhält:

146)
$$\left\{\begin{aligned} \varrho\frac{d^2x}{dt^2} &= \frac{dX}{dz} = k_1\frac{d^2x}{dz^2} + \frac{d}{dz}\left(\frac{1}{4\pi}\mu r\frac{d\beta}{dt}\right), \\ \varrho\frac{d^2y}{dt^2} &= \frac{dY}{dz} = k_2\frac{d^2y}{dz^2} - \frac{d}{dz}\left(\frac{1}{4\pi}\mu r\frac{d\alpha}{dt}\right). \end{aligned}\right.$$

Nun werden aber die durch die Differentialquotienten $\frac{d\alpha}{dt}$ und $\frac{d\beta}{dt}$ dargestellten Aenderungen der Geschwindigkeit der Wirbel dadurch bewirkt, dass sich jedes Volumelement des die Wirbel enthaltenden Mediums dreht und deformirt. Wir müssen also, um diese Grössen durch die Bewegung des Mediums auszudrücken, auf Satz X zurückgreifen.

Die schon dort mit (68) bezeichnete Gleichung lautet:

68)
$$\delta\alpha = \alpha\frac{d}{dx}\delta x + \beta\frac{d}{dy}\delta x + \gamma\frac{d}{dz}\delta x$$ [75]).

Da δx und δy nur Functionen von z und t sind, so können wir diese Gleichung in der Form schreiben:

147)
$$\frac{d\alpha}{dt} = \gamma\frac{d^2x}{dz\,dt},$$

und in gleicher Weise erhalten wir:

$$\frac{d\beta}{dt} = \gamma\frac{d^2y}{dz\,dt}.$$

Wenn wir daher

$$k_1 = a^2\varrho\,, \quad k_2 = b^2\varrho\,, \quad \frac{1}{4\pi}\frac{\mu r}{\varrho}\gamma = c^2$$

setzen, so können wir die Bewegungsgleichungen 146 in der Form schreiben:

148)
$$\left\{\begin{aligned} \frac{d^2x}{dt^2} &= a^2\frac{d^2x}{dz^2} + c^2\frac{d^3y}{dz^2dt}, \\ \frac{d^2y}{dt^2} &= b^2\frac{d^2y}{dz^2} - c^2\frac{d^3x}{dz^2dt}. \end{aligned}\right.$$

Diese Gleichungen werden durch die Werthe

$$149)\qquad \begin{cases} x = A\cos(nt - mz + \alpha), \\ y = B\sin(nt - mz + \alpha) \end{cases}$$

erfüllt, wenn

$$150)\qquad \begin{cases} (n^2 - m^2a^2)A = m^2nc^2B, \\ (n^2 - m^2b^2)B = m^2nc^2A \end{cases}$$

ist. Indem wir die beiden letzten Gleichungen mit einander multipliciren, finden wir:

$$151)\qquad (n^2 - m^2a^2)(n^2 - m^2b^2) = m^4n^2c^4,$$

was nach m^2 eine quadratische Gleichung ist, welche die Wurzeln hat:

$$152)\qquad m^2 = \frac{2n^2}{a^2 + b^2 \mp \sqrt{(a^2 - b^2)^2 + 4n^2c^4}}.$$

Die Substitution jedes dieser Werthe in eine der Gleichungen 150 liefert ein Verhältniss von A und B:

$$[152a]\qquad \frac{A}{B} = \frac{a^2 - b^2 \mp \sqrt{(a^2 - b^2)^2 + 4n^2c^4}}{2nc^2}.$$

Setzt man einen der Werthe von m in die Gleichungen 149 ein und ertheilt auch dem Verhältnisse von $A:B$ den zugehörigen, aus der Gleichung 152a folgenden Werth, so erhält man Ausdrücke von x und y, welche für beliebige Werthe von A, n und α die Bewegungsgleichungen 148 des Mediums befriedigen. Die allgemeinste Schwingung [von gegebener Schwingungsdauer] in einem derartigen Medium ist also aus zwei elliptischen Schwingungen von verschiedener Excentricität zusammengesetzt, welche sich mit verschiedenen Geschwindigkeiten fortpflanzen und in denen die Theilchen im entgegengesetzten Sinne umlaufen. Das Resultat wird in dem Falle, dass $a = b$ ist, übersichtlicher. Dann wird:

$$153)\qquad m^2 = \frac{n^2}{a^2 \mp nc^2} \quad \text{und} \quad A = \mp B.$$

Setzen wir für beide Schwingungen $A = 1$, so ergiebt sich:

$$
154)\left\{\begin{aligned} x &= \cos\left(nt - \frac{nz}{\sqrt{a^2 - nc^2}}\right) + \cos\left(nt - \frac{nz}{\sqrt{a^2 + nc^2}}\right), \\ y &= -\sin\left(nt - \frac{nz}{a^2 - nc^2}\right) + \sin\left(nt - \frac{nz}{\sqrt{a^2 + nc^2}}\right). \end{aligned}\right.
$$

Die ersten Glieder der rechten Seiten dieser Gleichungen stellen eine Schwingung in kreisförmiger Bahn im negativen Sinne, die beiden letzteren aber eine gleiche Schwingung im positiven Sinne dar; letztere hat eine grössere Fortpflanzungsgeschwindigkeit als erstere. Ziehen wir in jeder Gleichung die beiden Glieder rechts zusammen, so wird

$$
155)\qquad \left\{\begin{aligned} x &= 2\cos(nt - pz)\cos qz, \\ y &= 2\cos(nt - pz)\sin qz, \end{aligned}\right.
$$

worin

$$
156)\qquad \left\{\begin{aligned} p &= \frac{n}{2\sqrt{a^2 - nc^2}} + \frac{n}{2\sqrt{a^2 + nc^2}}, \\ q &= \frac{n}{2\sqrt{a^2 - nc^2}} - \frac{n}{2\sqrt{a^2 + nc^2}} \end{aligned}\right.
$$

ist.

Dies sind die Gleichungen für eine geradlinige Schwingung, deren Schwingungsdauer $\frac{2\pi}{n}$, deren Wellenlänge aber $\lambda = \frac{2\pi}{p}$ ist und welche sich in der positiven z-Richtung mit der Geschwindigkeit $v = \frac{n}{p}$ fortpflanzt, während sich die Ebene der Schwingung um die z-Axe im positiven Sinne mit solcher Geschwindigkeit gleichförmig dreht, dass sie für $z = \frac{2\pi}{q}$ eine volle Umdrehung gemacht hat.

Wenn wir noch voraussetzen, dass c^2 klein ist, so können wir schreiben:

$$
157)\qquad p = \frac{n}{a}, \quad q = \frac{n^2 c^2}{2a^3}.
$$

Setzen wir für c^2 seinen Werth $\frac{r\mu\gamma}{4\pi\varrho}$, so finden wir:

158) $$q = \frac{\pi}{2} \frac{r}{\varrho} \frac{\mu \gamma}{\lambda^2 v}.$$

Hier ist r, der Radius der Wirbel, eine unbekannte Grösse. ϱ, die Dichte des Lichtäthers in dem Körper, ist ebenfalls unbekannt. Wenn wir aber die *Fresnel*'sche Theorie acceptiren und mit s die Dichte des Lichtäthers bei Abwesenheit ponderabler Materie bezeichnen, so ist

159) $$\varrho = s i^2,$$

wobei i der Brechungsindex ist. Nach der Theorie von *MacCullagh* und *Neumann* dagegen ist für alle Körper

160) $$\varrho = s.$$

μ ist der Coefficient der magnetischen Induction, welcher im luftleeren Raume oder in Luft den Werth 1 hat, γ ist die Geschwindigkeit der Wirbel an ihrem Umfange in den gewöhnlichen Einheiten gemessen. Der Werth von γ ist unbekannt, aber der Feldintensität proportional. Wenn Z die in demselben Maasse, in dem der Erdmagnetismus gemessen wird, [in magnetischem Maasse] gemessene Feldintensität ist, so ist in Luft die innere Energie der Volumeneinheit

$$\frac{1}{8\pi} Z^2 = \frac{\pi s \gamma^2}{8\pi},$$

wobei s die Dichte des magnetischen Mediums in Luft ist. Da, wie wir sahen, Gründe dafür sprechen, dass dieselbe gleich der des Lichtäthers ist, so wollen wir setzen:

161) $$\gamma = \frac{1}{\sqrt{\pi s}} Z \; *).$$

λ ist die Wellenlänge in der Substanz. Wenn daher Λ die Wellenlänge desselben Strahles in der Luft und i der Brechungsexponent des Körpers für diesen Strahl ist, so hat man

162) $$\lambda = \frac{\Lambda}{i}.$$

Ebenso hat man, wenn v die Lichtgeschwindigkeit in der Substanz, V die in Luft ist, die Gleichung

*) [Vergl. Schluss der Anm. 17.]

163) $$v = \frac{V}{i}.$$

Der Winkel, um welchen die Polarisationsebene in einer Schicht der Substanz von der Dicke z gedreht wird, ist in Graden gemessen:

164) $$\Theta = \frac{180^\circ}{\pi} q z,$$

wofür wir nach dem früher Gefundenen erhalten:

165) $$\Theta = 90^\circ \frac{1}{\sqrt{\pi}} \frac{r}{s^{\frac{3}{2}}} \frac{\mu i Z z}{\Lambda^2 V}.$$

In diesem Ausdrucke können alle Grössen durch das Experiment bestimmt werden mit Ausnahme des Radius r der im Körper vorhandenen Wirbel und der Dichte s des Lichtäthers in Luft[76]).

Die Experimente von *M. Verdet* *) liefern alles, was zur Berechnung erforderlich ist, mit Ausnahme der Bestimmung von Z in absolutem Maasse. Auch diese wäre für alle seine Experimente ausgeführt, wenn die Galvanometerablenkung für eine Drehung seiner Probespule um 180° in einem bekannten Magnetfelde, wie das des Erdmagnetismus in Paris, ein für alle Mal bestimmt worden wäre.

*) Vergl. das Citat auf S. 75.

Anmerkungen.

Die hier übersetzte, in den Jahren 1861 und 62 publicirte zusammenhängende Reihe von Abhandlungen enthält die Gesammtheit der *Maxwell*'schen Gleichungen für den Elektromagnetismus einschliesslich der Gleichungen für bewegte Körper. Bald hätte ich gesagt, dass die Nachfolger *Maxwell*'s an diesen Gleichungen nichts geändert hätten als die Buchstaben. Das wäre wohl übertrieben; aber gewiss wird man sich nicht darüber wundern, dass diesen Gleichungen überhaupt noch etwas beigefügt werden konnte, sondern vielmehr darüber, wie wenig ihnen beigefügt wurde. Ja man wird finden, dass manche der (um mit *Hertz* zu sprechen) rudimentären, dem consequenten Baue hinderlichen Begriffe hier fehlen und von *Maxwell* erst im Treatise behufs Anknüpfung seiner Theorie an die alten Vorstellungen eingeführt wurden.

Die Umwälzung, welche diese *Maxwell*'schen Gleichungen nicht nur in der ganzen Elektricitätslehre und Optik, sondern auch in unseren Anschauungen von dem Wesen und der Aufgabe einer physikalischen Theorie überhaupt hervorgerufen haben*), ist zu bekannt, als dass es nothwendig wäre, sie zu schildern. Die Resultate des hier übersetzten Abhandlungencyklus müssen also den wichtigsten Errungenschaften der physikalischen Theorie beigezählt werden.

In sonderbarem Gegensatze hierzu steht es, dass die ziemlich complicirten und von *Maxwell* oft mehr angedeuteten als strenge durchgerechneten mechanischen Probleme, welche den Hauptinhalt dieses Abhandlungencyklus bilden, (in Deutschland wenigstens) selbst von den berufensten Verfechtern der *Maxwell*'schen Theorie wenig beachtet wurden. Wie könnte sonst selbst *Hertz* behaupten, dass *Maxwell* bei Begründung

*) Auf die erkenntnisstheoretische Bedeutung seiner Untersuchung spielt *Maxwell* selbst S. 52 und 53 an.

seiner Theorie von der Annahme unvermittelter Fernkräfte ausgehe, die doch hier so schroff abgewiesen und erst im Treatise mitbehandelt werden? Auch die Gleichungen, welche *Maxwell* hier für die elektromagnetische Wirkung in bewegten Medien aufstellt, hat *Hertz* anfangs übersehen. (Vergl. Anm. 35 zu Nr. 14 S. 262 in *Hertz'* Buch über die Ausbreitung der elektrischen Kraft.)

Niemand wird den Beweis der Richtigkeit der *Maxwell*'schen Gleichungen in den mechanischen Vorstellungen dieses Abhandlungencyklus erblicken oder heute einer Ableitung der *Maxwell*'schen Gleichungen aus diesen mechanischen Vorstellungen den Vorzug vor der von *Maxwell* selbst später gelehrten Ableitung derselben aus allgemeineren mechanischen Ideen, oder vor der Methode *Hertz'* geben, welcher die Gleichungen gar nicht ableitet, sondern bloss als phänomenologische Beschreibungen der Thatsachen betrachtet. Die Entdeckung aber erfolgte mittelst der mechanischen Vorstellungen. Bei Gelegenheit seines Bestrebens, mittelst mechanischer Modelle die Möglichkeit einer Erklärung der elektromagnetischen Erscheinungen durch Nahewirkungen zu erweisen, fand *Maxwell* seine Gleichungen, und diese wiesen erst den Weg zu den Experimenten, welche definitiv für die Nahewirkung entschieden und heute das einfachste und sicherste Fundament der auf anderem Wege gefundenen Gleichungen bilden. Daher scheint mir dieser Abhandlungencyklus, wo *Maxwell* zum ersten Male zu seinen Gleichungen gelangte, zu dem Interessantesten zu gehören, was die Geschichte der Physik bietet, und zwar gerade durch seine Originalität, durch die Verschiedenheit seiner Methode von den früher üblichen und später in Gebrauch gekommenen, sowie durch die schlichte Einfachheit, mit welcher *Maxwell* schildert, wie er mühsam stufenweise vordrang und zur abstractesten und eigenartigsten Theorie, welche die Physik kennt, durch ganz specielle concrete Vorstellungen gelangte, die an triviale Aufgaben der gewöhnlichen Mechanik anknüpfen.

Die Schwierigkeiten in der Uebersetzung der termini technici waren geringer als bei der Uebersetzung der ersten Abhandlung *Maxwell*'s über Elektromagnetismus (Klass. Nr. 69), da hier *Maxwell* schon mehr zur jetzt üblichen Bezeichnungsweise übergeht. Die Uebersetzung derjenigen Ausdrücke, welche *Maxwell* aus der ersten Abhandlung herübernimmt, blieb natürlich die gleiche wie dort. Einige ganz kurze

Anmerkungen, die mir doch die Deutlichkeit zu fördern schienen, habe ich gleich in den Text aufgenommen, aber durch Einschliessung in eckige Klammern kenntlich gemacht.

---

1) *Zu S. 3.* Als Körper, auf welchen gewirkt wird (Aufpunkt), ist bei Construction der Kraftlinien der Schwere immer ein materieller Punkt von der Masse 1, bei den magnetischen Kraftlinien ein punktförmiger Nordpol von der Stärke 1, bei den elektrischen Kraftlinien eine in einem Punkte concentrirte Elektricitätsmenge 1 zu denken. Die auf einen solchen Pol wirkende magnetische, oder auf eine solche Elektricitätsmenge wirkende elektrische Kraft wird dann oft schlechtweg die magnetische oder elektrische Kraft (Feldstärke) genannt.

2) *Zu S. 5.* Hier fasst *Maxwell* schon bestimmt die Möglichkeit von Versuchen ins Auge, welche zwischen der Nahe- und Fernwirkungstheorie zu entscheiden vermögen.

3) *Zu S. 6.* Letzteres gilt wohl nur, wenn man die Glieder von der Grössenordnung des Quadrates der Amplitüde vernachlässigt, von denen gerade die ponderomotorischen Kräfte zwischen schwingenden Körpern abhängen.

4) *Zu S. 7.* Vergl. *Lamé*, théorie de l'elasticité, 5. leçon p. 56; *Kirchhoff*, Vorlesungen über Mechanik, 11. Vorles. § 7, *Clebsch*, Elasticitätslehre, § 6.

5) *Zu S. 7.* D. h. der Vector, welcher die magnetische Kraft darstellt, hat nicht nur eine bestimmte Länge und Richtung, sondern es ist auch sein Ausgangspunkt von seinem Endpunkte zu unterschieden, es ist nicht gleichgültig, in welchem Sinne man ihn zieht. Gerichtete Grössen, bei denen letztere Bedingung fehlt, also Anfangs- und Endpunkt gleichberechtigt sind, nennt man öfter Tensoren; über ihre Beziehung zu den elastischen Kräften siehe *Voigt*, Krystallphysik, S. 21.

6) *Zu S. 9.* Im englischen oder Weinrankencoordinatensysteme (vergl. Klass. 69, Anm. 39)*) kreisen also die Wirbel in demjenigen Sinne, in dem man um den Coordinatenursprung herum auf kürzestem Wege von der $+x$- zur $+y$-Axe gelangt, wenn sie einer Kraftlinie entsprechen, welche die $+z$-Richtung hat, also eine magnetische Kraft darstellt, welche einen Nordpol in dieser Richtung treibt. In dem gegenwärtigen Abhandlungencyklus wendet *Maxwell* immer das englische Coordinaten-

*) Daselbst soll es S. 114, Z. 11 v. o. z- statt x- heissen.

system an, welches ich auch in den Anmerkungen beibehalte, während er in der Klass. 69 übersetzten Abhandlung das französische Coordinatensystem anwandte. Daher hatten die Gleichungen 9 dieser Abhandlung dort das entgegengesetzte Vorzeichen. Sie lauteten dort:

$$a_2 = \frac{d\beta_1}{dz} - \frac{d\gamma_1}{dy} \text{ etc.}$$

(vergl. Klass. 69, S. 61 u. 62), was nach Einführung der jetzigen Bezeichnungen überginge in

$$4\pi p = \frac{d\beta}{dz} - \frac{d\gamma}{dy},$$

da dort α_1, β_1, γ_1 die jetzt mit α, β, γ bezeichneten Grössen waren, wogegen dort a_2 dieselbe Grösse war, welche jetzt mit $4\pi p$ zu bezeichnen ist. Bezüglich des Factors 4π vergl. Klass. 69 Anm. 40.

7) *Zu S. 9.* D. h. damit die Bewegung so geschehe, dass die Flüssigkeitsmassen, die in entsprechenden Volumtheilen liegen, nach einer entsprechenden Zeit jedesmal wieder in entsprechenden Volumtheilen liegen, ist nothwendig und bei entsprechenden Anfangsgeschwindigkeiten und Grenzbedingungen hinreichend, dass die Druckdifferenzen in entsprechenden Punkten im Verhältnisse $m^2 n : 1$ stehen. Dies folgt auch unmittelbar daraus, dass die hydrodynamischen Gleichungen unverändert bleiben, wenn man alle Längen mit l, alle Zeiten mit $\frac{l}{m}$, alle Dichten mit n und alle auf die Flächeneinheit wirkenden Drucke mit $m^2 n$ multiplicirt. Von Aussenkräften, die auf das Innere der Flüssigkeit wirken, ist dabei abgesehen. Wären solche vorhanden, so müsste die auf die Masseneinheit von aussen wirkende Kraft mit $\frac{m^2}{l}$ multiplicirt werden.

8) *Zu S. 11.* Sei irgend eine Flüssigkeit gegeben, in welcher Wirbel neben einander um parallele Axen rotiren. Die mittlere Dichte und die Geschwindigkeit an der Peripherie jedes Wirbels seien gleich eins. Der Druck an der Peripherie der Wirbel sei p_1', der mittlere Druck in der Richtung der Wirbelaxen $p_2' = p_1' + C$. Nun sollen sämmtliche Lineardimensionen im Verhältnisse $1 : l$ vergrössert werden. Die Dichten in entsprechenden Punkten sollen ϱ mal so gross angenommen und

die Zeitfolge der Zustände so geändert werden, dass die Geschwindigkeiten ohne Aenderung ihrer Richtung v mal vergrössert werden; l, ϱ und v sind beliebige Grössen, jede derselben hat aber selbstverständlich im ganzen Systeme den gleichen Werth. Im neuen Systeme ist daher ϱ die mittlere Dichte und v die Geschwindigkeit am Umfange der Wirbel. Ist daher im neuen Systeme p_1 der Druck am Umfange eines Wirbels, p_2 der mittlere axiale Druck, so ist nach dem in Satz 1 bewiesenen $p_1 = p_2 + C\varrho v^2$, wobei *Maxwell* dann $\frac{\mu}{4\pi}$ für C schreibt.

Vielleicht sind einige Beispiele zur Versinnlichung willkommen, wobei wir der Einfachheit halber den Wirbelquerschnitt kreisförmig und die Flüssigkeit incompressibel und durchaus gleich dicht annehmen. Wir denken uns zunächst einen Wirbel von beliebiger Länge, dessen Querschnitt ein Kreis vom Radius a und dessen Axe senkrecht darauf sei. Jedes Flüssigkeitstheilchen beschreibe mit constanter Geschwindigkeit einen Kreis, dessen Ebene senkrecht zur Axe und dessen Mittelpunkt in der Axe liegt. Die Geschwindigkeit sei am Umfange des Wirbels v, im Inneren des Wirbels sei sie für alle Punkte, die sich in der gleichen Entfernung r von der Axe befinden, dieselbe und gleich $vf\left(\frac{r}{a}\right)$, wobei f eine beliebige Function sein kann, die für $r = 0$ verschwindet und für $r = a$ den Werth eins hat. Man kann ein fixes Coordinatensystem einführen, dessen z-Axe die Wirbelaxe ist, und die Componenten der Geschwindigkeit jedes Flüssigkeitstheilchens in der x- und y-Richtung berechnen. Man überzeugt sich dann leicht, dass die *Euler*'schen hydrodynamischen Gleichungen für eine reibungslose incompressible Flüssigkeit für jede solche Function f erfüllt sind und dass der Druck in der Entfernung r von der Axe

1) $$p = p_0 + \varrho v^2 \int_0^r \left[f\left(\frac{r}{a}\right)\right]^2 \frac{dr}{r}$$

ist, wobei p_0 der Druck in der Axe, ϱ die Dichte der Flüssigkeit ist. Der Druck am Umfange des Wirbels ist

2) $$p_1 = p_0 + \varrho v^2 \int_0^1 [f(x)]^2 \frac{dx}{x} = p + \varrho v^2 \int_r^a \left[f\left(\frac{r}{a}\right)\right]^2 \frac{dr}{r}.$$

Wir denken uns nun ein cylindrisches Flüssigkeitsvolumen V vom Querschnitt q, in welchem sich n Wirbel von der eben geschilderten Beschaffenheit neben einander befinden, deren Axen parallel der Axe des Cylinders V sind. Die Flüssigkeit zwischen den Wirbeln soll ruhen, in derselben wird also der gleiche Druck p_1 wie am Umfange der Wirbel herrschen. Den mittleren axialen Druck finden wir in folgender Weise. Der von den Wirbeln nicht durchstochene Theil des Querschnittes q hat den Flächeninhalt $q - \pi n a^2$ und daselbst herrscht der Druck p_1. Jeder Wirbel durchsticht den Querschnitt q in einem Kreise vom Radius a, auf dessen Fläche der Druck variabel ist. Schneiden wir aus jedem solchen Kreise einen concentrischen Kreisring heraus, der von den beiden Kreisen mit den Radien r und $r + dr$ begrenzt ist, so herrscht in jedem solchen Kreisring der durch Formel 1 gegebene Druck p, und die Gesammtfläche aller dieser im Querschnitt q liegenden Kreisringe ist $2\pi n r dr$. Multipliciren wir daher jedes Flächenelement des Querschnittes q mit dem daselbst herrschenden Drucke und addiren alle so gebildeten Producte, so folgt:

$$(q - \pi n a^2) p_1 + 2\pi n \int_0^a p r dr = q p_1 - 2\pi n \varrho v^2 \int_0^a r dr \int_r^a \left[f\left(\frac{r}{a}\right)\right]^2 \frac{dr}{r}.$$

Durch partielle Integration des zwischen Null und a zu nehmenden Integrals des letzten Gliedes findet man, dass dieser Ausdruck gleich

$$q p_1 - \pi n \varrho v^2 \int_0^a r dr \left[f\left(\frac{r}{a}\right)\right]^2 = q p_1 - n \pi a^2 \varrho v^2 \int_0^1 [f(x)]^2 x dx$$

ist, was durch q dividirt für den mittleren axialen Druck den Werth

$$3) \qquad p_2 = p_1 - \frac{n \pi a^2}{q} \varrho v^2 \int_0^1 [f(x)]^2 x dx$$

liefert. Wenn daher jeder aus dem *Maxwell*'schen Medium so herausgeschnittene kleine Cylinder, dass die Axe den Kraftlinien parallel ist, angenähert die Beschaffenheit des eben betrachteten Cylinders hätte, so wäre die *Maxwell*'sche Grösse

$$4) \qquad \mu = 4\pi \cdot \frac{n \pi a^2}{q} \varrho \int_0^1 [f(x)]^2 x dx .$$

Dabei ist πa^2 der Querschnitt eines Wirbels, $\frac{q}{n}$ ist gewissermaassen jener Bruchtheil des Gesammtquerschnittes des Cylinders, auf den durchschnittlich ein Wirbel entfällt.

Die gesammte lebendige Kraft des im Cylinder von Volum V enthaltenen Stückes eines Wirbels ist

$$\pi l \varrho v^2 \int_0^a \left[f\left(\frac{r}{a}\right)\right]^2 r\, dr = \pi a^2 l \varrho v^2 \int_0^1 [f(x)]^2 x\, dx,$$

wenn l die Länge des Cylinders, also $V = ql$ ist. Die gesammte im Cylinder enthaltene lebendige Kraft ist also

$$5)\qquad V \frac{n \pi a^2}{q} \varrho v^2 \int_0^1 [f(x)]^2 x\, dx = \frac{\mu v^2}{4\pi} V.$$

Falls, wie sich *Maxwell* ausdrückt, jeder Wirbel mit gleichförmiger Winkelgeschwindigkeit rotirt, d. h. ohne relative Verschiebungen seiner Theilchen, als ob die darin rotirende Flüssigkeitsmasse ein fester Körper wäre, ist die Geschwindigkeit proportional r, also $f(x) = x$, daher nach 4)

$$6)\qquad \mu = \frac{n \pi^2 a^2 \varrho}{q}.$$

Wenn zudem die Wirbel so angeordnet sind, dass die Durchschnittspunkte ihrer Axen mit dem Querschnitte q die Ecken von lauter Quadraten von der Seitenlänge $2a$ bilden, so kann man diesen Querschnitt in lauter Quadrate von der Seitenlänge $2a$ zerlegen, von denen jedes einem Kreise umschrieben ist, in dem ein Wirbel den Querschnitt durchsticht. Ein solches Quadrat würde den Bruchtheil $\frac{q}{n}$ des Gesammtquerschnittes repräsentiren, der durchschnittlich auf einen Wirbel entfällt; man hätte also $\frac{q}{n} = 4a^2$ und daher nach 6)

$$\mu = \frac{\pi^2 \varrho}{4}, \quad p_1 - p_2 = \frac{\pi}{16} \varrho v^2 = 0{,}1963\,.\,.\, \varrho v^2.$$

Dies wäre nicht die dichteste Anordnung der Wirbel. Letztere würde man erhalten, wenn man den Querschnitt q in lauter reguläre Sechsecke zerlegen würde, von denen jedes einem

Kreise umschrieben wäre, in dem ein Wirbel den Querschnitt q durchsticht. Die Fläche jedes solchen Sechsecks würde dann denjenigen Bruchtheil des Gesammtquerschnittes repräsentiren, der auf einen Wirbel entfällt, wäre also gleich $\frac{q}{n}$. Da die Seite eines dieser Sechsecke die Länge $\frac{2a}{\sqrt{3}}$ hätte, so wäre also $\frac{q}{n} = 2\sqrt{3}a^2$, daher

$$\mu = \frac{\pi^2 \varrho}{2\sqrt{3}}, \quad p_1 - p_2 = \frac{\pi}{8\sqrt{3}} \varrho v^2 = 0{,}2267 \ldots \varrho v^2 .$$

Dies ist der grösste Werth, den μ haben kann, wenn die Flüssigkeit homogen und unzusammendrückbar ist und die Wirbel mit gleichmässiger Winkelgeschwindigkeit in geraden Kreiscylindern rotiren. *Maxwell*'s Werth (siehe dessen Gleichung 1a):

$$p_1 - p_2 = 0{\cdot}25 \varrho v^2 ,$$

würde dem Falle entsprechen, dass sich zwischen den Wirbeln absolut gar keine mit nicht rotirender Flüssigkeit erfüllten Zwischenräume befinden. Diese Vorstellung wird später bei Einführung der zwischen den Wirbeln sich bewegenden Frictionstheilchen nützlich sein. Dann können aber die Wirbel nicht kreisförmigen Querschnitt haben. Die Theilchen an ihrer Peripherie müssten vielmehr polygonförmige Bahnen (z. B. reguläre Sechsecke) beschreiben, und die Integration der hydrodynamischen Gleichungen wäre für diese Fälle weit schwieriger.

9) *Zu S. 12.* Die Buchstaben l, m, n haben natürlich jetzt eine andere Bedeutung wie früher. S. 22 wird der Buchstabe l in einer dritten Bedeutung verwendet und hat auch ϱ wieder eine andere Bedeutung, die es S. 28 nochmals wechselt. Ebenso wechselt p oft die Bedeutung.

Die elastischen Kräfte sind so definirt: Wir legen durch einen Punkt im Medium drei kleine ebene Flächenelemente vom Flächeninhalte ω senkrecht zu den drei Coordinatenrichtungen. Die Theilchen des Mediums, welche der einen Seite des Flächenelementes anliegen, das auf der Abscissenrichtung senkrecht steht, üben dann auf die Theilchen, welche der anderen Seite anliegen, eine Kraft*) aus, welche in den Coordinatenrichtungen die Componenten ωp_{xx}, ωp_{xy}, ωp_{xz} hat, und zwar wirken sie in den positiven Coordinatenrichtungen, wenn man die Kraft ins Auge fasst, welche von den Theilchen ausgeht, die derjenigen Seite des Flächenelementes anliegen, die der positiven Coordinatenrichtung zugewendet ist, und auf die der negativen Coordinatenrichtung zugewendeten Theilchen wirkt, so dass also p_{xx}, p_{yy} und p_{zz}, wenn sie positiv sind, eine Zugkraft bezeichnen.

10) *Zu S. 12.* Wählen wir die Richtung der Kraftlinien an der betreffenden Stelle als Abscissenrichtung eines neuen rechtwinkligen Coordinatensystems und bezeichnen die neuen Coordinatenrichtungen durch griechische Buchstaben, so ist

$$1)\quad \begin{cases} p_{\xi\xi} = \frac{1}{4\pi}\mu v^2 - p_1, \quad p_{\eta\eta} = p_{\zeta\zeta} = -p_1, \\ p_{\xi\eta} = p_{\eta\zeta} = p_{\xi\zeta} = 0. \end{cases}$$

Die elastische Kraft, welche pro Flächeneinheit auf eine zur alten Abscissenaxe senkrechte Fläche wirkt, soll in den neuen Coordinatenrichtungen die Componenten Ξ, H, Z haben. Dann ist nach den bekannten Formeln für die elastische Kraft auf eine gegen die Coordinatenaxen (hier gegen die neuen) geneigte Fläche**)

$$\Xi = p_{\xi\xi}\cos(x\xi) + p_{\xi\eta}\cos(x\eta) + p_{\xi\zeta}\cos(x\zeta) = \left(\frac{1}{4\pi}\mu v^2 - p_1\right)\cos(x\xi),$$

$$H = p_{\xi\eta}\cos(x\xi) + p_{\eta\eta}\cos(x\eta) + p_{\eta\zeta}\cos(x\zeta) = -p_1\cos(x\eta),$$

$$Z = p_{\xi\zeta}\cos(x\xi) + p_{\eta\zeta}\cos(x\eta) + p_{\zeta\zeta}\cos(x\zeta) = -p_1\cos(x\zeta).$$

Da andererseits p_{xx}, p_{xy} und p_{xz} die Componenten derselben Kraft in den Richtungen der alten Coordinatenaxen sind, so hat man

---

*) Diese Kraft, durch ω dividirt, soll die elastische Kraft pro Flächeneinheit, wirkend auf eine zur Abscissenaxe senkrechte Fläche, heissen.

**) *Lamé* l. c. 4. leçon, Gleich. 10. *Kirchhoff* l. c. 11. Vorl., Gleich. 7. *Clebsch* l. c. § 11, Gleich. 2.

$$p_{xx} = \Xi \cos(x\xi) + H\cos(x\eta) + Z\cos(x\zeta) = \frac{1}{4\pi}\mu v^2 \cos^2(x\xi) - p_1,$$

$$p_{xy} = \Xi \cos(y\xi) + H\cos(y\eta) + Z\cos(y\zeta) = \frac{1}{4\pi}\mu v^2 \cos(x\xi)\cos(y\xi),$$

$$p_{xz} = \Xi \cos(z\xi) + H\cos(z\eta) + Z\cos(z\zeta) = \frac{1}{4\pi}\mu v^2 \cos(x\xi)\cos(z\xi),$$

was sofort die Gleichungen *Maxwell*'s liefert, da die neue Abscissenaxe die Richtung der Kraftlinien hat, also

$$\cos(x\xi) = l,\ \cos(y\xi) = m,\ \cos(z\xi) = n$$

ist.

Construirt man im Innern des wirbelerfüllten Mediums ein gegen die Wirbelaxen geneigtes Flächenelement, so kann man übrigens nicht wie bei einem elastischen Körper die der einen Seite anliegenden Theilchen hinwegnehmen und ihre Wirkung auf die der anderen Seite anliegenden dadurch ersetzen, dass man auf die Theilchen des Flächenelementes selbst von aussen die elastischen Kräfte wirken lässt. Dadurch würde die Bewegung in der unmittelbaren Umgebung des Flächenelementes gestört, da ja fortwährend Theilchen von der einen Seite in Folge der Rotation sich auf die andere hinüber bewegen. Man könnte die Frage aufwerfen, ob sich hieraus nicht Bedenken gegen die unveränderte Anwendung der Gleichungen der Elasticitätslehre auf das Medium ergeben.

11) *Zu S. 14.* Was hier Quantität der magnetischen Induction durch eine Fläche vom Flächeninhalte eins heisst, ist dasselbe, was Klassiker 69, p. 38 die Quantität i der Magnetisirung in einem Punkte hiess und was man in der alten Theorie die Componente des magnetischen Momentes pro Volumeneinheit senkrecht zu dieser Fläche nennt; die gesammte Quantität der nach aussen gerichteten magnetischen Induction durch eine geschlossene Fläche ist die Anzahl der magnetischen Inductionslinien, welche innerhalb derselben entspringen, also die 4πfache darin enthaltene Magnetismusmenge; was hier in Uebereinstimmung mit der üblichen Terminologie die magnetische Kraft (auf die Einheit des Magnetismus, Feldstärke) heisst, wurde Klass. 69 die magnetische Intensität genannt. Die Anzahl der Inductionslinien, die bei einem Parallelepipede, dessen Kanten dx, dy, dz den Coordinatenaxen parallel sind, durch die beiden zur Abscissen-

richtung senkrechten Seitenflächen austreten, ist $-\mu\alpha\,dy\,dz$ und $\left[\mu\alpha + \frac{d(\mu\alpha)}{dx}dx\right]dy\,dz$ Führt man die analoge Rechnung für die übrigen Seitenflächen durch, so folgt *Maxwell*'s Gleichung 6.

Der Gedankengang *Maxwell*'s ist in dem nun Folgenden wohl dieser: Die Gesetze der Wirkung von Magnetismen und elektrischen Strömen werden als erfahrungsmässig bekannt vorausgesetzt, die Kraftwirkungen in einem Medium, das Wirbel enthält, die nach den Kraftlinien angeordnet sind, wurden soeben durch Rechnung gefunden. Es wird nun zunächst die Frage gestellt, was im Medium der Magnetismusmenge, der Magnetisirungszahl, einem elektrischen Strome etc. entsprechen muss, damit die hier gefundenen Gesetze mit jenen experimentell gegebenen identisch werden. Erst im zweiten Theile wird die Frage beantwortet, durch welchen Mechanismus die Wirbel in dieser Anordnung erhalten und die experimentell gegebenen zeitlichen Aenderungen dieser Anordnung erklärt werden können.

12) *Zu S. 14.* D. h. wenn wir in einem Medium die Wirbel so anordnen, dass ihre Axen überall die Richtung der Kraftlinien eines magnetischen Feldes haben und ihre Umfangsgeschwindigkeit gleich der Feldstärke ist; wenn ferner die Dichte des Mediums überall durch die Gleichung 4 (der Anmerkung 8) bestimmt ist, so ist *Maxwell*'s Ausdruck 6 gleich der 4πfachen in jedem Volumelemente vorhandenen Magnetismusmenge und *Maxwell*'s Ausdruck 8 giebt die magnetische Kraft, welche auf den in der Volumeinheit befindlichen Magnetismus wirkt.

13) *Zu S. 16.* Eine Kraftlinie stellt dabei in ihrem ganzen Verlauf die gleiche Kraft (die Krafteinheit) dar, so dass die Kraftlinien um so dichter gedrängt erscheinen, je intensiver das Feld ist. Daraus folgt aber keineswegs, dass auch die Anzahl der Wirbel, welche in der Flächeneinheit eines auf ihre Axe senkrecht durch das Medium gelegten Querschnittes neben einander liegen, in gleichem Maasse wachsen müsse. Dies würde nur folgen, wenn bei schwacher und starker Feldintensität die Umfangsgeschwindigkeit unverändert bliebe. Die Art, wie *Maxwell* die Gleichungen schreibt, involvirt aber gerade die entgegengesetzte Annahme. Er betrachtet nämlich die von der Lagerung der Wirbel abhängige Grosse μ als unveränderlich für ein und denselben Körper und bloss α, β, γ als vom magnetischen Zustande abhängig, so dass also die

Wirbel bei schwacher und starker Feldintensität gleich dicht gedrängt sind und bloss deren Drehungsgeschwindigkeit mit wachsender Feldstärke wächst. Uebrigens würden die Hauptresultate *Maxwell's* wahrscheinlich unverändert bleiben, wenn man auch eine Veränderlichkeit der Lagerung der Wirbel bei verschiedener Magnetisirung zuliesse. (Vergl. Schluss der Anm. 17 und Anm. 76.)

14) *Zu S. 16.* Vorausgesetzt ist dabei, dass μ constant und weder freier Magnetismus noch ein elektrischer Strom vorhanden ist. Dann ist $\frac{d\beta}{dx} = \frac{d\alpha}{dy}$. Legt man den Coordinatenursprung in eine der Kraftlinien der Fig. 5, die y-Axe in ihre Richtung, die Abscissenaxe in die Richtung, in welcher die Zunahme der magnetischen Kraft am grössten ist, so ist auf der Abscissenaxe $\alpha = 0$, $\frac{d\beta}{dx}$ positiv, daher auch $\frac{d\alpha}{dy}$ positiv. Daher ist α in geringer Entfernung von der Abscissenaxe auf der Seite der positiven y positiv, auf der entgegengesetzten Seite negativ, und die durch den Coordinatenursprung gehende Kraftlinie ist so gekrümmt, dass sie auf jeder dieser Seiten die y-Axe gegen diejenige Halbebene hin verlässt, in welcher die Abscissen positiv sind.

15) *Zu S. 18.* Der Beweis ist analog dem Klass. 69 S. 53 geführten, nur dass dort ein französisches, hier ein englisches Coordinatensystem verwendet wird. Dort waren $\frac{a_2}{4\pi}$, $\frac{b_2}{4\pi}$ und $\frac{c_2}{4\pi}$ die magnetisch gemessenen Componenten der Stromdichte, während jetzt p, q, r die magnetisch gemessenen Componenten der Stromdichte sind, wenn die Componenten der magnetischen Kraft α, β, γ magnetisch gemessen werden. Sei $dx\,dy$ ein Elementarrechteck, dessen Seiten der x- und y-Axe parallel sind. Ein Nordpol von der Stärke 1, der dessen Umfang im positiven Sinne durchläuft, leistet auf den beiden Seiten von der Länge dx desselben die Arbeit αdx resp. $-\left(\alpha + \frac{d\alpha}{dy} dy\right) dx$ und auf den beiden Seiten dy die Arbeit $-\beta dy$ resp. $\left(\beta + \frac{d\beta}{dx} dx\right) dy$, daher im Ganzen die Arbeit $\left(\frac{d\beta}{dx} - \frac{d\alpha}{dy}\right) dx\,dy$. Andererseits beweist man leicht

aus dem *Biot-Savart*'schen Gesetze (vergl. des Uebersetzers Vorles. über *Maxwell*'s Theorie I, S. 70), dass ein Magnetpol von der Stärke 1 die Arbeit $4\pi i$ leistet, wenn er im positiven Sinne einen unendlichen geradlinigen Strom umkreist, dagegen die Arbeit Null, wenn der gesammte Strom ausserhalb der vom Magnetpole beschriebenen geschlossenen Curve vorbeifliesst. i ist dabei die magnetisch gemessene Stromintensität. In der Nähe des oben betrachteten Rechtecks $dxdy$ können die Stromlinien als unendliche Gerade betrachtet werden. Die Arbeit ist dieselbe, als ob nur die Stromcomponente in der z-Richtung vorhanden wäre; dann wäre die Gesammtströmung, die durch das Rechteck hindurchgeht, $r\,dx\,dy$, daher die Arbeit des den Umfang des Rechtecks durchlaufenden Poles $4\pi r\,dx\,dy$. Die Gleichsetzung der beiden für diese Arbeit gefundenen Ausdrücke liefert

$$r = \frac{1}{4\pi}\left(\frac{d\beta}{dx} - \frac{d\alpha}{dy}\right).$$

16) *Zu S. 19.* Handelt es sich um elektromagnetische Erscheinungen in einer Flüssigkeit, so ist p_1 ein gewöhnlicher hydrostatischer Druck in der ponderablen Masse der Flüssigkeit. Ist der Körper ein fester, so ist p_1 eine elastische Kraft, welche ganz nach den Gesetzen eines hydrostatischen Druckes nach allen Richtungen gleichmässig wirkt. p_1 kann auch negativ, also ein Zug sein. Im reinen Aether muss diese Kraft p_1 auch möglich sein. *Maxwell* scheint hier wie auch später in der Theorie der elektromagnetischen Wirkungen in bewegten Körpern anzunehmen, dass in ponderablen Körpern der Aether unveränderlich an der ponderablen Materie haftet; denn er nimmt an, dass sich die durch seine Wirbel erzeugten Druckkräfte mit voller Stärke auf die sichtbare Materie übertragen und sie in Bewegung setzen.

Der Druck p_1 erklärt auch den Auftrieb, den ein magnetischer Körper in einer magnetisirbaren Flüssigkeit unter dem Einflusse magnetischer Kräfte erfährt, und von dem bei Discussion des Gliedes $8a$ die Rede war. Es befinde sich eine homogene magnetische oder diamagnetische Flüssigkeit in einem inhomogenen magnetischen Felde und sei allseitig von starren Wänden umschlossen. Ueberall in der Flüssigkeit sei

$$\frac{d(\mu\alpha)}{dx} + \frac{d(\mu\beta)}{dy} + \frac{d(\mu\gamma)}{dz} = 0, \quad \frac{d\beta}{dz} = \frac{d\gamma}{dy}, \quad \frac{d\gamma}{dx} = \frac{d\alpha}{dy}, \quad \frac{d\alpha}{dy} = \frac{d\beta}{dx}.$$

Es sei also innerhalb der Flüssigkeit weder wahrer Magnetismus noch ein elektrischer Strom vorhanden. Dann ist nach 5

$$1) \qquad \frac{d p_1}{d x} = \frac{\mu}{8\pi} \frac{d(\alpha^2 + \beta^2 + \gamma^2)}{d x} - X$$

mit zwei analogen Gleichungen für die y- und z-Axe. Wenn sonst keine äusseren Kräfte auf das Innere der Flüssigkeit wirken, also z. B. von der Schwere abstrahirt wird, so ist $X = Y = Z = 0$, daher

$$p_1 = \frac{\mu}{8\pi}(\alpha^2 + \beta^2 + \gamma^2) + \text{const.}$$

Die Flüssigkeit befindet sich also im Gleichgewichte, aber der Druck ist an verschiedenen Stellen derselben verschieden. Die Differenz der Drucke an zwei Stellen ist gleich der mit $\frac{\mu}{8\pi}$ multiplicirten Differenz der Quadrate der Feldstärken. Die Formel 1 dieser Anmerkung würde auch folgen, wenn das Medium keine Wirbel enthielte, aber auf jedes Volumelement dV aus irgend einer rein mechanischen Ursache in den drei Coordinatenrichtungen die Kräfte

$$\frac{\mu dV}{8\pi} \frac{d(\alpha^2 + \beta^2 + \gamma^2)}{dx}, \quad \frac{\mu dV}{8\pi} \frac{d(\alpha^2 + \beta^2 + \gamma^2)}{dz}, \quad \frac{\mu dV}{8\pi} \frac{d(\alpha^2 + \beta^2 + \gamma^2)}{dz}$$

(die scheinbaren Fernkräfte) wirken würden. Sowohl die Druckvertheilung, als auch der Auftrieb auf einen eingetauchten Körper wären dann dieselben wie in der magnetisirbaren Flüssigkeit im inhomogenen Felde.

Wir wollen zur Versinnlichung noch als allgemeineres Beispiel eine beliebige Flüssigkeit in einem beliebigen magnetischen Felde betrachten, in der auch wahre Magnetismen und elektrische Ströme vorhanden sein können. Die Grössen X, Y, Z, welche durch *Maxwell's* Gleichung 5 und die analogen für die anderen Coordinatenaxen gegeben sind, stellen die äusseren Kräfte dar, welche wirken müssen, damit sich jedes Volumelement der Flüssigkeit im Gleichgewichte befinde. XdV, YdV, ZdV sind dann die Kräfte, welche auf das Volumelement dV wirken müssen, um im Vereine mit den von den Wirbeln (überhaupt dem umgebenden Aether) auf den im Volumelement befindlichen Aether ausgeübten Druck- und Zugkräften dasselbe im Gleichgewichte zu erhalten. Von diesen Druck- und Zugkräften nimmt *Maxwell* an, dass sie sich auf das ponderable Volumelement selbst unverändert übertragen. p_1 ist der Gesammtdruck, der zusammen in der ponderabeln Substanz und dem fest damit verbunden gedachten Aether wirkt.

Wir gehen nun zu dem Falle über, dass die ponderable Substanz in einer beliebigen Bewegung begriffen sei. p_1 soll dieselbe Bedeutung beibehalten, wie früher. XdV, YdV, ZdV aber sollen jetzt die Kräfte sein, welche ausser den vom umgebenden Aether herstammenden sonst von aussen (z. B. in Folge der Schwere) auf das Volumelement dV der Flüssigkeit wirken.

In dem jetzt betrachteten Falle einer beliebigen Bewegung gilt wieder *Maxwell's* Gleichung 5 mit den analogen für die beiden übrigen Coordinatenaxen, nur dass in denselben nach dem *d'Alembert*'schen Principe an die Stelle der drei Grössen X, Y, Z die drei Grössen

$$X - \varrho \frac{du}{dt}, \quad Y - \varrho \frac{dv}{dt}, \quad Z - \varrho \frac{dw}{dt}$$

zu treten haben, worin u, v, w die Geschwindigkeitscomponenten der in dV befindlichen Flüssigkeitstheilchen (nicht an dieser Stelle des Raumes) sind und ϱ die Dichte der ponderabeln Flüssigkeit ist. Man erhält daher für die Abscissenrichtung die Bewegungsgleichung:

$$X - \varrho \frac{du}{dt} = \alpha m + \frac{\mu}{8\pi} \frac{d(v^2)}{dx} + \frac{\mu}{4\pi}(\gamma q - \beta r) - \frac{dp_1}{dx}.$$

Natürlich ist hierbei vorausgesetzt, dass die Bewegung so langsam geschieht, dass die Inductionsströme, die durch Induction erzeugten dielektrischen Polarisationen etc. vernachlässigt werden können, für welche die Gleichungen 77 gelten würden.

Die Bewegung der Flüssigkeit geschieht also gerade so, als ob die Wirkung des Aethers nicht vorhanden wäre, aber zu den von aussen auf dV wirkenden Kräften noch pro Volumeinheit die von *Maxwell* der Reihe nach discutirten und durch die Ausdrücke 7, 8a, 8b und 10 des Textes repräsentirten Kräfte hinzuträten, welche also mit Recht als die durch die Wirkung des Aethers erzeugten scheinbaren Fernkräfte bezeichnet werden.

Wäre z. B. X gleich der negativen Summe der vier Ausdrücke 7, 8a, 8b und 10, und würde analoges für Y und Z gelten und die ponderable Flüssigkeit ruhen, so erhielte man

$$\frac{dp_1}{dx} = \frac{dp_1}{dy} = \frac{dp_1}{dz} = 0,$$

also $p_1 = \text{const.}$ Dies wären also die äusseren Kräfte, welche den scheinbaren Fernwirkungen das Gleichgewicht halten und auch alle Druckunterschiede aufheben würden, welche jene allein erzeugen würden. Jene Druckunterschiede sind die Veranlassung der sogenannten Magnetostriction.

17) *Zu S. 21.* Da sich ja die (freilich unwirksamen) übrigen Theile des Magnetstabes vom Pole aus nach einer bestimmten Richtung hin erstrecken, so kann nicht als unbedingt a priori evident betrachtet werden, dass ein einzelner Pol nach allen Richtungen des Raumes gleich stark wirkt. Doch betrachtet dies *Maxwell* hier offenbar als erfahrungsmässig gegeben. Dann kann φ nur Function von r sein und aus 19 folgt bekanntlich

1) $$\varphi = -\frac{a}{r},$$

wo a eine Constante und die andere additive Constante unwesentlich ist.

Wir wollen nun um den Pol als Mittelpunkt eine kleine, aber dabei doch gegen die Dimensionen des Poles grosse Kugel vom Radius r construiren. Nach Formel 18 ist die ganze innerhalb der Kugel gelegene, also die im Pol concentrirte Magnetismusmenge:

$$\frac{\mu}{4\pi}\int\left(\frac{d^2\varphi}{dx^2} + \frac{d^2\varphi}{dy^2} + \frac{d^2\varphi}{dz^2}\right) dV,$$

wobei über alle Volumelemente dV innerhalb der Kugel intergrirt werden kann, da dort, wo kein Magnetismus ist, ohnedies der Integrant verschwindet. Durch eine ganz wie beim Beweise des *Green*'schen Satzes auszuführende partielle Integration findet man diesen Ausdruck gleich

$$\frac{\mu}{4\pi}\int \frac{d\varphi}{dn} dS,$$

wobei jetzt über alle Oberflächenelemente dS integrirt werden muss und n die nach aussen von der Kugelfläche weg gezogene Normale ist. Für die Kugelfläche ist bereits φ durch Gleichung 1) gegeben; daher hat das letzte Integrale den Werth μa. Die Grösse m in *Maxwell's* Gleichung 20 ist also die gesammte im Pole vereinigte Magnetismusmenge, während derselbe Buchstabe in Formel 18 die räumliche Dichte des Magnetismus bedeutete.

μ ist die mit dem numerischen Coefficienten $4\pi C$ (vergl. *Maxwell's* Formel 1b) multiplicirte Dichte ϱ des Mediums (Aethers), aus welchem die Wirbel gebildet sind. C ist für den idealen von *Maxwell* betrachteten Fall gleich 0,25, für die beiden in Anmerkung 8 betrachteten Fälle der Anordnung der Wirbel gleich 0,1963, resp. 0,2267. Es wäre natürlich ein Irrthum, zu meinen, im Standardmedium, für welches $\mu = 1$ gesetzt wird, sei die Dichte des Aethers gleich $\frac{1}{4\pi C}$ mal der des Wassers. Für das Standardmedium wird vielmehr $\mu = 1$, weil *Maxwell* die Componenten der magnetischen Feldstärke nicht proportional, sondern gleich α, β, γ setzt. Die Gleichung $\mu = 1$ hat also folgenden Sinn: Wenn man von den beiden Einheiten der Länge und Masse eine willkürlich, die andere (z. B. die Masseneinheit) so wählt, dass im Standardmedium die Dichte des Aethers gleich 1 wird, so wird daselbst die Geschwindigkeit an der Peripherie der Wirbel durch dieselbe Zahl wie die magnetische Kraft ausgedrückt. Magnetpol 1 ist dabei wieder der, welcher im Standardmedium auf einen gleichen die Kraft 1 ausübt, magnetische Feldstärke 1 diejenige, bei der auf einen Einheitspol die Kraft 1 wirkt. Kraft 1 aber ist diejenige, welche nicht dem Gramm, sondern der jetzigen Masseneinheit in der Zeiteinheit die Beschleunigung 1 ertheilt.

Um die bei Zugrundelegung des gewöhnlichen Maasssystems geltende Gleichung zu finden, denke man sich im Standardmedium zwei vollkommen gleichbeschaffene Magnetpole in der Entfernung r. Für jeden soll die Function φ, deren partielle Ableitungen nach den Coordinaten die Werthe von α, β und γ liefern, durch den Ausdruck 1) dieser Anmerkung gegeben sein. In jedem befindet sich daher die Magnetismusmenge $m = a\mu$ und die Kraft, welche sie aufeinander ausüben, ist $\alpha m = \frac{a^2 \mu}{r^2} = v^2 r^2 \mu$, wobei v die Umfangsgeschwindigkeit der von dem einen Pole erzeugten Wirbel an derjenigen

Stelle des Raumes ist, wo sich der andere Pol befindet. Misst man die Intensität m beider Pole magnetisch, so muss die Kraft, die sie aufeinander ausüben, gleich der mit $\frac{m}{r^2}$ multiplicirten Krafteinheit, also gleich

$$\frac{m^2 \cdot \mathrm{gr} \cdot \mathrm{cm}}{r^2 \sec^2}$$

sein. Es ist also

$$v^2 \mu = \frac{m^2 \,\mathrm{gr}}{r^4 \,\mathrm{cm} \sec^2}.$$

Bezeichnen wir mit ω die Umfangsgeschwindigkeit der Wirbel in einem Felde von der magnetisch gemessenen Intensität 1, so ist $v = \frac{\omega m}{r^2}$, daher:

$$2) \qquad \omega^2 \mu = 4\pi \omega^2 C \varrho = 1 \cdot \mathrm{gr}\,\mathrm{cm}^{-1} \sec^{-2}.$$

Dies ist die einzige Relation, welche zwischen den Absolutwerthen von ω und μ für das Standardmedium aus dem Bisherigen abgeleitet werden kann. Für alle rein elektromagnetischen Phänomene aber ist bloss das Product $\omega^2 \mu$ ausschlaggebend. Die Gleichungen für dieselben bleiben also unverändert, wenn man für das Standardmedium $\mu = 1$ und v einfach gleich der magnetisch gemessenen Feldintensität setzt. Wäre für das Standardmedium die Aetherdichte $\varrho = A \,\mathrm{gr}\,\mathrm{cm}^{-3}$ im üblichen Maasse und die Zahl C gegeben, so wäre nach 2 $\omega = \frac{1 \text{ cm}}{\text{sec.}\sqrt{4\pi C A}}$ bei der magnetisch gemessenen Feldstärke 1 $= E = 1 \,\mathrm{gr}^{\frac{1}{2}} \mathrm{cm}^{-\frac{1}{2}} \sec^{-1}$ Man müsste daher die in cm sec gemessene Wirbelumfangsgeschwindigkeit v mit $\sqrt{4\pi C A}\,\mathrm{gr}^{\frac{1}{2}} \mathrm{cm}^{-\frac{3}{2}}$ multipliciren, um die in magnetischem Maasse gemessene Feldstärke F zu erhalten, da die Grössen ω, E, v und F eine Proportion bilden. (Vergl. *Maxwell*'s Gleichung 161.) Dagegen müsste man die in gr cm sec gemessene Grösse

$$\frac{1}{4\pi}\left[\frac{d(\mu\alpha)}{dx} + \frac{d(\mu\gamma)}{dy} + \frac{d(\mu\gamma)}{dz}\right] = m$$

mit $\sqrt{4\pi C A}\,\mathrm{gr}^{\frac{1}{2}} \mathrm{cm}^{-\frac{3}{2}}$ dividiren, um die Volumdichte des wahren Magnetismus zu erhalten, da das Product αm immer eine gewöhnliche mechanische Kraft auf die Volumeinheit wirkend geben muss.

Da der Coefficient C davon abhängt, wie dicht die Wirbel gelagert sind, so wäre es nicht einmal unbedingt erforderlich, dass, wie allerdings *Maxwell* immer annimmt, in derselben Substanz μ constant und nur v und Richtung der Wirbelaxen veränderlich ist. (Vergl. Anm. 76 und 13.)

18) *Zu S. 21.* Dieser Satz, sowie der entsprechende Satz für Dielectrica, den *Maxwell* S. 57 u. 58 ausspricht und der aus dessen Gleichung 127 folgt, wird oft *Helmholtz* zugeschrieben, der ihn später allgemein aus der alten Theorie abgeleitet hat und auf dessen Anregung hin auch seine ersten experimentellen Bestätigungen erfolgten, die *Maxwell* hier noch als so schwierig bezeichnet.

19) *Zu S. 22.* Die durch die Gleichung 22, 23 und 24 dargestellte Vertheilung der magnetischen Kraft innerhalb und ausserhalb des Cylinders ergiebt sich auch unmittelbar, wenn man die Wirkung des jedes Flächenelement des Cylinderquerschnittes durchfliessenden Stromfadens nach dem *Biot-Savart*schen Gesetze berechnet. (Vergl. Anm. 15.) Es ist vorausgesetzt, dass der Strom den ganzen Cylinderquerschnitt gleichmässig durchfliesst und seine Intensität in magnetischem Maasse gemessen ist, wenn auch α, β, γ so gemessen sind.

In Gleichung 12 verschwindet das erste Glied, weil nirgends wahrer Magnetismus vorhanden ist. Das zweite wird durch den Auftrieb der den zweiten Leiter umgebenden Luft compensirt, welcher durch das letzte Glied dargestellt wird, wobei angenommen wird, dass die Magnetisirungszahl μ daselbst die gleiche wie im Leiter ist. Das vorletzte Glied verschwindet, da kein Strom in der y-Richtung fliesst. Es bleibt daher nur das Glied $-\mu\beta r$.

Da der zweite Leiter sich nicht selbst fortbewegen kann, so ist das von ihm erzeugte β auf seine eigene Bewegung ohne Einfluss. Man kann daher unter β den Werth der vom ersten Strome erzeugten magnetischen Kraft an der Stelle, wo sich der zweite Leiter befindet, verstehen. Die Querschnitte beider Leiter sind als klein gedacht, so dass man annehmen kann, dass die Stromfäden im ersten die Abscisse Null, die im zweiten die Abscisse ϱ, alle die y-Coordinate Null haben. Die zweite der Formeln 25 liefert daher $\beta = \frac{2C}{\varrho}$, wodurch man dann *Maxwell's* Gleichung 26 erhält.

20) *Zu S. 25.* Hier schildert *Maxwell* genau psychologisch die Erwägungen, die ihn auf die nun folgenden Bilder und durch diese auf seine allgemeinen Gleichungen geführt haben.

21) *Zu S. 26.* Erstere heissen Planetenräder, letztere Laufrollen resp. Laufkugeln. Erstere kommen auch z. B. bei der *Selling*'schen Rechenmaschine vor (Catalog der Münchn. math. Ausstell., München, bei *Wolf*, 1892. S. 153), letztere bei allen Kugellagern, wie sie z. B. bei den Drehkrahnen, Fahrrädern etc. üblich sind.

22) *Zu S. 26.* Die Geschwindigkeit der in Rede stehenden, ganz an der Oberfläche liegenden Theilchen des Wirbels ist nämlich $v = \sqrt{\alpha^2 + \beta^2 + \gamma^2}$, während ihre Bewegungsrichtung sowohl auf der Geraden mit dem Richtungscosinus l, m, n, als auch auf der Wirbelaxe, deren Richtungscosinus $\frac{\alpha}{v}$, $\frac{\beta}{v}$, $\frac{\gamma}{v}$ sind, senkrecht steht. Der Cosinus des Winkels dieser Bewegungsrichtung und der Abscissenaxe ist also nach einer bekannten Formel der analytischen Geometrie

$$1) \qquad \frac{(n\beta - m\gamma)}{v}.$$

Wenn die Wirbelaxe durch den Coordinatenursprung geht, ihre positive Seite mit der positiven y-Axe zusammenfällt und die positive z-Axe das Oberflächenelement durchschneidet und zwar senkrecht, so ist $\frac{\beta}{v} = n = +1$. Dann bewegen sich die anliegenden Wirbeltheilchen in der positiven x-Richtung, da sich die positive Seite der Wirbelaxe zur Wirbeldrehung wie die positive y-Axe zur Drehung auf kürzestem Wege von der positiven z- zur positiven x-Richtung verhält. Es ist also das Vorzeichen in 1 richtig.

23) *Zu S. 26.* Dies setzt voraus, dass die Seitenflächen der Wirbel überall unmittelbar aneinander liegen, was nur möglich ist, wenn die Querschnitte der Wirbel Polygone (Quadrate, reguläre Sechsecke etc.) sind. Dem letzteren Falle entspricht auch *Maxwell*'s Fig. 8.

24) *Zu S. 27.* Die Axen der Wirbel sind also jetzt nicht mehr, wie es bisher gestattet war, als unbegrenzt zu denken, sondern jeder beliebig lange Wirbelfaden ist durch Querschnitte senkrecht zur Axe in eine Reihe einzelner »Wirbel« von

begrenztem Volumen und bestimmtem Mittelpunkte zu theilen. Wenn in diesen Querschnitten überhaupt Frictionstheilchen liegen, so werden dieselben höchstens im Kreise herum, niemals in einer bestimmten Richtung fortgeführt. Man kann sich also wohl die Wirbel als Würfel oder reguläre Prismen von sechseckigem Querschnitte denken, welche den Raum ohne Zwischenräume erfüllen und deren Axen der Rotationsaxe der Wirbel parallel sind. Die Theilchen am Umfange müssen dann geradgebrochene Bahnen beschreiben. Trotzdem nimmt *Maxwell* an, dass die Umfangsgeschwindigkeit an allen Stellen eines und desselben Wirbels überall die gleiche ist, was mit der für das Spätere sehr wesentlichen Voraussetzung zusammenhängt, dass die Distanz der Mittelpunkte zweier Frictionstheilchen stets unveränderlich ist, wo nicht die später zu besprechenden Deformationen der Wirbelkörper auftreten.

Noch grösser werden die Schwierigkeiten, wenn man sich nun an derselben Stelle des Körpers ein anderes magnetisches Feld denkt, dessen Feldrichtung gegen die ursprüngliche irgendwie geneigt ist. Soll jetzt die ganze Zelleintheilung verändert werden oder soll der Wirbelinhalt um eine Axe rotiren, die gegen die Axe der geometrischen Figur des Wirbels irgendwie geneigt ist, und wie ist mit der letzteren Vorstellung die Constanz der Umfangsgeschwindigkeit für einen Wirbel verträglich? Man kann sich, wie dem Uebersetzer scheint, nur damit trösten, dass bei exacter Berechnung die Mittelwerthe nicht qualitativ verschieden ausfallen würden.

25) *Zu S. 27.* Darunter ist irgend eine der Anzahl der Frictionstheilchen proportionale, ihre Quantität messende Grösse zu verstehen. Unter dem Bewegungsmomente eines Complexes von Frictionstheilchen ist dann später das Product ihrer Menge in ihre Geschwindigkeit zu verstehen. Man könnte das *Maxwell*'sche Wort quantity statt mit »Menge« auch mit »Masse« übersetzen, aber diese im selben Sinne auffassen, wie man von magnetischen oder elektrischen Massen spricht, nicht im mechanischen Sinne als Trägheitswiderstand, welcher den Frictionstheilchen nicht zugeschrieben wird, oder man könnte ihnen sogar Masse im mechanischen Sinne zuschreiben, welche aber dann gegen die der wirbelnden Materie unter allen Umständen verschwinden müsste. Die Bezeichnungen »Bewegungsmoment, Dichte« etc. würden sich dann natürlich am besten anschliessen.

26) *Zu S. 27.* ϱdS ist die Menge der Frictionstheilchen, welche sich auf dem zwei Wirbel trennenden Flächenelemente

dS befinden. Erstreckt man die Summe $\Sigma \varrho dS$ über alle Flächenelemente im Volumen $\overline{V}$, so erhält man die Gesammtmenge der Frictionstheilchen in $\overline{V}$. Diese Gesammtmenge ist aber andererseits gleich $\varrho' \overline{V}$, wenn ϱ' die auf die Volumeneinheit entfallende Menge von Frictionstheilchen ist. Die mittlere Geschwindigkeitscomponente u' der in $\overline{V}$ befindlichen Frictionstheilchen in der Abscissenrichtung erhält man folgendermaassen: Man multiplicirt die auf dS befindliche Menge ϱdS von Frictionstheilchen mit ihrer Geschwindigkeitscomponente u in der Abscissenrichtung und bildet dann die Summe $\Sigma u \varrho dS$ der so für alle in $\overline{V}$ liegenden Flächenelemente dS gebildeten Producte. Die Summe $\Sigma u \varrho dS$ bezeichnet *Maxwell* als das in der Abscissenrichtung geschätzte Bewegungsmoment der in $\overline{V}$ enthaltenen Frictionstheilchen. Dividirt man sie durch die Gesammtmenge $\varrho' \overline{V}$ dieser Frictionstheilchen, so erhält man deren mittlere Geschwindigkeitscomponente u' in der Abscissenrichtung. Es ist also:

1) $$u' = \frac{\Sigma u \varrho dS}{\varrho' \overline{V}}$$

$u' \varrho' \overline{V}$ ist das Product der Gesammtmenge der in $\overline{V}$ enthaltenen Frictionstheilchen in deren mittlere Geschwindigkeitscomponente in der Abscissenrichtung, weshalb es soeben als das in der Abscissenrichtung geschätzte Bewegungsmoment dieser Frictionstheilchen bezeichnet wurde. Denkt man sich ferner im Raume $\overline{V}$ ein ebenes Flächenstück vom Flächeninhalte 1 senkrecht zur Abscissenrichtung construirt, so sieht man leicht, dass die Menge der Frictionstheilchen, welche während der Zeit dt im Mittel durch dasselbe hindurchtreten, gleich $\varrho' u' dt$ ist, da ϱ' deren Volumdichte und u' deren mittlere Geschwindigkeitscomponente in der Abscissenrichtung ist. Die in der Zeiteinheit durch die senkrecht zur Abscissenrichtung gelegte Flächeneinheit im Mittel durchtretende Menge p von Frictionstheilchen ist also gleich $\varrho' u'$, und die Gleichung 1 liefert

$$p \overline{V} = \Sigma u \varrho dS.$$

27) *Zu S. 27.* Die Werthe $\alpha_1, \beta_1, \gamma_1$ beziehen sich auf den ersten, $\alpha_2, \beta_2, \gamma_2$ auf den zweiten der betrachteten Wirbel.

Der Werth des u in der sie trennenden Fläche dS wird also gefunden, wenn man in *Maxwell's* Gleichung 27 setzt:

$$\beta = \beta_1, \; \gamma = \gamma_1, \; \beta' = \beta_2, \; \gamma' = \gamma_2, \; m = m_1 = -m_2, \; n = n_1 = -n_2.$$

28) *Zu S. 28.* Es ist nämlich $ldS = \pm dydz$, wobei das positive oder negative Zeichen gilt, je nachdem dS auf jenem Theile der Begrenzungsfläche liegt, der der positiven oder negativen Abscissenrichtung zugewandt ist. In $\int ldS$, $\int lydS$ und $\int lzdS$ heben sich je zwei Glieder, welche ein dS des einen Theiles und das gleichen y und z entsprechende dS des anderen Theiles liefert. Bezeichnet man die Abscisse des ersteren dS mit x_1, die des letzteren mit x_2, so ist das über eine geschlossene Fläche erstreckte Integrale

$$\int lxdS = \iint (x_1 - x_2)dydz = \iiint dxdydz,$$

also gleich dem von der geschlossenen Fläche eingeschlossenen Volumen. Statt des *Maxwell'*schen Zeichens Σ wurde hier das uns gewohntere Zeichen $\int$ gesetzt.

Das von *Maxwell* mit $\Sigma u\varrho dS$ bezeichnete Integrale, das wir Kürze halber I_1 nennen wollen, kann auch so gefunden werden. Es ist bloss über alle Trennungsflächen der Wirbel zu erstrecken, die im Innern des Raumes $\overline{V}$ liegen. Heben wir in dem Ausdrucke 31 alle Glieder wieder heraus, welche die Coordinaten x, y, z ohne Index enthalten, so kann I_1 auch so geschrieben werden:

$$1) \quad \left\{ \begin{aligned} I_1 = -\tfrac{1}{2}\int \varrho dS\Big[&\frac{d\gamma}{dx}m_1 x_1 + \frac{d\gamma}{dy}m_1 y_1 + \frac{d\gamma}{dz}m_1 z_1 \\ &- \frac{d\beta}{dx}n_1 x_1 - \frac{d\beta}{dy}n_1 y_1 - \frac{d\beta}{dz}n_1 z_1\Big] \end{aligned} \right.$$

Dabei sind x_1, y_1, z die Coordinaten des Mittelpunktes irgend eines Wirbels, l_1, m_1, n_1 die Richtungscosinus der zu irgend einem Flächenelemente dieses Wirbels nach aussen gezogenen Normalen. Die Summation ist über alle in $\overline{V}$ liegenden Wirbel zu erstrecken. Von der Integration sind jedoch jene Flächenelemente auszuschliessen, welche nicht im Innern des Raumes $\overline{V}$ liegen, sondern diesen Raum begrenzen. Das analoge Integrale, über alle die letzteren Flächenelemente erstreckt, soll

I_2 heissen. Dann erhält man die Summe $I_1 + I_2$, indem man das Integrale 1 einfach über alle Flächenelemente aller Wirbel erstreckt. Bei der Integration über jeden einzelnen Wirbel kann ϱ und können die Coordinaten x_1, y_1, z_1 seines Mittelpunktes, sowie die Ableitungen von β und γ nach den Coordinaten vor das Integralzeichen gesetzt werden. Es bleiben dann nur Integrale von der Form $\int m_1 dS$ etc., welche alle verschwinden. Es ist daher $I_1 + I_2 = 0$. Im Integrale I_2, das über alle Oberflächenelemente des Raumes $\overline{V}$ zu erstrecken ist, kann ebenfalls ϱ und die Ableitungen von β und γ vor das Integralzeichen kommen. Für x_1, y_1, z_1 aber können die Coordinaten des Oberflächenelementes dS gesetzt werden, dessen Entfernung vom Mittelpunkte des betreffenden Wirbels offenbar klein gegen die Dimensionen des Volumens $\overline{V}$ ist, so dass $\int m_1 y_1 dS = \int n_1 z_1 dS = \overline{V}$ wird, während die übrigen Oberflächenintegrale wieder verschwinden. Es wird also nach 1:

$$I_2 = -\tfrac{1}{2}\varrho \overline{V}\left(\frac{d\gamma}{dy} - \frac{d\beta}{dz}\right)$$

und

$$I_1 = -I_2 = \tfrac{1}{2}\varrho \overline{V}\left(\frac{d\gamma}{dy} - \frac{d\beta}{dz}\right),$$

wie auch *Maxwell* findet.

Vielleicht ist noch eine kurze Andeutung des Ganges der Rechnung in einem speciellen Falle willkommen. Die Wirbel sollen die Gestalt von Würfeln von der Seitenlänge s haben, deren Kanten den Coordinatenaxen parallel sein sollen. Sie sollen bloss um Axen rotiren, welche der z-Axe parallel sind. Die Umfangsgeschwindigkeit γ soll Function der Coordinaten sein. $\overline{V}$ sei ein Würfel von der Seitenlänge Ns, seine Kanten seien denen der kleinen Würfel parallel. Er sei aber, obwohl N gross gegen 1 ist, noch immer so klein, dass γ darin nur wenig variirt. An den Seitenflächen der Wirbel, welche senkrecht auf der y-Axe stehen, haben die auf der einen (den negativen y zugewandten) Seite anliegenden Wirbeltheilchen die Geschwindigkeit $-\gamma$, die auf der anderen Seite anliegenden die Geschwindigkeit $\gamma + \frac{d\gamma}{dy}s$, daher die Frictionstheilchen die Geschwindigkeit $u' = \frac{s}{2}\frac{d\gamma}{dy}$, welche das arithmetische Mittel beider ist, in der x-Richtung. Alle Seitenflächen aller Wirbel, welche senkrecht auf der y-Axe stehen und im Inneren des grossen Würfels $\overline{V}$ liegen, bilden $N-1$ Quadrate von der Seitenlänge Ns, welche jeden durch $\overline{V}$ senkrecht zur Abscissenrichtung gelegten Querschnitt in $N-1$ Geraden von der Länge Ns schneiden. Durch jede dieser Geraden treten die Frictionstheilchen mit der Geschwindigkeit u'. Es treten also durch jede dieser Geraden in der Zeiteinheit diejenigen Frictionstheilchen aus, die auf einer Fläche vom Flächeninhalte $u'Ns$ liegen und deren Menge $\varrho u'Ns$ ist. Wenn wir 1 gegen N vernachlässigen, können wir sagen, dass der zur Abscissenrichtung senkrechte Querschnitt des Würfels $\overline{V}$ im Ganzen N solche Gerade enthält, dass also durch ihn die Menge $\varrho u' N^2 s = \frac{\varrho}{2}\frac{d\gamma}{dy} N^2 s^2$ von Frictionstheilchen, durch eine darauf construirte Fläche vom Flächeninhalte 1 aber die Menge $\frac{\varrho}{2}\frac{d\gamma}{dy}$ von Frictionstheilchen geht. Ebenso findet man, dass durch die Flächeneinheit des zur y-Richtung senkrechten Querschnittes die Menge $-\frac{\varrho}{2}\frac{d\gamma}{dx}$, dagegen durch eine zur z-Axe senkrechte Fläche die Menge Null geht. Berechnet man ebenso den Effect einer Drehung α um die x-Axe und einer Drehung β um die y-Axe, und superponirt die Effecte, so erhält man *Maxwell*'s Gleichung 33 mit den entsprechenden für die y- und z-Richtung.

29) *Zu S. 28.* Da die Menge oder Masse der Frictionstheilchen nie die Rolle eines mechanischen Trägheitswiderstandes spielt, also ihre Einheit von der Wahl aller anderen Einheiten vollkommen unabhängig ist, so kann man sagen, man wählt die Menge der auf der Fläche 2π befindlichen Frictionstheilchen als Mengeneinheit.

30) *Zu S. 29.* Darunter kann ein Molekül im Sinne der Molekulartheorie oder auch ein Volumelement, d. h. ein so kleiner Theil des Raumes verstanden werden, dass darin die der Erfahrung zugänglichen Grössen (Dichte, magnetische oder elektrische Kräfte etc.) nur verschwindend wenig variiren.

31) *Zu S. 31.* Der citirte Satz ist der bekannte *Green*sche Lehrsatz. Nach demselben ist, wenn φ_1 und φ_2 im

Unendlichen verschwinden und die bekannten Continuitätsbedingungen erfüllt sind:

$$1)\left\{\begin{aligned}&\int\mu\left(\frac{d\varphi_1}{dx}\cdot\frac{d\varphi_2}{dx}+\frac{d\varphi_1}{dy}\cdot\frac{d\varphi_2}{dy}+\frac{d\varphi_1}{dz}\cdot\frac{d\varphi_2}{dz}\right)dV=\\ &-\int\varphi_1\left[\frac{d}{dx}\left(\mu\frac{d\varphi_2}{dx}\right)+\frac{d}{dy}\left(\mu\frac{d\varphi_2}{dy}\right)+\frac{d}{dz}\left(\mu\frac{d\varphi_2}{dz}\right)\right]dV=\\ &-\int\varphi_2\left[\frac{d}{dx}\left(\mu\frac{d\varphi_1}{dx}\right)+\frac{d}{dy}\left(\mu\frac{d\varphi_1}{dy}\right)+\frac{d}{dz}\left(\mu\frac{d\varphi_1}{dz}\right)\right]dV.\end{aligned}\right.$$

Mittelst dieser und der beiden Gleichungen, die daraus folgen, wenn man einmal für φ_2 ebenfalls φ_1, das andere Mal für φ_1 ebenfalls φ_2 schreibt, erhält man unmittelbar aus *Maxwell*'s Gleichungen 35, 36 und 38 dessen Gleichung 40, ohne den Umweg über Gleichung 39, die man durch Vergleichung der letzten beiden Ausdrücke 1 erhält. Man braucht dabei auch nicht, wie es *Maxwell* thut, μ constant zu setzen.

Seien z. B. A_1 und A_2 zwei beliebige, in der Distanz D befindliche Punkte des Raumes, r_1 und r_2 die Entfernungen eines Aufpunktes von A_1, resp. A_2. Ueberall sei $\varphi_1=-\frac{m_1}{\mu r_1}$, bis auf einen kleinen A_1 umgebenden Raum, wo φ_1 beliebig aber continuirlich sei; ähnlich sei $\varphi_2=-\frac{m_2}{\mu r_2}$. Dann ist (vergl. Anm. 17) $\int\mu\left(\frac{d^2\varphi_1}{dx^2}+\frac{d^2\varphi_1}{dy^2}+\frac{d^2\varphi_1}{dz^2}\right)dV$ sonst überall Null, über den kleinen A_1 umgebenden Raum erstreckt aber gleich $4\pi m_1$, und analoges gilt für φ_2. Die Grösse μ sei nun im Folgenden überall constant. Wenn α, β und γ die Ableitungen von $\varphi_1+\varphi_2$ sind, so sei die Gesammtenergie der Wirbel im ganzen unendlichen Raume um E_{12} grösser als die Summe der Energien, welche man erhält, wenn α, β, γ einmal durch die Ableitungen von φ_1, das andere Mal durch die von φ_2 allein gegeben sind. Dann ist:

$$2)\ E_{12}=2C\mu\int\left(\frac{d\varphi_1}{dx}\cdot\frac{d\varphi_2}{dx}+\frac{d\varphi_1}{dy}\cdot\frac{d\varphi_2}{dy}+\frac{d\varphi_1}{dz}\cdot\frac{d\varphi_2}{dz}\right)dV.$$

Durch partielle Integration nach der Methode *Maxwell*'s findet man:

$$E_{12}=\frac{8\pi Cm_1m_2}{\mu D}=-8\pi Cm_2\varphi_1^{r_1=D},$$

was man übrigens auch ohne partielle Integration durch directe Substitution von φ_1 und φ_2 in Gleichung 2 und Ausführung der Integration über den unendlichen Raum unter Gebrauch von Polarcoordinaten verificiren kann. Im Standardmedium ist $\mu = 1$. Soll daselbst die Energie, welche vermöge der scheinbaren Abstossung der beiden Magnetpole sichtbar gewonnen wird, wenn D um δD wächst, gleich der Abnahme der unsichtbaren Energie des Mediums sein, so muss C den Werth $\frac{1}{8\pi}$ haben.

32) *Zu S. 33.* Dieser Werth ist genau halb so gross, als der in Formel 5 der Anmerkung 8 in einem speciellen Falle durch directe Berechnung gefundene. Wenn hiermit auch noch die Möglichkeit anderer specieller Fälle nicht widerlegt ist, wo die lebendige Kraft den von *Maxwell* angegebenen Werth hat, so ist doch sicher die Unrichtigkeit der *Maxwell*schen Schlussweise dargethan, welche, wenn sie richtig wäre, in jedem speciellen Falle stimmen müsste.

Das Energieprincip könnte in den Fällen, wo die lebendige Kraft der Wirbel doppelt so gross ist, als sie *Maxwell* findet, folgendermassen gewahrt bleiben: bei Annäherung zweier Wirbelsysteme, welche gleichnamige Magnetismen darstellen, bliebe die Quantität der letzteren nicht unverändert, sondern nähme in dem Maasse ab, dass der Zuwachs der lebendigen Kraft des Mediums nur die Hälfte von dem wäre, der bei gleicher Verschiebung ohne Aenderung ihrer Quantität einträte. Doch wäre die Aufstellung eines Gesetzes für diese Abnahme schwer, da dadurch bei Annäherung zweier magnetischer Systeme auch deren Selbstpotential geändert würde.

Uebrigens ist in der Theorie *Maxwell*'s, wie er sie später ausbildete, freier Magnetismus überhaupt nicht möglich und sind die Magnetismen permanenter Magnete stets durch Solenoidenden zu ersetzen (vergl. Anm. 36 und *Wied.* Ann. Bd. 48, S. 100). Natürlich hängen vom Coefficienten des Ausdruckes für die lebendige Kraft auch die numerischen Coefficienten der daraus abgeleiteten Gleichungen *Maxwell*'s 54, 62, 76, 77 etc. ab.

33) *Zu S. 33.* Auf ein Frictionstheilchen üben die beiden Wirbel, in die es eingreift, an den beiden Enden eines Durchmessers je eine Tangentialkraft aus. Diese beiden Tangentialkräfte können nur unendlich wenig verschieden sein, da das

Frictionsmolekül kein Trägheitsmoment hat, also das darauf wirkende Kräftemoment bezüglich jeder durch den Mittelpunkt gehenden Axe verschwinden muss. Ihre Resultirende kann man sich im Mittelpunkte des Frictionstheilchens angreifend denken. Alle derartigen Resultirenden, welche auf die Mengeneinheit der Frictionstheilchen wirken, haben zusammen in den Coordinatenrichtungen die Componenten P, Q, R. Da die Frictionsmoleküle massenlos sind, so leisten diese Kräfte in Leitern dem Widerstande das Gleichgewicht, welcher daselbst auf die Frictionsmoleküle wirkt, ihren Geschwindigkeitscomponenten p, q, r proportional ist und als dessen Angriffspunkt man sich natürlich wieder den Mittelpunkt des betreffenden Frictionstheilchens denken kann. In vollkommenen Isolatoren sind die Mittelpunkte der Frictionstheilchen unbeweglich und die Kräfte, welche sie festhalten, leisten den Kräften P, Q, R das Gleichgewicht. Bei dem in § 8 der Anm. 57 besprochenen Bilde leisten die Kräfte P, Q, R in leitenden Dielektricis, dem Widerstande das Gleichgewicht, welchen die Frictionstheilchen beim Gleiten an den Zellwänden finden, welcher wieder der Elasticität der Zellwände das Gleichgewicht hält. In absoluten Isolatoren aber leistet letztere Elasticität direct den Kräften P, Q, R das Gleichgewicht.

Die Kräfte, welche etwa auf das Frictionstheilchen in der Richtung des Durchmessers wirken, welcher die beiden Berührungspunkte mit den beiden benachbarten Wirbeln verbindet, zieht *Maxwell* nicht in Betracht, da sie weder auf die Bewegung der Wirbel, noch auf die der Frictionstheilchen von Einfluss sind.

34) *Zu S. 34.* Jetzt sind nämlich u, v, w die Componenten der Geschwindigkeit der ganz nahe an der Oberfläche des Wirbels liegenden Volumelemente desselben, also die in 26a zusammengestellten Grössen, nicht aber die durch 27 bestimmten Geschwindigkeitscomponenten der Frictionstheilchen. In Formel 48 wird angenommen, dass x, y, z klein sind, dass also der Coordinatenanfangspunkt im Mittelpunkte des Wirbels oder doch diesem sehr nahe liegt. Man kann ja speciell für die Durchführung dieser Rechnung ein beliebiges Coordinatensystem benutzen, da im Schlussresultate derselben das Coordinatensystem nicht mehr vorkommt.

Bezüglich der Formeln 48a und 48b vergleiche Anm. 22 und 28.

Jeder Wirbel ist dabei wie in Satz V auch in der Richtung seiner Axe als begrenzt zu betrachten. Die Frictionstheilchen, welche auf einer der Begrenzungsflächen liegen, die senkrecht zur Axe stehen, müssten sich in kleinen geschlossenen Bahnen bewegen und dabei keinen Widerstand erfahren, oder es müssten diese Begrenzungsflächen klein gegen die übrige Wirbeloberfläche sein. Im letzteren Falle aber müsste wieder die Zelleintheilung für jede besondere Feldrichtung verschieden gemacht werden. (Vergl. Anm. 57, § 2.)

35) *Zu S. 35.* Dabei ist noch obendrein vorausgesetzt, dass die Gleichungen für $\frac{d\alpha}{dt}$, $\frac{d\beta}{dt}$ und $\frac{d\gamma}{dt}$ die undifferentiirten Grössen α, β, γ nicht enthalten, so dass die Werthe der Differentialquotienten der α, β, γ nach der Zeit nicht von den Absolutwerthen derselben, sondern bloss von der Vertheilung der P, Q, R abhängen*), wie man z. B. in der Mechanik oft annimmt, dass die Beschleunigungen nicht von den Geschwindigkeiten, sondern blos von der Configuration abhängen. Eine von einer solchen Nebenannahme freie Begründung der Gesammtheit der *Maxwell*'schen Gleichungen werde ich in Anm. 57, § 9 andeuten.

36) *Zu S. 36.* Schon hier ist durch die Gleichung 56 die Bedingung ausgesprochen, dass die Dichte des wahren Magnetismus überall Null ist (vergl. Anm. 45 und Schluss der Anm. 32).

37) *Zu S. 39.* Wenn die Richtung der Geschwindigkeit jedes Punktes in jedem Momente bestimmt und die Geschwindigkeit jedes Punktes eine eindeutige (lineare) Function der Geschwindigkeit des Antriebspunktes ist, so kann ja jeder Punkt als Antriebspunkt gewählt werden. Würde nur auf den als Antriebspunkt gewählten Punkt eine bestimmte Kraft und auf keinen anderen Punkt der Maschine sonst eine Kraft wirken, so würde diese in bestimmter Weise in Bewegung gerathen. Die Masse, welche der erstere Punkt haben müsste, wenn sonst die ganze Maschine massenlos wäre und durch die gleiche Kraft in die gleiche Bewegung gerathen sollte, ist ihr auf diesen Punkt reducirtes Moment.

Durch ähnliche allgemeine mechanische Betrachtungen, wie sie *Maxwell* hier anstellt, wurde er zur Theorie geführt,

---

*) In analoger Weise glaubt *Maxwell* im Treatise II 561 ohne besondere Nebenannahme aus der Gleichung der lebendigen Kraft allein eine Reihe von Gleichungen gewinnen zu können, worauf schon *J. J. Thomson* in einer Fussnote zur citirten Stelle in der 3. Auflage hinwies.

die er in seiner Abhandlung über die dynamische Theorie des elektromagnetischen Feldes entwickelt.

38) *Zu S. 40.* Die Orientirung (englisch position) ist hier so zu definiren: Man betrachte die Theilchen, welche in irgend einer einer Hauptdilatationsrichtung parallelen Geraden liegen. Jede Aenderung der Richtung der aus diesen Theilchen gebildeten Geraden im Raume soll eine Orientirungsänderung heissen. Dieselbe wirkt geradeso auf die Wirbeldrehung, wie die Drehung des Gestells oder Gehäuses eines Gyroskops auf die Rotation des darin enthaltenen Kreisels.

39) *Zu S. 41.* Hier könnte man wieder das Bedenken erheben, ob wirklich α, β, γ als independent betrachtet werden können (vergl. Anm. 35). Dieses Bedenken trifft nur die Beweisführung. Dagegen würde man statt *Maxwell*'s Gleichung 62 die folgende erhalten:

$$1)\qquad \delta\alpha = \frac{\alpha\,\delta x}{2x} \text{ etc.,}$$

wodurch dann auch die folgenden Rechnungen *Maxwell*'s bis incl. Formel 77 nicht mehr stimmen würden, wenn man von dem in Formel 5 der Anm. 8 angegebenen Werthe der lebendigen Kraft Gebrauch machen und mit *Maxwell* μ constant setzen würde. Die Wichtigkeit des Gegenstandes mag es entschuldigen, wenn hier noch zwei Beispielen Raum gegönnt wird.

Beispiel 1. In zahlreichen, gleich beschaffenen Wirbeln mit parallelen Axen, welche die Gestalt gerader Kreiscylinder haben, soll die Flüssigkeit mit constanter Winkelgeschwindigkeit ω rotiren. Die Länge der Axen der Wirbel heisse x, der Radius ihres Querschnittes a, so dass ihre Umfangsgeschwindigkeit

$$2)\qquad \alpha = \omega a$$

ist. p_0 sei der Druck in der Axe eines Wirbels, p der in der Entfernung r von der Axe. Dann ist bekanntlich

$$p = p_0 + \frac{\varrho\,\omega^2 r^2}{2}.$$

Wir betrachten denjenigen hohlcylinderförmigen Theil eines Wirbels, für welchen r zwischen r_1 und r_2 liegt. Auf seine Innenfläche wirkt der Druck

$$p_1 = p_0 + \frac{\varrho\,\omega^2 r_1^2}{2},$$

auf seine Aussenfläche

$$p_2 = p_0 + \frac{\varrho\,\omega^2 r_2^2}{2}.$$

Der gesammte (nicht auf die Flächeneinheit bezogene) Druck auf Basis oder Gegenfläche des Hohlcylinders ist

$$P = \int_{r_1}^{r_2} p \cdot 2\pi r\,dr = \pi p_0 (r_2^2 - r_1^2) + \frac{\pi\varrho\,\omega^2}{4}(r_2^4 - r_1^4).$$

Die lebendige Kraft der im Hohlcylinder enthaltenen Flüssigkeit ist

$$E = \int_{r_1}^{r_2} \pi^2 \varrho\,\omega^2 x r^3\,dr = \frac{\pi\varrho\,x\,\omega^2}{4}(r_2^4 - r_1^4).$$

Nun soll x um δx wachsen. Wegen der Incompressibilität der Flüssigkeit ist

3) $$\frac{\delta x}{x} = -\frac{2\,\delta a}{a} = -\frac{2\,\delta r_1}{r_1} = -\frac{2\,\delta r_2}{r_2}.$$

Daher

$$\delta E = -\frac{\pi\varrho\,\omega^2}{4}(r_2^4 - r_1^4)\,\delta x + \frac{\pi\varrho\,\omega\,\delta\omega}{2}(r_2^4 - r_1^4).$$

Die gegen den Druck geleistete Arbeit ist

$$\delta W = \pi r_2^2 p_2\,\delta r_2 - \pi r_1^2 p_1\,\delta r_1 + P\,\delta x =$$
$$= -\frac{\pi\varrho\,\omega^2\,\delta x}{4}(r_2^4 - r_1^4).$$

Die Gleichung $\delta E + \delta W = 0$ liefert also

4) $$\frac{\delta\omega}{\omega} = \frac{\delta x}{x}.$$

Es ändert sich also die Wirbelgeschwindigkeit genau proportional der Länge der Wirbelaxe, entsprechend dem am Schlusse der Anm. 43 citirten *Helmholtz*'schen Satze über Wirbelbewegung. Da dies für jeden Werth von r_1 und r_2, also für beliebig kleine Unterschiede dieser beiden Grössen gilt, so folgt, dass nach der Deformation der Wirbel fortfährt, sich wie ein starrer Körper mit constanter Winkelgeschwindigkeit zu drehen, auch wenn ihm keine Starrheit zukommt. Die Umfangsgeschwindigkeit α ändert sich aber nach einem anderen Gesetze als die Winkelgeschwindigkeit ω. Es ist nämlich nach Gleichung 2:

$$\frac{\delta\alpha}{\alpha} = \frac{d\omega}{\omega} + \frac{\delta a}{a}.$$

Daher nach 3 und 4:

$$\frac{\delta\alpha}{\alpha} = \frac{\delta x}{2x}$$

übereinstimmend mit Formel 1 dieser Anmerkung und im Gegensatze zu *Maxwell*'s Gleichung 62.

Die zwischen den Wirbeln etwa ruhende Flüssigkeit enthält keine lebendige Kraft, leistet aber auch keine Arbeit, da der Druck daselbst überall gleich und das Volumen constant ist. Durch diese Flüssigkeit erfährt also die Energiebilanz keine Aenderung.

Beispiel 2. Um zu beweisen, dass auch, wenn ein Geschwindigkeitspotentiale existirt, die Gleichung 1 dieser Anmerkung, nicht aber *Maxwell*'s Gleichung 62 gilt, betrachten wir Wirbel, welche die Gestalt von geraden Hohlcylindern haben. Ihre Querschnitte seien Kreise vom inneren Radius b und äusseren Radius a. Innerhalb und zwischen denselben sei ruhende Flüssigkeit. Die Flüssigkeit soll in den Wirbeln so rotiren, dass ein Geschwindigkeitspotentiale existirt. Die Geschwindigkeit in der Entfernung r von der Wirbelaxe ist dann $\frac{c}{r}$. Der Druck daselbst ist $p = p_\infty - \frac{\varrho c^2}{2r^2}$, wobei p_∞ eine Integrationsconstante ist. Der auf die Flächeneinheit bezogene Druck ist daher für die innere und äussere Mantelfläche $p_b = p_\infty - \frac{\varrho c^2}{2r^2}$ und $p_a = p_\infty - \frac{\varrho c^2}{2r^2}$.

Der Gesammtdruck auf die ringförmige Basis oder Gegenfläche (nicht auf die Flächeneinheit bezogen) ist

$$P = \int_a^b 2\pi r dr \left(p_\infty - \frac{\varrho c^2}{2r^2}\right) = \pi(a^2 - b^2)p_\infty - \pi\varrho c^2 l\left(\frac{a}{b}\right),$$

wobei l den natürlichen Logarithmus bezeichnet. Die lebendige Kraft eines Wirbels ist

$$E = \int_b^a 2\pi x r dr \frac{\varrho c^2}{2r^2} = \pi x r c^2 l\left(\frac{a}{b}\right).$$

Wächst x um δx, so sind wieder wegen der Incompressibilität der Flüssigkeit sowohl des Hohlcylinders als auch innerhalb desselben die dazu gehörigen Zuwächse von a und b

$$\delta a = -\frac{a\delta x}{2x}, \quad \delta b = -\frac{b\delta x}{2x}.$$

Die Gesammtarbeit der auf den Hohlcylinder wirkenden Druckkräfte ist

$$\delta W = 2\pi a x p_a \delta a - 2\pi b x p_b \delta b + P\delta x = -\pi \varrho c^2 \delta x l\left(\frac{a}{b}\right).$$

Ist δc der Zuwachs von c, so wächst E um

$$\delta E = 2\pi a^2 x \varrho \frac{c}{a} \delta\left(\frac{c}{a}\right) l\left(\frac{a}{b}\right) = 2\pi a^2 x \alpha \delta \alpha l\left(\frac{a}{b}\right).$$

Es ist also wieder $\delta \alpha = \frac{\alpha \delta x}{2x}$, und es kann auch hier kein Zweifel obwalten, dass nach der Deformation die Flüssigkeitsbewegung wieder ein Geschwindigkeitspotential hat.

Sei q der Querschnitt der auf einen Wirbel entfallenden, ruhenden, zwischen den Wirbeln liegenden Flüssigkeit, in welcher der Druck

$$p_1 = p_\infty - \frac{\varrho c^2}{2a^2} = p_\infty - \frac{\varrho \alpha^2}{2}$$

herrscht. Der gesammte Querschnitt eines Wirbels sammt der dazu gehörenden ruhenden Flüssigkeit ist $\pi a^2 + q$. Der gesammte Druck auf den innerhalb des Wirbels liegenden Kreis von der Fläche πb^2 ist $\pi b^2\left(p_\infty - \frac{\varrho c^2}{2b^2}\right)$, der auf den kreisringförmigen Querschnitt des Wirbels P, der auf die Fläche q aber $q\left(p_\infty - \frac{\varrho c^2}{2}\right)$. Daher ist der mittlere Druck in der Richtung der Wirbelaxe:

$$p_2 = p_\infty - \frac{\varrho a^2}{2} - \frac{\pi a^2}{\pi a^2 + q} \varrho a^2 l\left(\frac{a}{b}\right) = p_1 - \frac{\pi a^2}{\pi a^2 + q} \varrho a l^2 \left(\frac{a}{b}\right).$$

Es ist daher $p = \dfrac{4\pi^2 a^2}{\pi a^2 + q} l\left(\dfrac{a}{b}\right)$.

40) *Zu S. 41.* *Maxwell* nimmt hier an, dass sich die drei Axen, um welche die drei Rotationen α, β und γ stattfinden und welche anfangs den Coordinatenaxen parallel waren, mit dem Volumelemente xyz mitdrehen. Nach der Verdrehung des letztern bildet also die Axe, um welche die Rotation β geschieht, mit der positiven Abscissenaxe den Winkel $90 + \vartheta_3$, dessen Cosinus $-\vartheta_3$ ist, mit der positiven z-Axe aber den Winkel $90^0 - \vartheta_1$, dessen Cosinus ϑ_1 ist. Die Rotation β hat also nach der Verdrehung des Volumelementes xyz in der x-Richtung die Componente $-\vartheta_3 \beta$, in der z-Richtung die Componente $\vartheta_1 \beta$. Dass sich auch β unendlich wenig geändert hat, liefert hierbei nur unendlich kleines höherer Ordnung. Die gleiche Idee, welche *Maxwell's* Annahme, dass die Axen der Rotationen α, β, γ sich mit dem Volumelemente xyz mitdrehen, zu Grunde liegt, drückt *Hertz* dadurch aus, dass er sagt, die Kraftlinien werden von der Bewegung der ponderabeln Materie mitgenommen (vergl. Anm. 43).

41) *Zu S. 42.* x, y, z sind die Kanten eines beliebigen Volumelementes, x', y', z' die eines Volumelementes, das so liegt, dass seine Kanten den Hauptdilatationsrichtungen (vergl. nächste Anmerkung) parallel sind. $\delta x'$, $\delta y'$, $\delta z'$ sind die Verlängerungen der drei Kanten x', y', z'. Ebenso sind δx, δy, δz, wo sie nicht nochmals nach x, y oder z differentiirt erscheinen, die Verlängerungen der mit x, y, z bezeichneten Kanten. Wo aber, wie in Formel 68 oder in den Ausdrücken, denen diese Anmerkung beigefügt ist, die Variationen der Coordinaten nochmals nach den Coordinaten differentiirt erscheinen, ist die Bedeutung der Buchstaben plötzlich eine total verschiedene. Jetzt sind x, y, z die Coordinaten einer Ecke des Elementarparallelepipedes, dx, dy, dz dessen Kanten. δx, δy, δz sind die Verschiebungen in den Coordinatenrichtungen, welche die Ecke mit den Coordinaten x, y, z bei der Deformation erfährt, $\delta x + \dfrac{d\delta x}{dx} dx$, $\delta y + \dfrac{d\delta y}{dx} dx$, $\delta z + \dfrac{d\delta z}{dz} dz$ sind die gleichen Verschiebungen für die Ecke, die ursprünglich die Coordinaten $x + dx$, y, z hatte etc., so dass jetzt die Grösse,

die früher einfach δx hiess, mit $\frac{d\delta x}{dx}dx$ bezeichnet werden müsste. Die Grösse, welche in der ersten Bezeichnung $\frac{\delta x}{x}$ heisst, heisst in der zweiten $\frac{d\delta x}{dx}$.

42) *Zu S. 42.* Diese Formeln sind dieselben, welche *Kirchhoff* in seinen Vorlesungen über Mechanik in der zehnten Vorlesung als Formeln 21 und 22 mit freilich ganz anderer Bezeichnung anführt. Dort findet sich auch alles Nähere über Hauptdilatationen, Darstellung jeder Deformation durch drei Dehnungen und drei Drehungen etc.

43) *Zu S. 43.* Diese Formel wird von *Hertz* in dessen »Grundgleichungen der Elektrodynamik für bewegte Körper« sehr einfach dahin gedeutet, dass bewegte Körper die Kraftlinien mit sich nehmen, wofür aber, wenn μ veränderlich wäre, die Inductionslinien zu setzen wären. Durch die Seitenfläche $dy\,dz$ des Elementarparallelepipedes $dx\,dy\,dz$ gehen vor der Deformation $\alpha\,dy\,dz$ Kraftlinien. Da diese bei der Deformation mitgenommen werden, gehen sie nach derselben durch das Flächenelement, welches durch die Deformation aus $dy\,dz$ entstanden ist und den Flächeninhalt $dy'dz'$ haben soll. Durch die Flächeneinheit gehen daher jetzt $\frac{\alpha\,dy\,dz}{dy'dz'}$ Kraftlinien, und die Vermehrung, welche deren Zahl durch diese Ursache erfuhr, ist:

$$\delta_1\alpha = \alpha\left(\frac{dy\,dz}{dy'\,dz'} - 1\right).$$

Die Kante dx des Parallelepipedes hat durch die Deformation die Länge $dx' = \left(1 + \frac{d\delta x}{dx}\right)dx$ angenommen. Wegen der Incompressibilität der Flüssigkeit ist $dx'dy'dz' = dx\,dy\,dz$, daher:

$$\frac{dy\,dz}{dy'\,dz'} = \frac{dx'}{dx} = 1 + \frac{d\delta x}{dx}, \quad \delta_1\alpha = \alpha\frac{d\delta x}{dx}.$$

Ferner entfernt sich bei der Deformation der eine Endpunkt der Kante dy des Parallelepipedes $dx\,dy\,dz$ um das Stück δx von der Ebene, in der ursprünglich das Flächenelement $dy\,dz$

lag, der andere aber um das Stück $\delta x + \frac{d\delta x}{dy} dy$. Daher macht nach der Deformation die Kante dy mit der yz-Ebene den Winkel $\frac{d\delta x}{dy}$. Da die der magnetischen Kraft β entsprechenden Kraftlinien diese Drehung mitmachen, so gehen davon nach der Deformation $\beta \frac{d\delta x}{dy} dy dz$ durch $dy dz$, während vor der Deformation keine hindurchgingen. Der dadurch bewirkte Zuwachs der Zahl der durch die Flächeneinheit gehenden Kraftlinien ist also

$$\delta_2 \alpha = \beta \frac{d\delta x}{dz}.$$

Ebenso erleidet α durch die Drehung der Kraftlinien, welche der magnetischen Kraft γ entsprechen, den Zuwachs

$$\delta_3 \alpha = \gamma \frac{d\delta x}{dz}.$$

Die Summe aller drei Zuwächse liefert *Maxwell*'s Formel 68. Man könnte diese Formel also wohl auch dadurch gewinnen, dass man annähme, dass die Wirbel, ohne selbst eine Deformation zu erfahren, durch die Vergrösserung von $dy dz$ weiter auseinanderrücken und ausserdem mitgedreht werden. Dies wäre z. B. der Fall, wenn die Wirbelbewegung in kleineren, kugelförmigen, in das Medium eingestreuten Hohlräumen vor sich ginge, deren Gestalt und Grösse unveränderlich wäre, die sich aber mit dem Medium fortbewegten und drehten. Man könnte so vielleicht die in Anm. 39 besprochene Schwierigkeit beseitigen. Nach demselben Gesetze ändern sich gemäss *Helmholtz*'s bekannten Untersuchungen die Componenten der Winkelgeschwindigkeit in den Wirbeln einer reibungslosen Flüssigkeit. (Vergl. *Maxwell* Treatise II. 822.)

44) *Zu S. 43.* Hier ist $\delta\alpha$ die Veränderung von α während der Zeit δt in einem Punkte, der sich mit dem bewegten Körper mitbewegt, $d\alpha$ der Zuwachs von α während der Zeit dt in einem fixen Punkte des Raumes, $\frac{d}{dx}$ etc. sind Differentialquotienten bei constanter Zeit. $\frac{dx}{dt}$ etc. sind die

Geschwindigkeitscomponenten des fraglichen Punktes des Körpers, in der Hydrodynamik gewöhnlich mit u, v, w bezeichnet.

45) *Zu S. 44.* Diese Gleichung ist in dem von *Maxwell* betrachteten Falle der Abwesenheit von wahrem Magnetismus (vergl. Anm. 36 und Schluss der Anm. 32) mit der ersten der Gleichungen 1a in *Hertz'* »Grundgleichungen der Elektrodynamik für bewegte Körper« identisch. Denn die *Maxwell*'schen Grössen $P, Q, R, \mu\alpha, \mu\beta, \mu\gamma, \frac{dx}{dt}, \frac{dy}{dt}, \frac{dz}{dt}$ und $\frac{\mu\, d\alpha}{dt} = \frac{d^2 G}{dz dt} - \frac{d^2 H}{dy dt}$ bezeichnet *Hertz* der Reihe nach mit X, Y, Z, $\mathfrak{L}$, $\mathfrak{M}$, $\mathfrak{N}$, $-\alpha$, $-\beta$, $-\gamma$, $\frac{d\mathfrak{L}}{dt}$. *Hertz* gebraucht das französische Coordinatensystem. In dem von *Maxwell* betrachteten Falle, dass nirgends wahrer Magnetismus ist, muss *Hertz* schreiben:

$$\frac{d\mathfrak{L}}{dx} + \frac{d\mathfrak{M}}{dy} + \frac{d\mathfrak{N}}{dz} = 0,$$

wofür *Maxwell* allerdings schreibt:

$$\frac{d\alpha}{dx} + \frac{d\beta}{dy} + \frac{d\gamma}{dz} = 0,$$

da er μ constant setzt.

Die analogen Gleichungen für die durch Bewegung im elektrischen Felde bewirkten magnetisirenden Kräfte hat *Maxwell* nicht entwickelt, vielleicht theils weil die Anwendung seiner Methode auf die elektrischen Spannungen statt auf die Wirbel nicht so nahe lag, theils auch weil *Maxwell* die Gleichungen 76 und 77 hauptsächlich zum Zwecke der Berechnung der Inductionswirkung auf im magnetischen Felde bewegte Stromleiter ableitet, deren Gegenstück, die magnetisirende Wirkung auf Eisen, das sich im elektrischen Felde bewegt, wenig in Betracht kommt.

Der Eindruck, den es macht, diese für unsere ganze Naturanschauung bahnbrechenden Gleichungen hier zum ersten Male vor uns zu sehen, wird dadurch noch erhöht, dass *Maxwell* nicht ein Wort über ihre Bedeutung verliert, die er sicher ahnte, wenn er sie auch nicht so klar erkannte wie wir jetzt.

46) *Zu S. 45.* Nach der auch in Anm. 22 und 34 benutzten Formel für den Cosinus des Winkels zwischen der Abscissenrichtung (der Feldrichtung) und einer Geraden, die senkrecht steht auf folgenden zwei anderen Geraden: 1. der Gerade S mit den Richtungscosinus l, m, n; 2. der Geraden, deren

Richtungscosinus $\frac{dx}{dt}, \frac{dy}{dt}, \frac{dz}{dt}$ proportional sind (der Bewegungsrichtung).

47) *Zu S. 45.* Da $\mu\alpha$ die Zahl der Kraftlinien (besser Inductionslinien) ist, welche durch die zur Abscissenaxe senkrecht construirte Flächeneinheit gehen, so giebt 79 die Zahl der Kraftlinien, welche durch die vom Leiter S in der Zeiteinheit durchstrichene Fläche gehen.

48) *Zu S. 50.* Hierzu bemerkte der Uebersetzer gelegentlich, dass unsere Naturerkenntniss durch diese Arbeiten *Maxwell's* in der That gefördert wurde. Wenn an anderen Stellen *Maxwell* von seinen Zellen wie von etwas zweifellos in der Natur wirklich existirendem spricht (z. B. S. 77), so geschieht dies offenbar nur, weil er nicht zu oft wiederholen will, dass es sich um eine mechanische Analogie handelt.

49) *Zu S. 51.* Dies ist wohl bei Wirbeln mit kreisförmigem, aber kaum bei solchen mit sechseckigem oder quadratischem Querschnitte in aller Strenge erfüllbar. (Vergl. die Anm. 8, 23 und 24).

50) *Zu S. 52.* Auf Ausnahmen hiervon, welche bei der Fortpflanzung der elektrischen Kraft auftreten, haben *Hertz* und *Helmholtz* hingewiesen. Berl. Ber. 6. Juli 1893; *Wied.* Ann. 53, S. 135; *Helmholtz'* gesammelte Abhandlungen III, S. 526.

51) *Zu S. 52.* Die später von *Thomson* und *Tait*, *Helmholtz*, *Zöllner* etc. discutirte Frage nach der Verträglichkeit des *Weber*'schen Gesetzes mit dem Energieprincipe wird also hier schon von *Maxwell* aufgeworfen. (Vergl. Klass. 69, S. 70 und Anm. 48.)

52) *Zu S. 58.* Es sind dies die bekannten Elasticitätsgleichungen. (Bezüglich derselben sowie der Formel 97a für die elastische Arbeit und der zwischen Gleichung 107 und 110 eingefügten Bemerkung vergl. die in Anm. 4 citirten Werke über Elasticitätslehre, vergl. auch Satz II.) Der Zellinhalt (Wirbel) wird jetzt als ein gewöhnlicher elastischer Körper behandelt, in dessen Innerem die elastischen Kräfte p_{xx} etc. nach denselben Gesetzen wirken, nach denen früher die mit gleichen Buchstaben bezeichneten Kräfte im ganzen Medium wirkten. Ueber die Möglichkeit, dass sich ein elastischer Körper theilweise wie ein flüssiger verhalte, vergl. Anm. 57, § 3.

53) *Zu S. 59.* Nach den in Anm. 10) citirten Formeln für die elastischen Kräfte auf ein gegen die Coordinatenaxen

geneigtes Flächenelement. Es ist wichtig, zu bemerken, dass die von aussen auf die Kugel wirkende Tangentialkraft, wenn T positiv ist, in dem Sinne wirkt, dass ihre der z-Axe parallele Componente die negative z-Richtung hat, ihre darauf senkrechte Componente aber nach aussen wirkt.

54) *Zu S. 61.* $\varrho R \delta S$ ist nach Satz VII die Kraft, welche in der positiven z-Richtung von den Wirbeltheilchen auf die Frictionstheilchen ausgeübt wird, welche dem Flächenelemente δS der Zelle angehören, $\varrho R \delta S$ sind deren Componente tangential zur Zelle. Die Kraft, welche dieselben Frictionstheilchen auf die der einen Seite des Flächenelementes δS anliegenden Wirbeltheilchen in derselben tangentialen Richtung ausüben, muss (ebenfalls nach Satz VII) halb so gross und entgegengesetzt gerichtet sein. Letztere Kraft ist aber die von aussen auf die betreffenden Wirbeltheilchen wirkende Tangentialkraft, also das Product von δS in die in Gleichung 88, 89 und 91 mit T bezeichnete Grösse. Da nach dem am Schlusse der vorigen Anmerkung Gesagten letztere Kraft ohnedies im entgegengesetzten Sinne wie die Kraft $\varrho R \delta S \sin \vartheta$ gezählt ist, so ist also $\frac{1}{2} \varrho R \delta S \sin \vartheta = T \delta S$. Die andere Hälfte der Kraft $\varrho R \delta S \sin \vartheta$ wirkt auf den der anderen Seite des Flächenelementes δS anliegenden Wirbel. Darüber, dass er die früher als Prismen von sechseckigem Querschnitte betrachteten Wirbel nun als Kugeln ansieht, tröstet sich *Maxwell* damit, dass beide Formen so weit ähnlich sind, dass höchstens der numerische Coefficient für beide ein wenig verschieden ausfallen würde.

55) *Zu S. 61.* Die Summe, die man erhält, wenn man die Menge der Frictionstheilchen, die jedem Oberflächenelemente aller in einem Raume enthaltenen Trennungsflächen zweier Wirbel anliegen, mit der Componente ihrer Verschiebung in der z-Richtung multiplicirt und die so für alle diese Oberflächenelemente gebildeten Producte addirt, wollen wir das Verschiebungsmoment aller dieser Frictionstheilchen in der z-Richtung nennen. Die von *Maxwell* mit h bezeichnete Grösse ist dann dieses Verschiebungsmoment aller in der Volumeneinheit enthaltenen Frictionstheilchen. Andererseits ist das Verschiebungsmoment der in allen einen Wirbel umgrenzenden Zellwänden liegenden Frictionstheilchen gleich dem Doppelten der Summe 101, also gleich

$$\Sigma \delta S \varrho t \sin \vartheta .$$

Bildet man die letztere Summe für alle in einem beliebigen

Volumen V enthaltenen Wirbel, deren Gesammtzahl N sei, und addirt alle diese Summen, so erhält man

1) $$N\Sigma\delta S\varrho t \sin\vartheta\,,$$

so lange V so klein ist, dass sich alle darin enthaltenen Wirbel nahe gleich verhalten. Dabei hat man aber jedes Flächenelement der in V enthaltenen Zellwände doppelt gezählt, einmal als Grenze des einen, das andere Mal als Grenze des anderen anliegenden Wirbels. Das ganze in der z-Richtung geschätzte Verschiebungsmoment H der in V enthaltenen Frictionstheilchen ist also die Hälfte des Ausdrucks 1. Die daselbst durch das Zeichen Σ angedeutete Integration ist leicht auszuführen. Für δS kann man die Kugelzone wählen, die zwischen zwei den Winkeln ϑ und $\vartheta + d\vartheta$ entsprechenden Parallelkreisen liegt und deren Flächeninhalt $\delta S = 2\pi a^2 \sin\vartheta d\vartheta$ ist. Substituirt man noch für t den Werth 97, so wird

$$\Sigma\delta S\varrho t \sin\vartheta = 2\pi\varrho a^4 e\int_0^\pi \sin^3\vartheta d\vartheta = \tfrac{4}{3}a^4 e,$$

daher

2) $$H = \tfrac{2}{3}Na^4 e\,.$$

Wenn man die zwischen den kugelförmigen Zellen liegenden Räume vernachlässigt, so hat der Raum V das Volumen $V = \frac{4\pi}{3}Na^3$, und da h das auf die Volumeinheit bezogene Verschiebungsmoment ist, so hat man $H = Vh$, was, mit dem Werthe 2 verglichen, den *Maxwell*'schen Werth 103 für h liefert. Auf die Zellkörper wendet *Maxwell* bei Ableitung dieser Gleichung immer die Gleichgewichtsgleichungen der Elasticitätslehre an, was nur erlaubt ist, wenn sich h so langsam ändert, dass die kinetische Energie verschwindet, welche von den Bewegungen der Volumelemente der Zellkörper während ihrer Deformation herrührt.

56) *Zu S. 62.* Dabei nimmt *Maxwell* an, dass das Verhältniss $\frac{(3\mu - m)}{(6\mu + m)}$ der Quercontraction zur Längendilatation keinen kleineren Werth als den *Navier-Poisson*'schen $\frac{1}{4}$ haben kann. Lässt man auch kleinere Werthe zu, so muss doch

jedenfalls $m < 3\mu$, daher $\frac{\pi m}{2} < E^2 < 3\pi m$ sein. Uebrigens ist dies für das Folgende unwesentlich.

57) *Zu S. 63.* Die Complication der Vorstellungen, welche diesen Gleichungen *Maxwell's* zu Grunde liegen, mag eine etwas ausführlichere Erläuterung derselben entschuldigen.

§ 1. Der Inhalt jeder Zelle, den wir Zellkörper nennen wollen, hat folgende Eigenschaften: Er kann sich nach allen Richtungen frei drehen. Er ist derart von starren Wänden umschlossen, dass er nach Gleichung 96 stets die Gestalt einer Kugel von unveränderlichem Radius behalten muss. Wenn auf ihn an zwei entgegengesetzten Enden eines Durchmessers entgegengesetzte tangentiale Kräfte wirken, so kommt er in Drehung, welche um alle möglichen Durchmesser ohne Widerstand erfolgen kann. Wenn dagegen an beiden Enden desselben Durchmessers gleichgerichtete tangentiale Kräfte wirken, was immer eintreten wird, wenn die Frictionstheilchen eines sehr viele Wirbel enthaltenden Raumes alle mit nahe gleicher Kraft in nahe derselben Richtung gezogen werden, so verschieben sich seine Volumelemente relativ gegeneinander, wie bei einer elastischen Kugel, jedoch ohne dass die Theilchen der Oberfläche aufhören, auf einer Kugel von gleicher Oberfläche zu bleiben. Diesen Vorgang wollen wir die Deformation des Zellkörpers nennen, obwohl sich dabei seine »Form« nicht ändert. Die dadurch erzeugten Verschiebungsmomente der in der Volumeinheit enthaltenen Frictionstheilchen sind die mit f, g, h bezeichneten Grössen.

§ 2. Die beschriebene Eigenschaft der Zellkörper erklärt es, dass die Frictionstheilchen keinen Widerstand erfahren, wenn sie sich auf einer (für den Moment wieder eben gedachten) Zellwand in geschlossenen Kreisen herumbewegen, ohne ein- und dieselbe Zellwand zu verlassen, wie es z. B. der Fall sein könnte, wenn die betreffende Zellwand zwei Wirbel trennt, deren Axen in ein- und dieselbe Gerade fallen, und auf dieser Geraden senkrecht steht. Aehnlich erfährt ein Frictionstheilchen keinen Widerstand, wenn es sich nur auf mehreren, demselben Wirbel angehörenden, gegen die Drehungsaxe beliebig orientirten Zellwänden in geschlossener Bahn herumbewegt. (Vergl. Anm. 24.) Dies tritt z. B. immer ein, wenn man sich die Zellen als Würfel denkt, deren Kanten den Coordinatenaxen parallel sind, wenn das magnetische Feld homogen oder für dasselbe $\alpha dx + \beta dy + \gamma dz$ ein vollständiges Differential, aber die Feldrichtung gegen die Coordinatenaxen geneigt ist.

§ 3. Alle die in § 1 auseinandergesetzten Eigenschaften sind freilich nicht ganz leicht in Einklang zu bringen. Der Kugelgestalt widerspricht die Forderung, dass ein Frictionstheilchen auf längerer Bahn in zwei Wirbel gleichzeitig eingreift, um derentwillen früher die Querschnitte der Wirbel als sechseckig gedacht wurden. Der Zellkörper wurde bei Berechnung des durch die Centrifugalkraft erzeugten Druckes als flüssig, jetzt wird er als fest betrachtet. Nun kann freilich die Centrifugalkraft auch in einem festen Körper (z. B. dem rotirenden Erdkörper) ähnliche Druckkräfte wie in einer Flüssigkeit erzeugen. Ja, es sind Körper denkbar, welche sich unter gewissen Umständen wie feste, unter anderen wie flüssige verhalten (z. B. Gelatine, Aspik, Eis, selbst Blei für einmal sehr kleine, das andere Mal sehr hohe Drucke). Allein warum sich die Zellkörper das eine Mal so, das andere Mal entgegengesetzt verhalten, dafür wäre doch eine nähere Motivirung wünschenswerth. Auch steht die Kraft, welche jede Abweichung der Zellkörper von der Kugelgestalt hindert, im Gegensatze zur freien Fortpflanzung der Centrifugalkräfte nach allen Richtungen. Uebrigens würde man wohl nur eine unbedeutende Aenderung in den numerischen Coefficienten, nicht aber qualitativ verschiedene Resultate erhalten, wenn man radiale Verschiebungen der Oberflächenelemente der Wirbel zuliesse.

§ 4. Wir wollen zunächst genau im Sinne *Maxwell*'s das Nebeneinanderbestehen aller dieser Eigenschaften annehmen. Die Zellkörper sind keiner anderen Gestalt- und Lagenänderung fähig als einer Drehung um eine beliebige, durch ihren Mittelpunkt gehende Axe und einer Deformation, welche genau die in Satz XII erörterten Gesetze befolgt. Beide superponiren sich; für letztere kann natürlich auch die Richtung grösster Verschiebung beliebig sein, welche in Satz XII als z-Richtung gewählt wurde. Nach der in Anm. 55 gegebenen Definition des Verschiebungsmomentes h der in der Volumeinheit enthaltenen Frictionstheilchen ist $\frac{dh}{dt}$ die Summe aller in der Volumeneinheit enthaltenen Mengen von Frictionstheilchen, jede multiplicirt mit der nach der z-Richtung geschätzten Componente der Geschwindigkeit, die ihr in Folge der Deformation der Zellkörper zukommt. $\frac{dh}{dt}$ ist also die Gesammtmenge der Frictionstheilchen, die in Folge der Wirksamkeit dieser Ursache allein in der Zeiteinheit durch die senkrecht zur z-Richtung gelegte Flächeneinheit gehen würden, wenn im ganzen betreffenden Raume während dieser ganzen Zeit deren Bewegung nahezu dieselbe wäre. (Vergl. Anm. 26.)

Dazu kommt nun noch die Verschiebung der Mittelpunkte der Frictionstheilchen in Folge der Rotation der Wirbel. Die Gesammtmenge der Frictionstheilchen, welche in Folge der Wirksamkeit der letzteren Ursache allein in der Zeiteinheit durch die zur z-Richtung senkrechte Flächeneinheit gehen würde, ist entsprechend *Maxwell's* Gleichungen 33 und 34:

$$\frac{\varrho}{2}\left(\frac{d\beta}{dx}-\frac{d\alpha}{dy}\right)=\frac{1}{4\pi}\left(\frac{d\beta}{dx}-\frac{d\alpha}{dy}\right).$$

Da sich beide Wirkungen superponiren, so ist im leitenden Dielectricum die in Folge aller wirkenden Ursachen zusammen in der Zeiteinheit durch die zur z-Richtung senkrechte Flächeneinheit gehende Gesammtmenge von Frictionstheilchen:

1) $$r=\frac{1}{4\pi}\left(\frac{d\beta}{dx}-\frac{d\alpha}{dy}\right)+\frac{dh}{dt}.$$

Da nach *Maxwell's* Gleichung 105

$$\frac{dh}{dt}=-\frac{1}{4\pi E^2}\frac{dR}{dt}$$

ist (vergl. *Maxwell's* Gleich. 111), so kann man auch schreiben:

2) $$r=\frac{1}{4\pi}\left(\frac{d\beta}{dx}-\frac{d\alpha}{dy}-\frac{1}{E^2}\frac{dR}{dt}\right),$$

was mit der dritten der *Maxwell'*schen Gleichungen 112 stimmt.

§ 5. In dielektrisch nicht polarisirbaren Leitern entfällt das letzte Glied, es ist gewissermaassen E unendlich gross. Es finden keine Deformationen der Zellkörper statt und die Fortbewegung der Frictionstheilchen geschieht nur durch die Rotation der Zellkörper. Im nichtleitenden Dielectricum aber ist $p=q=r=0$. Nach der gegenwärtigen Anschauung *Maxwell's* sind also in diesem die Mittelpunkte der Frictionstheilchen absolut unbeweglich und eine Rotation der Wirbel.

bei welcher $\alpha dx + \beta dy + \gamma dz$ kein vollständiges Differentiale ist, kann nur in Folge einer gleichzeitigen Deformation der Zellkörper eintreten. p, q, r sind die Stromdichten der galvanisch geleiteten Elektricität, $-\frac{df}{dt}$, $-\frac{dg}{dt}$, $-\frac{dh}{dt}$ die der Verschiebungsströme oder dielektrischen Polarisationsströme,

$$3)\qquad u = p - \frac{df}{dt}, \quad v = q - \frac{dg}{dt}, \quad w = r - \frac{dh}{dt},$$

die des Gesammtstromes, und es folgt aus 1 und den analogen Gleichungen für die beiden anderen Coordinatenaxen

$$4)\qquad \frac{du}{dx} + \frac{dv}{dy} + \frac{dw}{dz} = 0 .$$

Die Totalströme sind also vermöge des Mechanismus, der die Wirbel und Frictionstheilchen verbindet, stets geschlossen, ohne dass die Frictionstheilchen sich zu berühren oder aufeinander zu drücken brauchen.

Die Dichte der Lagerung der Frictionstheilchen bleibt nach dieser Anschauung zwar in absoluten Isolatoren und nicht dielektrisirbaren Leitern, nicht aber an der Grenze beider oder in leitenden Dielectricis unveränderlich, da in letzteren bloss die durch die Rotation der Wirbel allein, also die Differenz der totalen und der durch die Deformation der Zellkörper erzeugten Verdichtung der Lagerung der Frictionstheilchen Null ist.

§ 6. p, q, r werden in den späteren Abhandlungen *Maxwell*'s wieder proportional den auf die Mengeneinheit der Frictionstheilchen wirkenden Kraftcomponenten P, Q, R gesetzt, also

$$5)\qquad p = CP, \; q = CQ, \; r = CR,$$

wodurch die Gleichung 1 dieser Anmerkung übergeht in

$$6)\qquad 4\pi CR + \frac{1}{E^2}\frac{dR}{dt} = \frac{d\beta}{dx} - \frac{d\alpha}{dy},$$

was die definitive Form der Gleichung der elektrischen Kraft in ruhenden leitenden Dielectricis an allen Stellen ist, wo keine sogenannten äusseren elektromotorischen Kräfte (thermoelektromotorische, hydroelektromotorische) wirken.

Die Gleichungen 5, welche sich jedoch in der vorliegenden Schrift *Maxwell's* nirgends finden, wären etwa in der folgenden Weise zu versinnlichen. Die durchschnittlichen Geschwindigkeitscomponenten der Mittelpunkte der Frictionstheilchen sind proportional den Grössen p, q, r. Die Gleichungen 5 besagen daher, dass diese Geschwindigkeitscomponenten proportional den Kraftcomponenten P, Q, R sind. Man könnte sich daher vorstellen, dass diese Mittelpunkte etwa in den Zellwänden oder beim Uebergange von einem Molekül zum andern einen ihrer Geschwindigkeit proportionalen Widerstand erfahren. Die Componenten des so auf die Mengeneinheit entfallenden Widerstandes $\frac{p}{C}$, $\frac{q}{C}$ und $\frac{r}{C}$ sind gleich und entgegengesetzt gerichtet den von den Wirbeln auf die Frictionstheilchen ausgeübten Kräften P, Q, R, da die Masse und daher auch die Beschleunigung der letzteren verschwindet.

§ 7. Die in § 3 erwähnten Schwierigkeiten kann man durch die folgende Auffassung theilweise vermeiden, welcher sich *Maxwell* selbst später zugeneigt zu haben scheint und welche nachher durch andere, z. B. *Lodge*, genauer präcisirt wurde. Dabei macht freilich dann die Versinnlichung der in § 2 angeführten Annahmen wieder grössere Schwierigkeiten und wird auch nicht mehr die Fortpflanzungsgeschwindigkeit der elektromagnetischen Wellen gleich der der Transversalwellen in einem unbegrenzten festen Körper, dessen Substanz die Wirbelsubstanz ist. (Vergl. Anm. 62.)

Wir betrachten das folgende mechanische Bild. Ein auf einer deformirbaren, gespannten Kautschukmembran liegender Körper wird durch eine Kraft R darauf fortgezogen. Dabei deformirt er die Kautschukmembran und erfährt zudem noch einen Reibungswiderstand $\frac{r}{C}$, der abweichend von den Gesetzen, die sonst die Reibung befolgt, der relativen Geschwindigkeit r des Körpers gegen die Stelle der deformirten Kautschukmembran proportional ist, wo er gerade gleitet. Die Geschwindigkeit des Körpers soll sich so langsam ändern oder dessen Masse so klein sein, dass das Product der letzteren in die Beschleunigung des Körpers immer klein gegen R, also letztere Grösse nahe gleich dem Reibungswiderstande $\frac{r}{C}$ ist, der wieder gleich der Kraft ist, mit welcher der Körper ziehend auf die

Membran wirkt. Letzterer Kraft setzen wir die Verschiebung h der Stelle der Membran, wo der Körper gerade aufliegt, proportional, setzen also letztere Kraft etwa gleich $4\pi E^2 h$. Die gesammte Geschwindigkeit des Körpers ist dann:

$$7)\qquad w = r + \frac{dh}{dt} = CR + \frac{1}{4\pi E^2}\frac{dR}{dt}.$$

Ein auf dem gleichen Principe beruhendes mechanisches Modell zur Versinnlichung von *Maxwell*'s Theorie hat *Lodge* angegeben *).

§. 8. Es sollen nun die Deformationen der Zellkörper, sowie deren gezwungene Kugelform ganz wegfallen. Diese sollen flüssig sein und in würfelförmigen oder anders gestalteten Zellen rotiren. In den Zellwänden aber sollen die Frictionstheilchen liegen, welche ganz wie bei *Maxwell* so mechanisch mit den Wirbeln verbunden sind, dass die Geschwindigkeit ihrer Mittelpunkte das arithmetische Mittel der Umfangsgeschwindigkeiten jener beiden Wirbel, in welche sie eingreifen, an den Stellen, wo sie eingreifen, ist. Dieses Ineinandergreifen der Zellkörper und Frictionstheilchen erfolgt geradeso, als ob sie verzahnt und der Umfang der ersteren eine unausdehnsame, in die Zähne der Frictionstheilchen eingreifende Kette wäre. Gerade so, als ob dies der Fall wäre, ist auch die Umfangsgeschwindigkeit der Zellkörper an allen Stellen der Peripherie derselben immer absolut gleich.

Aus diesem Mechanismus des Ineinandergreifens der Zellkörper und Frictionstheilchen folgen *Maxwell*'s Gleichungen 33 und 34, also:

$$8)\qquad r = \frac{1}{4\pi}\left(\frac{d\beta}{dx} - \frac{d\alpha}{dy}\right).$$

Aus dieser und den beiden analogen Gleichungen für die beiden anderen Coordinatenaxen ergiebt sich:

$$9)\qquad \frac{dp}{dx} + \frac{dq}{dy} + \frac{dr}{dx} = 0.$$

Die Dichte der Frictionstheilchen kann sich also in Folge des Gesetzes ihres Eingreifens in die Wirbel an keiner Stelle des

---

*) Katalog math. Instrumente von *Dyck*. München, Wolf. 1892.

Raumes verändern, ohne dass je zwei Frictionstheilchen sich direct zu berühren und aufeinander zu drücken brauchen. Die Kraft, welche die Wirbel in Folge dieses Mechanismus auf die Mengeneinheit der Frictionstheilchen ausüben und welche in den Coordinatenrichtungen die Componenten P, Q, R haben soll, entspricht der Kraft R, welche auf den im vorigen § fingirten Körper ziehend wirkte. Analog wie dieser Körper zur dort fingirten Kautschukmembran, verhalten sich die Mittelpunkte der Frictionstheilchen zu den Zellwänden. Sie gleiten längs den Zellwänden hin und erfahren dabei einen Widerstand, der ihrer relativen Geschwindigkeit gegen die Zellwand proportional ist. Da sie massenlos sind, bewegen sie sich mit solcher Geschwindigkeit, dass dieser Widerstand gleich der von den Wirbeln auf die Frictionstheilchen ausgeübten Kraft ist, die, auf die Mengeneinheit bezogen, die Componenten P, Q, R hat.

Die Reaction des Gleitungswiderstandes auf die Zellwände hat auch wieder die Componenten P, Q, R. Durch sie sollen die afficirten Stellen der Zellwand eine der wirkenden Kraft proportionale Verschiebung (Deformation) erfahren. Durch drei zu den Coordinatenrichtungen senkrechte Flächen vom Flächeninhalte eins sollen nun vermöge der Deformation der Zellwände im Ganzen hindurchgetreten sein die Mengen f, g, h von Frictionstheilchen, vermöge der Aenderung der Deformation werden dann in der Zeiteinheit die Mengen $\frac{df}{dt}$, $\frac{dg}{dt}$, $\frac{dh}{dt}$ hindurchtreten. Vermöge des Gleitens an den deformirten Zellwänden sollen in der Zeiteinheit die Mengen u, v, w, und vermöge beider Ursachen (des Gleitens und der Veränderung der Deformation der Zellwände) zusammen die Mengen p, q, r hindurchgehen. Da u, v, w den Gleitungsgeschwindigkeiten, diese aber den P, Q, R proportional sind, kann man setzen:

10) $$u = CP, \quad v = CQ, \quad w = CR.$$

Aus analogen Gründen:

11) $$f = \frac{1}{4\pi E^2} P, \quad g = \frac{1}{4PE^2} Q, \quad h = \frac{1}{4\pi E^2} R.$$

Endlich superponirt sich wie im vorigen § die durch Gleitung und die durch Deformation erzeugte Bewegung. Es ist also:

12) $$p = u + \frac{df}{dt} = CP + \frac{1}{4\pi E^2}\frac{dP}{dt} \quad \text{etc.},$$

was, in Gleichung 8 und die analogen substituirt, wieder die Gleichung 6 und die analogen liefert. Es entsprechen also jetzt u, v, w dem galvanisch geleiteten, p, q, r dem totalen Strome, während bei der ersten *Maxwell*'schen Vorstellung p, q, r dem ersteren, u, v, w dem letzteren entsprechen. Die Componenten des Verschiebungsstromes, durch $\frac{df}{dt}$ etc. ausgedrückt, haben das Vorzeichen gewechselt. Die Dichte der Lagerung der Frictionstheilchen ist ausnahmslos unveränderlich.

§ 9. Es soll die Geduld des Lesers noch durch ein ganz specielles zur Erläuterung dienendes Beispiel in Anspruch genommen werden. Ein leitender Draht von überall kreisförmigem Querschnitte bilde einen in sich zurücklaufenden Ring. An irgend einer Stelle sei in demselben eine constante elektromotorische Kraft vorhanden, welche zunächst einen dauernden elektrischen Strom im Drahte erzeuge. Dann strömen in allen mit der Mittellinie des Drahtes gleichlaufenden »Fasern« desselben die Frictionstheilchen mit constanter gleicher Geschwindigkeit. Um dies zu ermöglichen, rotiren die Wirbel in der Nähe der Mittellinie am langsamsten, nahe der Oberfläche am schnellsten. Nun denken wir uns den Raum zwischen zwei Querschnitten A und B des Drahtes, deren Entfernung klein gegen den Radius des Drahtes sei, statt mit der Substanz des Drahtes mit einer nichtleitenden dielektrischen Substanz erfüllt, welche gewissermaassen einen in den Stromkreis eingeschalteten Condensator darstellt. Da die Wirbel in der dielektrischen Schicht in die des Drahtes eingreifen, werden sie anfangs im gleichen Sinne gedreht, in der Nähe der Mittellinie wenig, weiter von dieser entfernt mehr. Dadurch, nicht durch den Druck der Frictionstheilchen des Drahtes, werden die Frictionstheilchen in der dielektrischen Schicht im gleichen Sinne wie im Drahte verschoben; es sei dies vom linken Querschnitte A gegen den rechten B. Hierbei verschieben sie, wenn wir zunächst der Anschauung des vorigen § folgen, im Dielektricum die Zellwände mit und erfahren einen der Verschiebung proportionalen Widerstand, welcher die Wirbel im Dielektricum zum Stillstande bringt. Da aber in diese die Wirbel im Drahte eingreifen, so kommen auch letztere und mit ihnen die Bewegung der Frictionstheilchen im Drahte zum Stillstande. Die Frictionstheilchen sind, ohne sich gegenseitig zu drücken, überall äquidistant geblieben; allein die Zellwände kehren im Drahte, sobald die Bewegung der Frictionstheilchen aufgehört hat, in die alte Lage zurück, wogegen sie in der dielektrischen Schicht dauernd nach rechts verschoben bleiben. Die Substanz der Zellmembranen ist also um *A* herum gedehnt, also verdünnt, um *B* aber verdichtet. Ersteres stellt die positive Ladung von *A* dar; denn relativ gegen die Membran sind die Frictionstheilchen gewissermaassen verdichtet. Ebenso sind sie bei *B* gewissermaassen relativ gegen die Zellmembran verdünnt.

Etwas anders wird die Sache bei Zugrundelegung der ersten *Maxwell*'schen Anschauung. Da behalten in der dielektrischen Schicht die Mittelpunkte der Frictionstheilchen unbedingt ihre Ruhelagen. Die Anordnung der Frictionstheilchen erfährt also am positiv geladenen Querschnitte *A* eine Verdichtung, am negativ geladenen Querschnitte *B* aber eine Verdünnung. Die Drehung der Wirbel im leitenden Drahte bleibt wie früher. Diejenigen Wirbel des Dielektricums nun, welche unmittelbar an *A* liegen, greifen in die anliegenden Wirbel des Drahtes ein; ihre gegen *A* gewandte Partie wird also im selben Sinne gedreht, als ob es Wirbel des Drahtes wären, und zwar ist diese Wirkung wieder klein in der Nähe der Mittellinie, gross in der Nähe des Umfanges. Es werden also die Frictionstheilchen von links nach rechts gedrängt, und da deren Mittelpunkte im Dielektricum fix sind, tritt jetzt Deformation der Wirbel ein. Damit bei dieser die verschiedenen Oberflächenelemente eines Wirbels nicht in anderer Weise, als es *Maxwell* annimmt, relativ gegen einander verschoben werden, muss man voraussetzen, dass alle Frictionstheilchen, die demselben zur Mittellinie des Drahtes senkrechten Parallelkreise des Wirbels angehören, in gleicher Weise drückend wirken. (Es drücken vielleicht nur die Zellwände als Ganzes.) Da sich ferner über die Deformation die Drehung superponirt, dreht sich auch die von *A* abgewandte Seite der *A* anliegenden Wirbel im selben Sinne, als ob es Wirbel im Drahte wären. Dadurch wird die Drehung und Deformation auf die nächste Schicht von Wirbeln übertragen, welche von *A* etwas entfernter sind. Es ist jetzt der Widerstand der Zellkörper gegen Deformation, durch welchen der Strom im Drahte zum Stillstande kommt.

§ 10. Will man die nicht ganz einwurfsfreie Ableitung *Maxwell*'s der noch fehlenden Gleichungen 54 desselben durch eine solche aus dem *Hamilton*'schen Principe ersetzen, durch welche man auch die Gleichungen 12 dieser Anmerkung gewinnt und so deren bisherige Begründung entbehrlich machen kann, so ist in folgender Weise zu verfahren. Wir adoptiren die Vorstellungen des § 8 und führen ausser den bisherigen noch folgende Bezeichnungen ein: A, B, Γ seien die Winkeldrehungen eines Wirbels, l, m, n die Componenten der Verschiebung des Mittelpunktes eines Frictionstheilchens relativ gegen die deformirte Zellwand, ein angehängter Strich drücke eine Differentiation nach der Zeit aus, so dass $\alpha = A'$, $u = l'$, $p = f' + l'$ etc. ist.

Wir setzen die einzig vorhandene kinetische Energie, nämlich die der Wirbel, gleich

$$13)\qquad T = \frac{\mu}{8\pi}(A'^2 + B'^2 + \Gamma'^2);$$

Die potentielle Deformationsenergie der Zellwände setzen wir gleich

$$14)\qquad V = \frac{1}{8\pi E^2}(f^2 + g^2 + h^2);$$

die von der gleitenden Reibung geleistete Arbeit aber setzen wir gleich

$$15)\qquad \delta\Omega = C(l'\delta l + m'\delta m + n'\delta n).$$

Maxwell's Gleichungen 33 und 34 können jetzt in der Form geschrieben werden:

$$16)\qquad f + l = \frac{1}{4\pi}\left(\frac{dB}{dx} - \frac{dA}{dy}\right) \text{ etc.,}$$

welche Gleichungen als die durch das Ineinandergreifen der Wirbel und Frictionstheilchen bedingten mechanischen Bedingungen des Systems aufzufassen sind. Das *Hamilton*'sche Princip liefert daher

$$17)\qquad \iiiint dx\,dy\,dz\,dt(\delta T - \delta V - d\Omega) = 0.$$

Wir wollen uns das Hinschreiben der Formeln möglichst ersparen und bloss den Gang der Rechnung andeuten. Die beiden Glieder, welche δf und δl enthalten, schreibt man in der Form:

$$18)\qquad Cu(\delta f + \delta l) + \left(\frac{f}{8\pi E^2} - Cu\right)\delta f.$$

Da δf ganz unabhängig ist, so folgt hieraus zunächst:

$$\frac{f}{8\pi E^2} = Cu.$$

Wir wollen diese Grösse mit P und die analogen für die y- und z-Axe mit Q und R bezeichnen. Nun setzt man nach 16:

$$\delta f + \delta l = \frac{1}{4\pi}\left(\frac{d\delta B}{dx} - \frac{d\delta A}{dy}\right),$$

substituirt alles in 17, integrirt die Glieder mit $\delta A'$, $\delta B'$, $\delta\Gamma'$ partiell nach der Zeit, die mit $\frac{d\delta A}{dx}$ partiell nach x etc. In dem so erhaltenen Ausdrucke kann man die Coefficienten von δA, δB und $\delta\Gamma$ separat gleich Null setzen, wodurch sich sofort die zu erweisenden Gleichungen 54 *Maxwell*'s ergeben.

§ 11. Aus den bisher entwickelten Gleichungen lässt sich der Verlauf aller elektromagnetischen Störungen im Felde richtig berechnen, aber es lässt sich auch der Beweis liefern, dass sich solche Störungen niemals bilden können, wenn sie nicht schon zu Anfang vorhanden waren, da man keine äusseren elektromotorischen Kräfte eingeführt hat. An den Stellen des Raumes, wo solche (thermoelektrische, hydroelektrische, auch elektrische Trennung durch Reibung von Glas und Seide etc.) wirken, bedarf die Gleichung 6 dieser Anmerkung einer Ergänzung. Dieselbe wird in der einfachsten Weise, die zur Herstellung der Uebereinstimmung mit der Erfahrung hinreicht, dadurch bewerkstelligt, dass man nach der Methode *Hertz*'s dieser Gleichung noch einen Addenden $\mathfrak{r}$ beifügt, welcher bloss von der Beschaffenheit der äusseren elektromotorischen Kraft an diesem Orte des Raumes abhängt. Aehnliche Addenden $\mathfrak{p}$ und $\mathfrak{q}$ sind den beiden analogen Gleichungen für die x- und y-Richtung beizufügen. Von diesen Grössen $\mathfrak{p}$, $\mathfrak{q}$, $\mathfrak{r}$ weiss man freilich sonst nicht viel, als dass sie (wenigstens ihre Mittelwerthe) der Stärke der hydroelektromotorischen, thermoelektromotorischen Kräfte etc. proportional sind. Ihre Ableitung aus dem *Hamilton*'schen Principe ist leichter, wenn man α, β, γ als Verschiebungen und f, g, h als Geschwindigkeiten »anspricht« *).

58) *Zu S. 63.* Die Grösse e, welche übrigens in der von *Hertz* eingeführten Terminologie als die Dichte der wahren Elektricität zu bezeichnen wäre, ist in *Maxwell*'s erstem hier acceptirten mechanischen Bilde in der That die Menge der Frictionstheilchen, welche sich in der Volumeneinheit mehr als beim normalen Zustande befinden. Sie muss Null sein in vollkommenen Isolatoren, da daselbst die Mittelpunkte der Frictionstheilchen überhaupt unbeweglich sind, aber auch in nicht dielektrisirbaren Leitern, da daselbst die Zellkörper nicht deformirbar sind. In leitenden Dielectricis oder an der Grenze eines Leiters und Nichtleiters**) dagegen können sich die Mittelpunkte der Frictionstheilchen durch Deformation der Zellkörper dichter drängen. Die Spannungen dieser Deformation erzeugen dann die elektrostatischen Kräfte.

Da p, q, r die Gesammtmengen der Frictionstheilchen sind, die in der Zeiteinheit durch 3 zu den Coordinatenrichtungen senkrechte ebene Flächen vom Flächeninhalte eins gehen, so gilt, entsprechend der hydrodynamischen Continuitätsgleichung für die Strömung einer zusammendrückbaren Flüssigkeit *Maxwell*'s Gleichung 113. Da vermöge der blossen Rotation der Zellkörper, wenn dieselben undeformirbar wären, keine dichtere Lagerung der Frictionstheilchen möglich wäre, so muss deren gesammte Verdichtung gleich der durch die Deformation bewirkten, also

$$\frac{dp}{dx}+\frac{dq}{dy}+\frac{dr}{dz}=\frac{d}{dt}\left(\frac{df}{dx}+\frac{dg}{dy}+\frac{dh}{dz}\right)$$

sein, was auch unmittelbar aus der Gleichung 1 der vorigen Anmerkung und den entsprechenden für die beiden anderen Coordinatenaxen folgt. Sind daher u, v, w die durch die Gleichungen 3 daselbst bestimmten Grössen, so ist

---

*) Vergl. *Boltzmann*, Vorles. über *Maxwell*, Theorie, II. S. 7 bei *Barth*, 1893.

**) Dazwischen hat man sich eine Schicht zu denken, in der die Eigenschaften der einen Substanz continuirlich in die der anderen übergehen, die also ein leitendes Dielectricum sein muss. Substanzen, die weder leiten noch dielectrisirbar sind, müssen ausgeschlossen werden.

$$\frac{du}{dx} + \frac{dv}{dy} + \frac{dw}{dz} = 0\,,$$

d. h. die Gesammtströme sind stets geschlossen.

Nach der in § 8 der vorigen Anmerkung besprochenen Anschauung spricht sich dies in der Gleichung

$$\frac{dp}{dx} + \frac{dq}{dy} + \frac{dr}{dz} = 0$$

aus. Nach dieser Anschauung ist also jede Verdichtung in der Lagerung der Frictionstheilchen ausgeschlossen. Wahre Elektricität ist dort, wohin in Folge des Gleitens der Frictionstheilchen an den Zellwänden, wenn dieses allein vorhanden wäre, mehr Frictionstheilchen gelangt wären. Die gleiche Menge wurde aber durch Deformation der Zellwände wieder weggeschafft, deren elastische Kräfte jetzt die elektrostatische Spannung erzeugen.

59) *Zu S. 65.* Ausserhalb des zweiten Körpers ist nämlich $e_2 = 0$; die gesammte Elektricitätsmenge im zweiten Körper aber ist gleich dem über alle Volumelemente dV desselben erstreckten Integrale $\int e \cdot dV$. In dieser und der Formel 127 sind e_1 und e_2 diese gesammten Elektricitätsmengen, während es früher die Dichten der Elektricität waren. Alles das ist analog wie in *Maxwell*'s Formeln 20 und 21 für den Magnetismus (vergl. Anm. 17).

60) *Zu S. 65.* Da die Stromdichten p, q, r früher in magnetischem Maasse gemessen waren, so erschien auch e magnetisch gemessen.

61) *Zu S. 66.* Die hier vorkommende Grösse ϱ ist natürlich die in *Maxwell*'s Formel 1a so bezeichnete Volumdichte der Substanz der Wirbel oder Zellkörper, nicht aber die in Formel 34 mit demselben Buchstaben bezeichnete Flächendichte der Frictionstheilchen. Ebenso ist μ jetzt die in *Maxwell*'s Formel 1 so bezeichnete Grösse, nicht etwa das μ des Satzes XII (Gleichung 80, 82 etc.). In Satz I, Gleichung 1 war $\mu = 4\pi C\varrho$; ferner ist unter den Einschränkungen, unter denen Gleichung 1a gilt, $C = \frac{1}{4}$, daher $\mu = \pi\varrho$.

62) *Zu S. 67.* *Maxwell* berechnet hier keineswegs die Fortpflanzungsgeschwindigkeit der elektromagnetischen Wellen in

dem von ihm fingirten Medium, sondern die der ordinären Transversalwellen in einer unbegrenzten festen Substanz, welche dieselbe Beschaffenheit hat, wie die der Zellkörper. Er giebt offenbar die Idee, dass das Licht in Transversalschwingungen im Sinne der alten Undulationstheorie besteht, noch nicht auf. Doch sind elektromagnetische Wellen in dem von ihm fingirten Medium offenbar nicht unwesentlich verschieden von gewöhnlichen Transversalwellen in unbegrenzten elastischen Körpern.

Betrachten wir wegen ihrer grossen Einfachheit linear polarisirte stehende Wellen. Die Abscissenaxe sei die Richtung der Schwingung, die positive resp. negative z-Richtung die der Fortpflanzung der beiden fortschreitenden Wellen, durch deren Interferenz die stehenden entstanden sind; die erstere soll einfach die Fortpflanzungsrichtung der stehenden Wellen heissen. Bei den elektromagnetischen Wellen bewegen sich die Frictionstheilchen an den Schwingungsbäuchen der elektrischen Kraft lebhaft parallel der Abscissenaxe hin und her. Doch ist der nach z genommene Differentialquotient ihrer Amplitude gleich Null. Die Bewegung ist also zu beiden Seiten der Zellkörper dieselbe; diese drehen sich nicht, sondern deformiren sich bloss, indem sich ihre der positiven und negativen z-Richtung zugewandten Oberflächenelemente immer gleichzeitig im selben durchschnittlich der Abscissenrichtung parallelen Sinne bewegen. In den Schwingungsknoten der elektrischen Kraft ist zwar die hin- und hergehende Bewegung der Frictionstheilchen verschwindend, aber ihr Differentialquotient nach z ein Maximum. Dort bewegen sich also die Frictionstheilchen auf der der positiven und negativen z-Richtung zugewandten Seite eines Wirbels in der entgegengesetzten Richtung. Die Zellkörper deformiren sich nicht, aber drehen sich hin und her um Axen, die der y-Richtung parallel sind. Es treten dort periodisch wechselnde magnetische Polarisationen auf, deren Axe die y-Richtung ist (Bäuche der magnetischen Kraft). Dabei bleiben die Zellkörper immer in ihrer kugeligen Hülle eingeschlossen, während sich bei den gewöhnlichen Transversalwellen die Volumelemente selbst an den Schwingungsbäuchen um endliche Stücke hin- und herbewegen. Dagegen hat die Bewegung der Zellkörper an den Schwingungsbäuchen der elektrischen Kraft, welche mit den Schwingungsknoten der magnetischen Kraft übereinstimmen, sehr viel gemein mit der relativen Bewegung der Theilchen eines Volumelementes an den Schwingungsbäuchen bei gewöhnlichen Transversalwellen. Hier wie dort schwingen die Theile eines elastischen Körpers unter dem Einflusse derselben elastischen Kräfte senkrecht zur Wellenfortpflanzungsrichtung, also in gleicher Weise relativ gegeneinander, und die zurückführende Kraft ist bei gleicher Excursion die gleiche. Ebenso ist die Drehung der Zellkörper an den Schwingungsbäuchen der magnetischen Kraft analog der der Volumelemente an den Knoten der Transversalwellen. Daher ist wohl in beiden Fällen eine nahe gleiche Fortpflanzungsgeschwindigkeit zu erwarten. Darauf, dass *Maxwell* diese genau numerisch gleich findet, ist wohl kein Gewicht zu legen; denn erstens findet er dies nur unter Voraussetzung der *Navier-Poisson*'schen Relation der Längendilatation und Quercontraction, zweitens vernachlässigt er dabei in Formel 1a und 102 den zwischen den Wirbeln gelegenen Raum, die er sich im Uebrigen bei diesen Betrachtungen kugelförmig denkt. Ferner betrachtet er die Wirbel bei Berechnung der Centrifugalkraft als flüssig, bei ihrer Deformation als fest, bei Definition der Umfangsgeschwindigkeit als Cylinder mit kreisförmiger, bei Discussion der Bewegung der Frictionstheilchen als solche mit sechseckigem Querschnitte etc. Dagegen würde *Maxwell* natürlich unbestritten genaue Uebereinstimmung der Fortpflanzungsgeschwindigkeit der elektrischen Wellen mit dem Verhältnisse der elektrostatisch und elektromagnetisch gemessenen Elektricitätseinheit finden, und zwar ganz unabhängig von jedem mechanischen Modelle, wenn er die Fortpflanzungsgeschwindigkeit der elektromagnetischen Wellen aus seinen Gleichungen für die elektrischen und magnetischen Bestimmungsgrössen ableiten würde, was schon aus den hier von *Maxwell* abgeleiteten Gleichungen mit Leichtigkeit gelingt. Für Luft ist nämlich $p = q = r = 0$, $\mu = 1$, und wegen der Abwesenheit von freiem Magnetismus $\frac{d\alpha}{dx} + \frac{d\beta}{dy} + \frac{d\gamma}{dz} = 0$. Daher erhält man aus 112, wenn man die zweite Gleichung nach z differentiirt und davon die nach y differentiirte dritte abzieht:

$$\frac{d^2\alpha}{dx^2} + \frac{d^2\alpha}{dy^2} + \frac{d^2\alpha}{dz^2} = \frac{1}{E^2}\frac{d}{dt}\left(\frac{dQ}{dz} - \frac{dR}{dy}\right),$$

während nach Gleichung 53

$$\frac{dQ}{dz} - \frac{dR}{dy} = \frac{d\alpha}{dt}$$

ist, woraus sofort die bekannte Gleichung für Wellen folgt, deren Fortpflanzungsgeschwindigkeit E ist.

63) *Zu S. 68.* Sei die Abscissenaxe senkrecht auf der leitenden Condensatorplatte. Die Elektricität denken wir uns in einer dünnen, der Condensatorplatte anhaftenden Schicht von der Dicke δ angesammelt. dx sei ein Differential der Dicke dieser Schicht. Die auf der Flächeneinheit befindliche Elektricität ist dann in einem Cylinder vom Querschnitte eins und der Höhe δ enthalten und gleich $\int e\,dx$ über diesen Cylinder erstreckt. In dem Werthe 115 für e ist $Q = R = 0$; daher wird

$$\int e\,dx = \frac{1}{4\pi E^2}(P_1 - P_0).$$

Der Werth P_0 der elektrischen Kraft an der Innenseite der Schicht von der Dicke δ ist gleich dem im Metall herrschenden, also gleich Null; der an der Aussenseite P_1 aber ist gleich $\frac{d\Psi}{dx} = \frac{(\Psi_2 - \Psi_1)}{\theta}$, woraus

$$\int e\,dx = \frac{\Psi_2 - \Psi_1}{4\pi E^2 \theta}$$

folgt.

64) *Zu S. 69.* Durch Bestätigung dieser Folgerung an Schwefelkrystallen (Wien, Sitz.-Ber. II. Bd. 70, S. 342, 1874), sowie der bereits historisch gewordenen Formel 142 in vielen Fällen (siehe viele Abh. in denselben Sitzungsber.) wurde die Richtigkeit der *Maxwell*'schen Theorie schon lange vor den klassischen Versuchen *Hertz*' wahrscheinlich gemacht.

65) *Zu S. 70.* Um diese Formel zu finden, zerlegt man die Feldstärke in zwei Componenten in der Richtung der grössten und kleinsten Dielektricitätsconstante für die Ebene, welche auf der Drehungsaxe der Kugel senkrecht ist. Dann berechnet man die Dielektrisirung der Kugel durch jede dieser Componenten genau so, wie man die Magnetisirung einer Kugel im homogenen magnetischen Felde berechnet. Schliesslich berechnet man die Kraft, welche auf die Kugel von jeder Componente in Folge des durch die andere erzeugten dielektrischen Momentes ausgeübt wird. Es ist hier wohl das erste Mal von der ponderomotorischen Wirkung elektrisirter Körper auf lediglich dielektrisch-polarisirte (der sogenannten dielektrischen Fern-

wirkung) die Rede, hier freilich nur im Falle einer Drehung (vergl. Wien. Sitz.-Ber. II, 68, S. 81).

66) *Zu S. 72.* Zur Darstellung einer Wirkung der ersteren Art braucht man eine Gerade, der ein bestimmter Richtungssinn zukommt, einen Vector, zur Darstellung der letzteren Gattung von Wirkungen aber eine Gerade, bei der nicht die beiden Enden, also die beiden entgegengesetzten Richtungen, nach denen sie zeigt, als verschieden betrachtet werden, sondern mit der der Begriff eines bestimmten Drehungssinnes verknüpft wird. Eine Gerade letzterer Art nennt man nach *Clifford*'s Vorgang einen Rotor; doch sind auch andere Namen üblich*).

Wenn man die Welt (mit Ausnahme einer Schraube, einer Weinranke oder eines Handschuhes zur Beurtheilung von rechts und links) in ihr Spiegelbild verwandeln würde, so müsste man, damit die Gesetze des Geschehens unverändert blieben, Nord- und Südmagnetismus, Rechts- und Linksquarz, Rechts- und Linksweinsäure, aber nicht Glas- und Harzelektricität vertauschen.

67) *Zu S. 73.* Von beiden Gesetzen giebt es Ausnahmen, zu denen nach *Kundt* das Eisen selbst gehört.

68) *Zu S. 75.* Ebenso wie bei der Berechnung der Fortpflanzungsgeschwindigkeit der Wellen lässt *Maxwell* auch hier wieder seine Hypothese, dass der Aether in Zellen getheilt ist, und weder die Mittelpunkte der Zellkörper ihren Ort, noch deren Oberflächen ihre Gestalt ändern können, ganz bei Seite und betrachtet vielmehr gewöhnliche Transversalschwingungen in einem Wirbel enthaltenen Medium, das sich aber sonst ganz wie der Lichtäther der alten Undulationstheorie verhält.

69) *Zu S. 76.* Die Definition dessen, was *Maxwell* Winkelmoment nennt, ist folgende Summe. Man multiplicire die Masse jedes wirbelnden Theilchens mit der Projection der Fläche, welche der zu ihm von einem fixen Punkte der Drehungsaxe gezogene Leitstrahl in der Zeiteinheit durchstreicht, auf eine Ebene senkrecht zur Drehungsaxe und addire alle so gebildeten Producte.

---

*) Vergl. *Wichert*, *Wied.* Ann. 59 S. 286, 1996. *Maxwell*, treatise I. 15, und *J. J. Thomson*'s Anmerkung hierzu in der 3. Auflage.

70) *Zu S. 76.* *Maxwell* erklärt nämlich die angeführte, freilich nicht in allen Fällen richtige *Verdet*'sche Regel daraus, dass in den Volumelementen diamagnetischer Körper eine mit Masse und Trägheit begabte Substanz in demselben Sinne rotirt, wie in dem sie magnetisirenden Strome die positive Elektricität fliesst, in paramagnetischen Körpern im umgekehrten, und das Licht eine Schwingungsbewegung ebenfalls mit Masse und Trägheit begabter Theilchen ist. Die Frictionstheilchen müssen aber in den Molekularströmen eines Elektromagneten und in dem ihn magnetisirenden Strome im selben Sinne herumwandern, in dem die Wirbel im Elektromagneten rotiren.

71) *Zu S. 77.* Dass das metallische Eisen die Polarisationsebene im selben Sinne wie die meisten diamagnetischen Substanzen dreht, war *Maxwell* damals selbstverständlich unbekannt.

72) *Zu S. 77.* Die ganz deutliche Definition giebt Anm. 69.

73) *Zu S. 79.* Man bemerke, dass z die laufende z-Coordinate der Ruhelage eines Theilchens ist, während x und y dessen Verschiebungen während der Schwingungen bezeichnen.

74) *Zu S. 79.* Da *Maxwell* den Lichtäther als einen gewöhnlichen festen elastischen Körper betrachtet, gilt für ihn die der *Maxwell*'schen Gleichung 3 analoge Bewegungsgleichung eines festen elastischen Körpers, auf den keine äusseren Volumkräfte wirken:

$$1)\qquad \varrho\frac{d^2\eta}{dt^2}=\frac{dp_{xy}}{dx}+\frac{dp_{yy}}{dy}+\frac{dp_{yz}}{dz}.$$

Für einen isotropen elastischen Körper sind die elastischen Kräfte p_{xx}, p_{xy} etc. durch *Maxwell*'s Gleichungen 82 und 83 als Functionen der Verschiebungen ξ, η, ζ ausgedrückt. Da für die jetzt betrachteten Transversalschwingungen $\zeta=0$ und ξ und η nur Functionen von z und t sind, so sieht man daraus sofort, dass $p_{xx}=p_{yy}=p_{zz}=p_{xy}=0$

$$p_{xz}=\frac{m}{2}\frac{d\xi}{dz},\quad p_{yz}=\frac{m}{2}\frac{d\eta}{dz}$$

ist. *Maxwell* bezeichnet die Grössen, die er dort mit ξ, η, p_{xz} und p_{yz} bezeichnete, jetzt mit x, y, X, Y. Man hätte also:

2) $$X = \frac{m}{2} \frac{dx}{dz}, \quad Y = \frac{m}{2} \frac{dy}{dz}.$$

Er betrachtet jetzt die Lichtbewegung in Krystallen und daher den Aether als anisotropen Körper. Für diesen setzt er wieder $p_{xx} = p_{yy} = p_{zz} = p_{xy} = 0$, und schreibt statt der Gleichungen 2:

3) $$X = k_1 \frac{dx}{dz}, \quad Y = k_2 \frac{dy}{dz},$$

was dem Uebersetzer nur dann zweifellos gestattet scheint, wenn die Coordinatenebenen Symmetrieebenen sind*). Die Gleichung 1 lautet daher in der jetzigen Bezeichnung:

4) $$\varrho \frac{d^2 y}{dt^2} = \frac{dp_{yz}}{dz},$$

wo p_{yz} gleich der durch Gleichung 3 dieser Anmerkung gegebenen Grösse Y ist, wenn das Medium keine Wirbel enthält. Sind aber solche vorhanden, so ändert sich nach *Maxwell*'s Vorstellung in Folge der Deformation und Drehung der Volumelemente während der Schwingungen fortwährend die daselbst vorhandene Wirbelbewegung nach den in Satz X entwickelten Gesetzen, wodurch wieder Kräfte auf die Volumelemente wirksam werden. Zu den elastischen Kräften kommen daher jetzt auch die durch die Veränderung der Wirbel bewirkten dazu. Bezeichnet man mit Y' die Componente der letzteren Kraft, welche der Componente Y der elastischen Kraft entspricht, so ist also jetzt:

5) $$\varrho \frac{d^2 y}{dt^2} = \frac{dY}{dz} + \frac{dY'}{dz}.$$

Die Grösse Y' bestimmt *Maxwell* durch folgende Ueberlegung: Da sich ohnedies in jeder zur xy-Ebene parallelen Ebene alle Punkte gleich verhalten, so betrachtet er einen aus dem Lichtäther gebildeten Cylinder, dessen Basis der xy-Ebene parallel ist und den Flächeninhalt eins hat, dessen Höhe aber dz ist. Die ausserhalb des Cylinders liegenden Aethertheilchen, welche der der negativen z-Richtung zugekehrten Basis des Cylinders unmittelbar anliegen, üben in der negativen y-Richtung die

---

*) Vergl. *Kirchhoff*, Vorlesungen über Mechanik, 27. Vorlesung.

Kraft $p_{yz} = Y$ auf die unmittelbar anliegenden Theilchen des Cylinders aus. Ebenso wirkt auf die der Gegenfläche anliegenden Aethertheilchen des Cylinders in der positiven y-Richtung die Kraft Y. Diese beiden Kräfte zusammen üben auf den Cylinder das Drehmoment $M = Y dx$ im negativen Sinne um die positive x-Axe aus. Analog übt auch die Kraft Y' das Moment $M' = Y' dx$ im negativen, daher das Moment $-Y' dx$ im positiven Sinne aus. Letzteres Moment muss nach dem Flächenprincip dem Differentialquotienten des »Winkelmomentes« der Wirbel bezüglich der x-Axe, also nach der Gleichung 144a:

$$= \frac{\mu}{4\pi} r dx \frac{d\alpha}{dt}$$

sein, woraus folgt:

$$Y' = -\frac{\mu}{4\pi} r \frac{d\alpha}{dt}.$$

Die Substitution dieses Werthes und des Werthes 3 dieser Anmerkung für Y in die Gleichung 5 liefert die zweite von *Maxwell*'s Gleichungen 146.

Inwieweit es gerechtfertigt ist, die bei gleicher Schwingung ohne Wirbel geweckte elastische Kraft Y und die auf Aenderung der Wirbelbewegung nöthige Kraft Y' den Momenten M und M' proportional zu setzen, mag nur noch an einem einfachen Beispiele erläutert werden. Es sei eine geradlinige Kette von kleinen Kugelschalen gebildet, deren Durchmesser δ sei. Je zwei seien durch eine massenlose gespannte elastische Schnur verbunden. Der Anfangspunkt der ersten und Endpunkt der letzten Schnur seien fix. Nur die Kugelschalen haben Masse. Die Kette soll, wie die Schnur des bekannten *Melde*'schen Apparates, stehende Transversalschwingungen machen, wobei sich der Mittelpunkt jeder Kugelschale in einem Kreise bewegen soll, dessen Ebene senkrecht auf der ursprünglich von der Kette gebildeten Geraden G sei; wir wollen dies als circulare Transversalschwingungen bezeichnen. Dann werden die Schnüre eine Sinuslinie bilden. Die Componente ihrer Spannung senkrecht zu G stellt die die Transversalschwingungen treibende Kraft Y dar. Die Axen der Kugelschalen (Verbindungslinien der Befestigungspunkte der Schnüre) stellen sich in die Richtung der letzteren. Auf sie wird zwar durch die Gesammtspannung der Schnüre kein Drehungsmoment ausgeübt, aber die Spannungscomponenten Y allein würden das Drehungsmoment $M = Y\delta$ ausüben.

Es sollen nun die Kugelschalen rotirende Kreisel enthalten, deren Umdrehungsaxen mit den Axen der Kugelschalen zusammenfallen. Alle Kreisel, mit Ausnahme des im Schwingungsbauche befindlichen, müssen dann bei den früher geschilderten stehenden, circularen Transversalschwingungen der ganzen Kette eine Präcessionsbewegung machen, wobei ihre Pole Kreise im gleichen Sinne wie die Kette beschreiben. Um diese Präcession zu erhalten, müssen die Schnüre auf die Kugelschalen ein Drehmoment M' ausüben. Dasselbe muss, wenn die Kreisel im gleichen Sinne wie die Kette rotiren (Fall A) die Neigung der Axe gegen die Gerade G zu vergrössern streben, sonst (Fall B) zu verkleinern. Im ersteren Falle wirkt M' im selben Sinne, hat also gleiches Zeichen wie M, im letzteren entgegengesetztes. Die Axen der Kugelschalen stellen sich daher jetzt nicht mehr in die Verlängerung der Schnüre; irgend eine Schnur bildet jetzt einen Winkel ϑ'' mit der Geraden G, der im Falle A kleiner, im Falle B grösser als der Winkel ϑ ist, den sie früher bei gleicher Amplitude mit G bildete (also wenn die Kreise, welche die Mittelpunkte sämmtlicher Kugelschalen beschreiben, unveränderte Grösse haben). Die Componente der Schnurspannung senkrecht zu dieser Geraden ist jetzt die Kraft, welche die Transversalschwingungen treibt; sie heisse Y''. Wenn $M'' = Y''\delta$ das durch die Componente Y'' auf eine Kugelschale ausgeübte Drehmoment ist, so sieht man sofort, dass sich $Y'' : Y = M'' : M$ verhält. Andererseits ist bei gleicher Amplitude $M'' = M + M'$, da im Falle B, wo M und M' entgegengesetzt bezeichnet sind, ϑ'' die Differenz des Winkels ϑ und desjenigen Winkels ist, der das Moment M' erzeugen würde. In diesem Falle ist $Y'' < Y$ und die Schwingungen der Kette geschehen langsamer. Die Aenderung der Schwingungsdauer kann, wenn alle Verhältnisse gegeben sind, hiernach berechnet werden. Die Wirbel dürfen nicht mathematisch unendlich klein sein, weil sie sonst, wenn nicht ihre Geschwindigkeit unendlich wäre, keine Wirkung hätten.

Im elastischen Medium müssen daher auch die sie umschliessenden Volumtheile klein, aber endlich sein. Für diese Volumtheile darf nicht $p_{yz} = p_{zy}$ sein. Behufs Berechnung des Drehmomentes, welches auf diese Volumtheile um die x-Axe wirkt, betrachtet *Maxwell* nur die Kraft p_{yz}. Würde man annehmen, dass etwa p_{zy} auch die Hälfte dazu beitrage, indem es auch anders als bei gleicher Deformation ohne Wirbel ist, so würde das Resultat vielleicht etwas modificirt.

Ein Modell für die von *Maxwell* im 4. Theile dieser Schrift betrachteten mechanischen Vorgänge bietet ein nach Art des *Foucault*'schen beliebig um einen Punkt drehbares Pendel, das ein rasch rotirendes Kreisel enthält, dessen Rotationsaxe mit der Mittellinie der Pendelstange zusammenfällt. Die von der Pendelspitze beschriebene Curve kann durch ausfliessenden Sand oder eine Schreibspitze auf einer darunter befindlichen horizontalen Ebene sichtbar gemacht werden.

In *Maxwell*'s Fig. 12 stellen die unteren Pfeile die Kräfte dar, welche die oberen Theilchen auf die unteren ausüben, umgekehrt die oberen Pfeile. Die y-Axe muss nach rückwärts gezogen gedacht werden, wenn das Coordinatensystem ein englisches sein soll.

75) *Zu S. 80.* Hier bedeutet $\delta\alpha$ den Zuwachs, den α während der Zeit dt erfährt, δx aber den Zuwachs, den die Verschiebung x während dt erfährt. Dividirt man durch dt, so kann man daher $\frac{d\alpha}{dt}$ und $\frac{dx}{dt}$ für $\delta\alpha$ und δx schreiben.

76) *Zu S. 84.* Dabei ist noch für μ nach *Maxwell*'s Gleichung 1 der Werth $4\pi C\varrho$ oder $\pi\varrho$ zu setzen, wenn man wie in *Maxwell*'s Gleichung 1a setzt: $C = \frac{1}{4}$ *). Eine Schwierigkeit besteht hierbei darin, dass μ fast in allen Substanzen nahe gleich, ϱ aber dem i^2 verkehrt proportional sein soll. Man müsste doch die Anzahl der Wirbel, die durch die Einheit der Querschnitte gehen, also die Dichte der Lagerung der Wirbel und damit C für verschiedene Substanzen verschieden annehmen.

*) Vergl. *Grütz*, *Wied.* Ann. 25 S. 165, 1885.

OSTWALDS KLASSIKER DER EXAKTEN WISSENSCHAFTEN

Band 292

MICHAEL FARADAY

Experimental-Untersuchungen über Elektricität

Erster Band

Übers.: S. Kalischer, Einl.: F. Steinle

563 Seiten, kt.,

ISBN 978-3-8171-3292-8

Band 293

M. FARADAY

Experimental-Untersuchungen über Elektricität

Zweiter Band

Übers.: S. Kalischer

309 Seiten, kt.,

ISBN 978-3-8171-3293-5

Band 294

M. FARADAY

Experimental-Untersuchungen über Elektricität

Dritter Band

Übers.: S. Kalischer

667 Seiten, kt.,

ISBN 978-3-8171-3294-2)

Kaum etwas hat die Entwicklung von Elektrizität und Magnetismus im 19. Jahrhundert so stark geprägt wie die Arbeiten Michael Faradays. Mit seinen Entdeckungen schuf Faraday eine wichtige Grundlage für das moderne Verständnis von Elektrizität und Magnetismus, wie es später von Maxwell in bis heute gültiger Weise formuliert worden ist (siehe auch Bd. 69). Die wichtigsten seiner zahlreichen Einzelaufsätze faßte er selbst unter dem Titel „Experimental Researches in Electricity" in Buchform zusammen, und es ist keine Übertreibung, wenn man diese drei Bände als das wichtigste Werk der Elektrizitäts- und Magnetismusforschung im zweiten Drittel des 19. Jahrhunderts bezeichnet. Sie werden hier im Nachdruck der deutschen Übersetzung von 1889–91 durch S. Kalischer, der schon Faradays eigene Retrospektive mit einbezog, erstmals wieder leicht zugänglich gemacht.

Band 251

HEINRICH HERTZ

Über sehr schnelle elektrische Schwingungen

Vier Arbeiten

Einl. und Anm.: G. Hertz
122 Seiten, kt.,
ISBN 978-3-8171-3251-5

„Rundfunk, Fernsehen und Radar sind aus unserem heutigen Leben nicht mehr wegzudenken, die Funktechnik ist zu einem untrennbaren Bestandteil der modernen Zivilisation geworden. Der Weg dahin begann mit den hier vorgelegten vier Abhandlungen von Heinrich Hertz ."

(Aus dem Geleitwort von H. Wußing)

Der Band beinhaltet H. Hertz' grundlegende Abhandlungen über elektromagnetische Schwingungen und über den experimentellen Nachweis der elektromagnetischen Lichttheorie.

Der deutsche Physiker Heinrich Hertz (1857–1894) entdeckte die von J.C. Maxwell in der elektromagnetischen Lichttheorie vorhergesagten elektromagnetischen Wellen und wies deren Identität mit dem Licht nach. Er verhalf damit der Physik des elektromagnetischen Feldes zur Anerkennung und schuf die physikalische Voraussetzung für die Funktechnik.

Band 298
PAUL DRUDE
Zur Elektronentheorie der Metalle

Hrsg.: H.T. Grahn, D. Hoffmann
2006, 268 Seiten, kt.,
ISBN 978-3-8171-3298-0

Das von Paul Drude erarbeitete Modell des Elektronengases stellt den ersten und entscheidenden Schritt auf dem Weg zu unserer heutigen Vorstellung des Elektronengases in Metallen dar. Das „Drude-Modell" ist eine klassische Beschreibung des Ladungstransportes von Metallen, die später von H. A. Lorentz und vor allem A. Sommerfeld erweitert wurde. Es basiert auf der Annahme, dass sich die Elektronen wie ein Gas klassischer, nicht-wechselwirkender Teilchen verhalten, deren Bewegung durch Stöße mit den Atomrümpfen gedämpft wird. Dieses einfache, klassische Modell des Elektronengases konnte erstaunlich gut die thermischen, elektrischen und optischen Eigenschaften der Metalle erklären. Wegen seiner Anschaulichkeit und Einfachheit ist es trotz aller Modifizierungen in seinen Grundzügen bis heute tragfähig geblieben und wird weiterhin erfolgreich zur Beschreibung der elektrischen und optischen Eigenschaften von Festkörpern, speziell von Metallen angewandt.

Der Physiker Paul Drude (1863–1906) galt als einer der wichtigsten Protagonisten der Maxwellschen Elektronentheorie in Deutschland, die damals keineswegs akzeptiert und verbreitet war. Diese bildete die Grundlage für seine eigenen Arbeiten zur Elektronentheorie der Metalle, die als Pionierleistung gelten und den Übergang von der klassischen zur modernen Physik markieren.

OSTWALDS KLASSIKER
DER EXAKTEN WISSENSCHAFTEN

Band 264
MANFRED VON ARDENNE
Arbeiten zur Elektronik

Erl.: H. Berg und S. Reball
169 Seiten, kt.,
ISBN 978-3-8171-3404-5

Der Band „Arbeiten zur Elektronik" gibt einen ausgewählten Einblick in die Vielseitigkeit der Erfindungen des Autodidakten von Ardenne, die unser Leben nachhaltig veränderten und auch heute noch beeinflussen: Rundfunk und Fernsehen gehören heute zum alltäglichen Leben, das Rasterelektronenmikroskop ist aus der wissenschaftlichen Praxis nicht mehr wegzudenken und die Elektronenstrahltechnologie hat eine Einsatzbreite vom Schwermaschinenbau über die Satelliten-Bahnkorrektur bis zur medizinischen Diagnostik.

Manfred von Ardenne (1907–1997) wurde durch zahlreiche Erfindungen auf unterschiedlichsten Arbeitsgebieten, wie z. B. Rundfunktechnik, Fernsehen, Elektromikroskopie und Teilchenbeschleunigung, bekannt.
So entwickelte er unter anderem die millionenfach verkaufte Loewe-Dreifachradioröhre, erzielte mit seiner Elektronenstrahlröhre den Durchbruch in der Fernsehtechnik und erfand das Rasterelektronenmikroskop. Auf dem Gebiet der biomedizinischen Forschung erarbeitete er unter anderem eine Krebs-Mehrschnitt-Therapie, die nach klinischen Studien in der künftigen Medizin einen festen Platz einnehmen dürfte.